Une école
de son temps

Un horizon démocratique
pour l'école et le collège

Jocelyn Berthelot

1994

 CEQ

ÉDITIONS
SAINT-MARTIN

Une école de son temps

Centrale de l'enseignement du Québec : ISBN, 2-89061-049-7
Les Éditions Saint-Martin : ISBN, 2-89035-226-9
© 1994 Centrale de l'enseignement du Québec et
  Les Éditions coopératives Albert Saint-Martin de Montréal
  Tous droits réservés pour tous pays.
Dépôt légal : Bibliothèque nationale du Québec, quatrième trimestre 1994
Imprimé au Québec

Données de catalogage avant publication (Canada)

Berthelot, Jocelyn
    Une école de son temps : un horizon démocratique pour l'école et le collège

    Comprend des réf. bibliogr.

    ISBN 2-89061-049-7 – ISBN 2-89035-226-9 (Éditions Saint-Martin)

    1. Enseignement – Réforme – Québec (Province). 2. Sociologie de l'éducation – Québec (Province). 3. Démocratisation de l'enseignement – Québec (Province). 4. Relations école-collectivité – Québec (Province). 5. Éducation – Québec (Province) – Histoire. 6. Autogestion en éducation – Québec (Province). I. Centrale de l'enseignement du Québec II. Titre.

LA418.Q8B47 1994   370'.9714   C94-941373-9

REMERCIEMENTS

Tout au long de ce travail, j'ai pu compter sur la collaboration de nombreuses personnes. Je voudrais d'abord remercier France Duquette, secrétaire, pour avoir « cent fois sur le métier » remis cet ouvrage. Je suis aussi grandement redevable à Marie Gagnon et Hélène Gilbert; leurs exigences linguistiques ont contribué de façon importante à l'amélioration de ce texte.

Les commentaires de plusieurs collègues de la CEQ et de ses fédérations me furent également précieux, sans compter le fait que j'ai largement profité de leurs travaux. Je remercie F. Beauregard, L. Bourbeau, G. Brouillette, L. Caron, N. Fortin, M.-A. Gagnon, M. Jourdain, F. Paquin, E. Paradis, C. Payeur et J.-C. Tardif.

Je voudrais encore souligner la collaboration étroite des personnes du Centre de documentation et remercier G. Duchesne, L. Daigle et L. Hallé de leur aide. Pour leur part, G. Michaud, D. Bernard et L. St-Gelais ont assuré respectivement l'éditique, la conception graphique et la révision finale.

Finalement, les conseils et le soutien de A. Baby, P. Dandurand, T. Hamel et R. Horth m'ont été fort utiles.

Jocelyn Berthelot

Table des matières

Avant-propos

Au cours de la dernière décennie, plusieurs secteurs de la population ont manifesté de nouvelles attentes à l'égard de l'école québécoise. Ils croyaient que le système d'éducation pouvait faire la différence dans le développement de notre société, dans le nouveau contexte mondial. Toutefois, les interventions gouvernementales n'ont porté que sur des ajustements mineurs.

L'ampleur des changements culturels et sociaux récents exige pourtant un nouveau débat et un nouveau consensus social sur la mission et les finalités de l'éducation. Cette réflexion appelle la discussion entre nous, dans nos milieux et avec d'autres groupes, et nous convie aussi à l'action.

Nous croyons fermement que l'éducation et la formation peuvent « faire la différence », mais nous avons aussi la conviction que l'éducation prend tout son sens quand elle s'intéresse à l'humain et à des citoyennes et citoyens responsables et plus fraternels.

La présente recherche donne le ton, mais ne marque pas le pas. Elle nous renvoie à un contexte, le nôtre, et à celui plus large de notre planète. Elle nous offre aussi une recension très riche d'idées, d'études et de débats qui influencent actuellement l'éducation dans des sociétés occidentales en transition et souvent en crise.

L'auteur fait état des orientations récentes de la CEQ puisque nous avons dû réagir, comme organisation et avec nos membres, à plusieurs politiques ou énoncés ministériels au cours des dernières années. Il nous invite finalement à une approche plus globale et plus mûrie, à une démarche en profondeur pour la quête du sens de l'éducation et nous propose des pistes de travail à ce sujet.

Une trame traverse cet ouvrage, c'est celle d'un projet démocratique à la poursuite constante de plus de liberté et d'égalité pour tous, dans le respect des différences et des choix de chacune et chacun.

Le 34e Congrès de la CEQ, qui s'est tenu en juin 1994, a reçu ce rapport comme un outil pour soutenir une importante réflexion sur l'école devant mener au Congrès de 1997. L'université québécoise a été l'objet d'une recherche spécifique qui sera publiée séparément.

Toutes et tous, éducatrices, éducateurs, avec notre expertise, avec notre volonté de construire une société différente, nous sommes aptes à participer à ce projet.

Au Québec, le débat sur l'éducation est inéluctable. Nous souhaitons que vous y preniez toute votre place.

Le Conseil exécutif de la CEQ

Introduction

L'école est en crise, peut-on lire un peu partout. On peut toujours chercher à se rassurer en rappelant que les critiques de l'école ont rarement été au chômage. On peut, bien sûr, mettre en évidence les nombreuses exigences qui se sont accrues tant sur les plans quantitatif que qualitatif. On peut encore regretter qu'on demande à l'école d'être thérapeute de maux sociaux dont les causes lui échappent, de pallier l'incapacité d'autres instances de socialisation qui sont en panne ou en perte de vitesse.

Mais on peut aussi voir, dans les nombreuses critiques qui écorchent l'école et les personnes qui la font, l'expression d'un malaise beaucoup plus profond qui découle de l'essoufflement du modèle éducatif mis en place au tournant des années soixante. Car, s'il semble se dégager un certain consensus sur le fait que l'école soit en crise, il s'arrête là; on ne s'entend guère sur la nature ou les causes de cette crise, et pas davantage lorsqu'il est question de la mission de l'école ou des réformes qui s'imposent.

C'est, en fait, d'un nouvel horizon que l'éducation a besoin, trente ans après le Rapport Parent. Un horizon qui ne saurait prétendre réaliser enfin l'école idéale, mais qui reculera au fur et à mesure que l'on s'en approchera, comme celui dessiné par les révolutionnaires tranquilles.

On assiste, par ailleurs, depuis quelque temps, à une véritable mutation sociale que les concepts de crise de la modernité et de postmodernité résument chacun à leur façon. Cette mutation qui ouvre sur le monde et sur sa diversité, qui interroge la rationalité instrumentale dominante, qui révèle la fragilité de l'humanité et de son habitat, affecte le travail, la famille et toute la vie sociale; elle a d'importantes conséquences sur les personnes et leur formation.

La conviction que l'école québécoise est désormais à un carrefour a été à l'origine de la présente recherche sur la mission de l'école, demandée par le 33ᵉ Congrès de la CEQ[*]. L'école comprend ici tant l'école primaire et secondaire que les collèges.

---

[*] On trouvera à la fin, une liste indiquant la signification des sigles utilisés.

Réfléchir sur la mission de l'école, c'est d'abord s'inquiéter de ses finalités, du sens qu'on veut lui donner, des valeurs qui doivent la fonder. C'est aussi se questionner sur la personne humaine que l'on souhaite former et sur la société à laquelle on aspire. Ce n'est qu'une fois tout cela précisé qu'il convient de dégager les tâches à accomplir, les actions à entreprendre.

La perspective à partir de laquelle on cherche réponse à ces questions constitue un choix premier, un choix de valeurs qui marque l'ensemble de la démarche. Vus de l'économie, par exemple, les êtres humains sont avant tout producteurs et consommateurs et on juge l'école en fonction de sa rentabilité ou de la réponse apportée aux désirs de ses clients. C'est l'idéal démocratique qui nous a servi de cadre de référence, un idéal à renouveler perpétuellement, à la mesure même de l'affirmation croissante de liberté et d'égalité.

Cette perspective ne s'est pas imposée d'elle-même, à l'évidence ou comme un effet de mode. Elle s'est construite progressivement. C'est d'abord en cherchant, dans un premier chapitre, à interpréter l'histoire de l'éducation que le thème de la démocratie est apparu, pour se consolider par la suite.

Des événements qui ont marqué l'éducation québécoise depuis le XVIIe siècle, on peut retenir deux enseignements particulièrement pertinents pour notre réflexion qui, tous deux, illustrent le rapport dialectique qui unit école et société. Le premier révèle, sur une longue durée, malgré d'importants changements, la stabilité de la mission du système éducatif et la cohérence qui en découle. Ainsi, le modèle théocratique qui a dominé l'éducation québécoise pendant près d'un siècle et le modèle libéral qui lui a succédé avec la Révolution tranquille ont-ils confié une mission fort différente à l'école, dont chaque composante portait la marque.

Le deuxième enseignement met en évidence les forces sociales qui s'opposent en permanence autour de la mission de l'école et qui cherchent soit à consolider, soit à transformer le modèle dominant. Il suffit d'une situation sociale favorable pour que la rupture se produise. Mais elle ne se produit jamais à moins d'avoir été alimentée; on peut en retrouver la genèse et le cheminement. La réforme des années soixante, par exemple, ne s'est pas réalisée tout d'un coup; on peut même en faire remonter l'origine jusqu'au projet du Parti patriote dans les années 1820. Ce n'est pas non plus un

hasard si l'auteur des célèbres insolences fut un frère; la lutte des
frères éducateurs pour une école secondaire publique comptait déjà
presque un demi-siècle.

Aujourd'hui, deux projets s'affrontent autour de l'héritage
éducatif de la Révolution tranquille et pourraient marquer la mission
de l'école pour les années à venir. Le premier en retient l'approche
technocratique et annonce un modèle néo-libéral. Le deuxième
cherche à poursuivre la démocratisation en se préoccupant de réussite
et d'autonomie. En insistant sur l'opposition entre ces deux projets, il
ne s'agit pas de conforter une vision manichéenne de l'éducation;
nous voulons plutôt mettre ainsi en relief les principaux enjeux éducatifs, sans pour autant réduire une réalité beaucoup plus complexe.

La démocratie est également ressortie comme un enjeu central à l'analyse des importantes redéfinitions économiques, sociales
et culturelles qui ont cours ou qui s'annoncent; c'est ce dont traite le
deuxième chapitre. Il y a d'abord cette mondialisation dont il est si
souvent question et qui semble inéluctable. Mais la mondialisation
n'est pas qu'économique. À aucun moment de l'Histoire, les peuples, les cultures et les personnes n'ont été mis aussi étroitement en
relation. À l'intérieur même de plusieurs sociétés, la diversité ethnoculturelle s'accroît et le Québec ne fait pas exception. Nous n'avons
d'autre choix que d'apprendre à vivre ensemble, d'être à la fois particuliers et universels, ancrés dans une communauté et une nation tout
en étant ouverts sur le monde.

On observe aussi la remise en cause d'un modèle de
développement axé sur le progrès infini et sur les technosciences. La
planète n'est plus en mesure de supporter une activité humaine qui
croît de façon exponentielle. Une nouvelle alliance avec la nature, un
modèle de développement durable s'imposent. Il faut chercher à
réduire la fracture qui sépare le Nord et le Sud et la polarisation qui
menace de nombreuses sociétés. La démocratie appelle à la responsabilité, à la solidarité et au partage.

Dans plusieurs sociétés, dont la nôtre, on observe encore une
plus grande liberté des personnes, une émancipation des normes
imposées, des modèles préétablis, qui conduit à une diversité accrue
des modes de vie et des croyances. Tout cela comporte de nouvelles
exigences éthiques et explique la place croissante occupée par les
droits de la personne.

La production est inévitablement bouleversée par ces mutations techniques et sociales. La nature et la quantité des emplois sont
affectées. Le travail se fait plus abstrait, mais aussi plus rare. Le taylorisme ne tient plus et l'organisation du travail doit faire appel
davantage à l'autonomie et à la responsabilité. La formation professionnelle doit se faire plus souple et continue.

Ce retour sur le passé et ce regard vers l'avenir sont autant de
préalables à la réflexion sur la mission de l'école qu'aborde le
troisième chapitre. S'il faut éduquer à propos de ce qui fut et de ce
qui est, il faut aussi aider à préparer ce qui devrait être, rechercher un
nouvel équilibre entre la nécessaire adaptation à la société et l'émancipation des personnes.

Fonder l'école sur la démocratie, c'est d'abord la fonder sur
des valeurs de liberté et d'égalité et reconnaître que l'équilibre entre
ces deux pôles doit être l'objet de dialogue et de débat. C'est aussi
rechercher un consensus sur les principes devant encadrer les pratiques institutionnelles et la distribution des ressources. C'est encore
faire de l'école le lieu de la transmission d'une culture publique commune. C'est finalement affirmer que des valeurs d'autonomie, de
coopération, de solidarité et de fraternité universelle doivent trans-
cender l'activité éducative.

La formation d'un sujet démocratique exige le développement d'habiletés liées à sa personne, à la société, et plus largement à
l'humanité. Elle implique une perspective d'ouverture sur le monde
tournée vers l'avenir et ancrée dans une culture nationale. Elle invite
à une approche moins morcelée de la réalité, à développer la capacité
d'interpréter et de comprendre plutôt qu'à se satisfaire d'une simple
accumulation de faits. Cela n'est pas sans conséquences sur l'enseignement des diverses disciplines, leur contenu, leurs frontières,
leur hiérarchisation. Une pédagogie qui reconnaît l'élève comme
sujet est alors une condition de l'égalité des chances.

L'école démocratique de demain aurait ainsi pour mission de
préparer tous les jeunes à des responsabilités et à des rôles plus
exigeants, de former des sujets libres, capables de juger par eux-
mêmes, dans un cadre où chaque établissement est aussi un milieu où
s'incarnent quotidiennement les principes démocratiques.

Ces finalités posées, nous avançons, dans un dernier
chapitre, un ensemble de propositions qui dessinent plus précisément

les contours de ce nouveau projet d'école et en précisent les aspects organisationnels et pédagogiques. Les résultats de la recherche en éducation et les expériences en cours, en Europe et en Amérique, viennent supporter les propositions avancées.

Le premier axe de ce projet vise à démocratiser la réussite, à faire progresser conjointement réussite et qualité dans la perspective d'une scolarisation accrue. Des changements majeurs sont nécessaires pour que l'école et le collège soient en mesure de faire face démocratiquement à l'hétérogénéité croissante des élèves. On ne peut plus ignorer tout ce que les études sociologiques nous ont appris sur le rôle de l'organisation scolaire dans la reproduction sociale; on ne peut non plus oublier la grande diversité des élèves. C'est précisément à tous les élèves qu'il faut offrir des occasions variées d'apprendre, chez tous qu'il faut valoriser le progrès et l'effort, et de tous qu'il faut attendre la réussite.

Une nouvelle cohérence organisationnelle est à construire. C'est d'abord en différenciant l'enseignement et la pédagogie que l'on répondra aux besoins diversifiés des élèves durant la scolarité obligatoire; une organisation scolaire plus souple faisant appel à l'entraide et à la coopération, tant chez le personnel que chez les élèves, pourrait permettre de répondre aux besoins de groupes d'élèves plus hétérogènes. Des mesures sont proposées qui vont d'une organisation de l'école primaire en cycles, sans redoublement, à un deuxième cycle du secondaire plus diversifié et un cégep plus accessible, en passant par un premier cycle redéfini. Tout cela, dans une perspective d'éducation permanente.

La poursuite de l'égalité plaide par ailleurs en faveur d'un meilleur soutien pour les élèves handicapés ou en difficulté, d'interventions adaptées aux milieux socio-économiquement faibles, d'une réponse aux besoins particuliers des élèves des communautés culturelles et d'une meilleure compréhension de la difficile situation scolaire de nombreux garçons.

Le deuxième grand axe d'une politique démocratique vise à faire de l'école même un lieu où l'on voit vivre et prospérer les valeurs et les principes qui fondent la démocratie. Si une telle perspective invite à donner plus de prise aux établissements, au personnel et aux élèves sur l'action éducative, elle s'oppose par contre, au cours de la scolarité de base, à toute différenciation des établissements qui viendrait menacer l'école commune. Cette responsabilisation accrue, alliée à une gestion participative, ne peut manquer de conduire à une redéfinition des rôles et de la place tant du personnel que des élèves.

Une professionnalisation accrue des enseignantes et enseignants, une plus grande prise en charge par les élèves de leur démarche d'apprentissage et de leur milieu de vie, un soutien professionnel et technique adéquat pour les uns et pour les autres sont autant de moyens de faire de l'école et du collège de véritables communautés éducatives. Une communauté où il fait bon vivre et apprendre et où l'on retrouve l'ensemble des services dont les jeunes ont besoin.

Le troisième axe de ce projet d'école porte sur les structures. Une école laïque qui soit respectueuse des croyances et de la diversité religieuses et qui reconnaisse l'importance de la spiritualité dans les activités humaines devient une nécessité dans une société de droits où la diversité ethnoculturelle va croissant. Quant à l'enseignement privé, une politique d'intégration sera proposée dans le respect des exigences d'une école de base commune et de l'autonomie relative des établissements.

Tout cela exigera des changements à l'importance que la société québécoise accorde à l'éducation. La crise de l'école est aussi une crise de financement, une crise de confiance et une crise de culture. Une revalorisation s'impose, tout comme une collaboration plus soutenue de la part des autres institutions sociales.

Une synthèse d'une telle ampleur n'est pas sans dangers. Elle perd nécessairement en précision et le spécialiste d'un thème donné pourra toujours y trouver quelque chose à redire. En revanche, certains praticiens ou praticiennes pourront la trouver parfois un peu éloignée de leur quotidien.

Notre objectif était de fournir un ensemble d'informations susceptibles d'éclairer les débats qui ne manqueront pas à ce carrefour stratégique où se trouve le système éducatif. Nous avons tenté de bien distinguer les éléments qui relevaient d'un arrière-plan historique et prévisionnel, des questions concernant la mission de l'école et ses finalités, et ces dernières des moyens qui semblaient convenir. L'ensemble soulève au moins autant de questions qu'il n'apporte de réponses.

Comme tout projet, celui-ci est en construction. Il est soumis à la discussion. On pourra diverger d'opinion sur l'interprétation de certains faits ou sur certaines analyses. Nous espérons surtout avoir soulevé les bonnes questions et avoir nourri les réponses de suffisamment de données pour que la lectrice ou le lecteur puisse y trouver matière à réflexion et inspiration pour la pratique.

Chapitre 1
D'hier à aujourd'hui

*Chaque « actualité » rassemble des mouvements
d'origine, de rythmes différents : le temps
d'aujourd'hui date à la fois d'hier,
d'avant-hier, de jadis.*

Fernand Braudel. *Écrits sur l'histoire.*

N otre « actualité », c'est le système éducatif et la mission qui
lui est confiée. Il s'est constitué depuis le début du XIXe siècle. De jadis, nous gardons notamment la permanence de
structures confessionnelles; d'avant-hier nous avons hérité d'un
réseau scolaire dont la structure a atteint une certaine permanence;
d'hier on se rappellera ce qui fut qualifié de second souffle de la
réforme.

Mais l'histoire est bien davantage que ce qui reste lorsque
passe le temps. Comme toute connaissance, l'histoire se construit.
Elle collecte les faits qu'elle traduit et organise dans le temps. Elle
identifie les continuités tout en recherchant les ruptures. Elle dégage
des modèles qu'elle voit se succéder au rythme du temps; elle tente
d'élaborer des systèmes d'explication qui les transcendent.

Le temps même de l'historien est multiple; il est aussi construction, nous dit Braudel. Il y a le temps court, celui des événements
qui passent et se succèdent et auquel l'histoire traditionnelle nous a
habitués. Il y a ensuite le temps moyen, celui des cycles, des fluctua-
tions, si prisé des économistes. Puis, enfin, il y a le temps long, celui

qui dure, qui décrit les systèmes et les structures, leur stabilité prolongée et leur transformation. C'est ce dernier qui sera le nôtre,
puisque c'est à son échelle qu'on peut mesurer l'évolution de la mission de l'école.

En effet, malgré des changements ponctuels, l'éducation est
un système relativement stable. Les savoirs transmis, la hiérarchie
des disciplines, les valeurs dominantes, les critères servant à
légitimer l'ordre social, les relations éducatives semblent dotés d'une
cohérence et d'une certaine unité qui font système. Mais il arrive parfois que ce système se transforme globalement en un autre, lui-
même, à son tour, soumis au même processus. Avanzini (1991)
emprunte à la biologie le concept de mutation pour caractériser ce
« remodelage assez subit, radical et plénier » (p. 17) qui assure le
passage d'un système éducatif organisé à un autre.

Pour caractériser ces projets différents, certains ont recours
au concept de paradigme, introduit par l'historien des sciences
Thomas S. Kuhn pour expliquer les moments de rupture dans l'évolution des théories scientifiques[1]. Les différents paradigmes éduca-
tionnels se succédant au cours de l'histoire (Dupont, 1990) ou existant simultanément sous forme de projets divergents (Bertrand et
Valois, 1992) correspondent à des paradigmes socioculturels propres.
Sont ainsi reconnues les relations étroites et dynamiques qui existent
entre système éducatif et système social. Quant à nous, nous utilise-
rons le concept de modèle éducatif, dans le sens donné ici au concept
de paradigme, pour caractériser les périodes de relative stabilité dans
la mission confiée au système éducatif.

Deux mutations majeures semblent caractériser l'évolution
de l'éducation au Québec. La première s'est produite vers le milieu
du XIXᵉ siècle, après l'échec du projet impérial et de celui des
Patriotes; elle a vu s'instaurer un modèle éducatif théocratique qui,
malgré des changements nombreux, dura près d'un siècle. À partir de
1875, les Églises chrétiennes contrôlent l'ensemble du système éducatif; grâce aux comités catholique et protestant du département de
l'Instruction publique, elles assurent la direction de ce double système et déterminent les contenus d'enseignement. Ce modèle est

---

1. Par paradigme, Kuhn entend tout l'ensemble des croyances, des valeurs reconnues et des techniques communes aux membres d'un groupe donné.

surtout présent chez les catholiques, où les clercs dirigent la majorité des établissements d'enseignement et où l'autorité religieuse participe directement aux structures supérieures de l'éducation.

La deuxième mutation se confirme avec la Révolution tranquille. Les contradictions internes exacerbées par l'évolution rapide de la fréquentation scolaire et par la modernisation de l'après-guerre ouvrent la voie à un modèle que l'on peut qualifier de libéral. Il est fondé sur la réussite individuelle, sur l'égalité des chances, sur la valeur économique de la formation et sur l'intervention de l'État. Ce modèle apparaît aujourd'hui en redéfinition, le consensus relatif autour des objectifs de la réforme s'étant effrité.

Nous empruntons à Derouet (1992) le concept de « tuilage » pour décrire la période que traverserait présentement l'éducation, « c'est-à-dire une période où deux mouvements de longue durée se recouvrent comme deux tuiles sur un toit » (p. 32). Un nouveau modèle serait en émergence. Dans un contexte marqué par de profondes transformations sociales, économiques et culturelles, des projets divergents pour l'école cherchent à s'imposer. Un modèle néolibéral axé sur la concurrence et le chacun pour soi s'oppose à un modèle qui veut poursuivre les idéaux démocratiques et que Van Haecht (1990) qualifie de social-démocrate.

Quel que soit le modèle dominant, nous le verrons, celui-ci n'est ni exclusif, ni immuable. Il est soumis en permanence à des forces contradictoires. Certaines aspirent au maintien du modèle existant et d'autres travaillent à sa transformation. En nous attardant à celles-ci, nous tenterons de retracer l'histoire des luttes et des projets qui ont permis de faire progresser le projet démocratique sous ses diverses facettes : une plus grande égalité, une suprématie des vérités vérifiées sur les vérités révélées, le contrôle démocratique des institutions, etc.

La composition des camps qui s'affrontent pourra parfois surprendre. Ainsi, les différentes congrégations de frères ont été au coeur des revendications pour une école secondaire publique qui permette l'accès aux études supérieures, en opposition directe avec le Comité catholique et les clercs des collèges classiques. Lors du débat sur la fréquentation scolaire obligatoire, la CSN et l'UPA de l'époque (la CTCC et l'UCC) ont fait front commun avec l'Église catholique contre cette mesure appuyée par les « unions internationales » et le grand patronat. Par ailleurs, tous ces débats ont été grandement influencés par la réalité sociale de l'époque et fortement alimentés par des idéologies étrangères, qu'il s'agisse de l'ultramontanisme ou du radicalisme laïque.

Le passage d'un modèle éducatif à un autre est d'un intérêt tout particulier dans le contexte de la crise actuelle du système éducatif. Selon Avanzini (1991), deux conditions sont nécessaires à une telle mutation : le nouveau modèle doit être déjà en germe dans la pratique éducative et la conjoncture politique doit être favorable à son émergence. On peut ajouter que les dysfonctionnements et les contradictions qui marquent le modèle dominant peuvent aussi être des facteurs importants de sa mutation. On comprendra alors toute l'importance de consolider le projet démocratique.

Ce bref rappel historique n'est pas oeuvre d'historien. Il s'agit modestement d'une synthèse partielle faite à partir des pièces de plus en plus nombreuses qui sont venues, ces dernières années, enrichir l'historiographie éducative québécoise. Une véritable synthèse reste toujours à faire, depuis les travaux pionniers de Louis-Philippe Audet, il y a quelques décennies.

QUERELLES DE COURONNES ET DE CLOCHERS

L'école, telle qu'on la connaît, daterait du début du Moyen Âge. Le catholicisme, religion savante, nécessitait de ses clercs la connaissance des Saintes Écritures. L'Église ouvrit donc des écoles dans les monastères et près des églises afin d'assurer l'enseignement de la lecture et de l'écriture, pour répondre à ses propres besoins d'abord, puis, aux besoins éducatifs des plus fortunés (Gauthier, 1992a).

L'éducation fut une des premières préoccupations des Églises réformées qui, dès le XVIe siècle en confièrent le soin à leurs pasteurs. Ainsi, que ce soit en France ou en Angleterre, les princes avaient fini par considérer que l'éducation relevait des Églises et celles-ci étaient persuadées que cette responsabilité leur appartenait de droit (Galarneau, 1978).

C'est ce modèle qui fut importé en Nouvelle-France, dans un contexte où les entreprises d'évangélisation suscitées par la contre-réforme catholique battaient leur plein. Durant le siècle et demi que traversa le régime français, le clergé catholique assura seul, sous l'autorité de l'évêque, l'ensemble des responsabilités éducatives. Le pouvoir royal se contentait de soutenir de façon bien irrégulière les communautés enseignantes dont les Jésuites, les Ursulines, les Récollets et les Sulpiciens. L'éducation était alors loin de faire système. L'instruction de base, essentiellement urbaine, se résumait aux rudiments de la lecture, de l'écriture et de l'arithmétique et à la formation d'un peuple de bons chrétiens. Les manuels scolaires étaient rares; en l'absence d'imprimerie, on utilisait les seuls livres disponibles, les missels et autres écrits liturgiques (Audet, 1971; MEQ, 1989).

Dans cette société à la population peu nombreuse, où dominaient la traite des fourrures et l'agriculture de subsistance, la formation professionnelle ne fournissait que quelques centaines d'artisans mâles alors qu'une formation ménagère s'offrait aux jeunes filles. Quant à la formation classique, seul le Collège des Jésuites, à Québec, l'assurait en totalité et pour les seuls garçons. La formation des prêtres se donnait sur place, au séminaire, mais il fallait se rendre à l'étranger pour toute autre formation supérieure, à l'exception des écoles de mathématiques et d'hydrographie qui formaient les officiers de marine, les arpenteurs et les cartographes.

Un projet impérial

La Conquête britannique de 1760 eut des conséquences désastreuses sur l'éducation des Canadiens. La défaite fut à la fois militaire, politique, économique et culturelle. La France abandonna ses « quelques arpents de neige », leur préférant le soleil et les plantations des Antilles[2].

---

2. La proclamation royale de 1763 précisait que « (...) afin de parvenir à établir l'Église d'Angleterre (...) et que lesdits habitants puissent être graduellement induits à embrasser la religion protestante (...) c'est notre intention (...) que tout l'encouragement possible soit donné à la construction d'écoles protestantes » (dans Gérin-Lajoie, 1989, p. 43).

Personne n'empêcha les écoles existantes de fonctionner. Mais les Jésuites furent bannis et leurs biens, dont les revenus soutenaient l'éducation, confisqués. Les communautés enseignantes qui restèrent sur place furent frappées par une grave pénurie d'effectifs. Elles n'arrivaient pas à recruter parmi la population locale et n'étaient plus en mesure de faire venir de nouvelles recrues de la mère patrie.

Vers la fin du siècle, la situation éducative des francophones était lamentable. L'analphabétisme demeurait généralisé. Sur une population française d'environ 150 000 personnes, moins de 4 000 savaient lire et écrire. Les livres français se faisaient rares, tout commerce avec la France ayant été supprimé. Les manuels scolaires, considérés comme du matériel de contrebande, étaient saisis par les douaniers (Leclerc, 1988). Seuls le Séminaire de Québec et le Collège des Sulpiciens à Montréal offraient l'enseignement secondaire.

Les anglophones affichaient une bien meilleure situation. On comptait, chez eux, une école pour 600 habitants, contre une pour 4 000 chez les francophones. Les Loyalistes, habitués à un système d'éducation financé localement, avaient contribué à améliorer la situation en ouvrant de petites écoles dans toutes les régions où ils s'installèrent (Deblois, 1987). L'éducation offrit aux anglophones l'avantage d'ouvrir aux emplois du commerce et de l'administration qui leur étaient presque exclusivement réservés.

La venue des Loyalistes précipita une importante réforme constitutionnelle. Ces derniers refusèrent de se soumettre aux lois civiles françaises et au régime seigneurial maintenus en vigueur par l'Acte de Québec en 1774. Ils exigèrent un traitement particulier qui leur fut partiellement octroyé par la nouvelle constitution de 1791 qui divisait le Canada en deux provinces, le Bas-Canada à majorité francophone et le Haut-Canada à majorité anglophone.

Par cette même loi, un régime parlementaire fut instauré dans chacune des deux provinces. Si la Chambre d'assemblée était élective, le pouvoir exécutif demeurait fermement entre les mains de la couronne britannique qui pouvait ainsi disposer à sa guise des lois adoptées. C'était le parlementarisme sans la démocratie. Cette ouverture démocratique allait néanmoins permettre, peu à peu, l'expression de la volonté populaire.

Dans le cadre des débats qui conduisirent à la réforme constitutionnelle, le pouvoir impérial de Lord Dorchester, préoccupé par
l'ignorance quasi généralisée de la population, créa un comité chargé
de proposer un ensemble de mesures pour améliorer l'éducation du
peuple. Le comité suggéra de faire passer l'éducation des mains de
l'initiative privée et des Églises à celles de l'État. Il proposa la création d'un véritable système public d'éducation comprenant une école
gratuite dans chaque village, une école secondaire dans chaque
comté, le tout coiffé par une université. Cette dernière aurait été
ouverte indistinctement aux catholiques et aux protestants et la
théologie en aurait été exclue.

Pour les artisans du projet, l'instruction aurait dû être donnée
en anglais. Cela, écrivit l'évêque anglican Charles Inglis, « contri-
buera à éclairer les esprits et en fera de meilleurs sujets » (cité dans
Audet, 1971, p. 337). Plusieurs Canadiens français appuyèrent l'idée
d'une université laïque offrant un enseignement littéraire et scientifique, dans leur langue toutefois.

L'Église catholique qui demeurait la seule institution
française de poids, après la défaite militaire et politique, s'opposa
farouchement à ce projet, sous la houlette de l'évêque de Québec,
Mgr Hubert. Le clergé catholique refusait toute intervention de l'État
dans ce qu'il considérait toujours comme une de ses prérogatives. Il
craignait l'influence protestante ou laïque. Finalement le projet
échoua.

On voit déjà ici se profiler les différentes forces qui s'affrontèrent tout au long de la première moitié du XIXe siècle pour assurer
leur hégémonie sur le système éducatif.

Ce premier échec ne scella pas la défaite du projet impérial.
Le gouverneur revint à la charge en 1801 en soumettant un projet de
loi à la Chambre d'assemblée. Le projet qui créait la « Royal
Institution for the Advancement of Learning »[3] fut adopté, mais les
amendements introduits par les députés canadiens-français en limi-
tèrent grandement la portée.

---

3. Cette appellation figure toujours sur le portail d'entrée de l'Université McGill.

L'Institution royale se vit octroyer les pouvoirs d'un véritable ministère de l'Éducation. Les écoles ainsi créées s'adressaient à l'ensemble de la population, sans distinction linguistique ou religieuse. Chaque milieu devait assurer la construction et l'entretien de son école et l'Institution défrayait le salaire des maîtres. Le clergé catholique et les députés francophones y perçurent des visées évidentes d'anglicisation et de protestantisation. Le secrétaire du gouverneur affirmait en effet qu'il s'agissait d'un « moyen extrêmement puissant d'accroître l'influence du gouvernement exécutif et de modifier graduellement les sentiments politiques et religieux des Canadiens » (cité dans Hamelin et Provencher, 1987, p. 50).

Les amendements apportés eurent pour effet de soustraire les écoles confessionnelles existantes à l'autorité gouvernementale; ils garantissaient encore qu'aucune école royale ne pourrait être établie dans une paroisse sans l'assentiment majoritaire des habitants.

Les curés firent par la suite tout leur possible pour décourager leurs ouailles d'édifier de telles écoles. Elles furent d'ailleurs fort rares du côté francophone. La population protestante en bénéficia par contre grandement. Ainsi, l'écart entre les deux groupes ne cessa de s'accroître.

La désignation des membres du Bureau de direction de l'Institution, en grande majorité des anglicans, suscita d'autres réactions négatives, cette fois également de la part de certains groupes protestants. La suprématie de l'Église anglicane, dont les positions sur l'éducation rejoignaient celles de l'Église catholique, était remise en question depuis l'arrivée de marchands appartenant à d'autres Églises qui privilégiaient une instruction fondée sur des principes généraux acceptables à tous les protestants. Pour satisfaire les catholiques, le gouverneur tenta, mais sans succès, de faire scinder l'institution en deux, l'une pour catholiques et l'autre pour protestants.

Face à l'ignorance généralisée des francophones et à leur rejet des écoles royales, une nouvelle loi autorisa les curés à établir des écoles sous la surveillance et la responsabilité financière des fabriques, les corporations gestionnaires des biens locaux de l'Église catholique. Cette loi créait un système privé confessionnel en marge du système public. Mais les résultats ne furent guère encourageants. Les paroisses étaient pauvres et l'État n'accordait aucun subside aux écoles qu'il ne contrôlait pas.

La situation était à ce point dramatique que les Canadiens français se virent affubler du sobriquet de « Knights of the Cross », les Chevaliers de la Croix; l'ironie recouvrait tant leur incapacité à signer autrement que d'une croix que leur ferveur religieuse (Lahaise, 1990). Par exemple, une pétition pour protester contre le régime de Dalhousie, en 1827, recueillit l'appui de 87 000 Canadiens français dont 78 000 avaient signé d'une simple croix. Sur 150 000 jeunes en âge de fréquenter l'école, à peine 10 000 y accédaient. L'enseignement classique continuait néanmoins de se développer rapidement, malgré la situation alarmante de l'enseignement primaire.

L'Institution royale souffrit de l'opposition des francophones, mais ce sont surtout les mesures plus généreuses et plus démocratiques adoptées par la Chambre d'assemblée qui la conduiront à sa perte.

Des démocrates sans moyens

Une troisième force sociale prenait de plus en plus d'importance à l'aube du XIXe siècle. La création de la Chambre d'assemblée avait favorisé la montée de la petite bourgeoisie francophone qui trouvait dans la politique un débouché intéressant. Cette petite bourgeoisie était fortement influencée par les idées qui avaient donné naissance à la révolution américaine et à la révolution française.

Un vaste mouvement de libération embrasait, au Sud, ce qui restait de l'Amérique coloniale. En quelques années Bolivar, Sucre, San Martin et d'autres généraux secouèrent le joug espagnol. Le droit des nationalités était à l'ordre du jour. Un peu partout, les nouveaux pouvoirs se démarquaient de l'autorité religieuse.

Au Québec, deux projets politiques s'affrontaient à la Chambre d'assemblée. Les tenants du pouvoir impérial devaient faire face à une opposition croissante des Canadiens menée par la moyenne et petite bourgeoisie francophone avec l'appui des classes populaires. Le clergé, pour sa part, était en perte de vitesse. Malgré la venue de quelques clercs fuyant les persécutions révolutionnaires, l'Église catholique n'arrivait plus à maintenir son emprise sur la population francophone.

Les idées laïques et républicaines faisaient leur chemin. Plusieurs communautés locales soutenaient des projets de collèges laïques, vivement combattus par le clergé qui craignait l'importation du fanatisme révolutionnaire (Mair, 1980a). La création du parti Patriote, au début des années 1820, concrétisa ce projet démocratique. En éducation, les Patriotes prônaient non seulement la laïcité, mais la création d'un véritable système public d'enseignement.

On peut reconnaître dans ces propositions une filiation directe avec les idées des révolutionnaires français. Dans son *Rapport sur l'organisation générale de l'instruction publique*, déposé à l'Assemblée nationale française en 1792, le « citoyen » marquis de Condorcet, dernier des grands encyclopédistes, justifiait le caractère public de l'instruction et le devoir ainsi imposé à l'État de la prendre en charge par l'intérêt commun de la société et par celui de l'humanité tout entière; il affirmait également son caractère laïque, c'est-à-dire sa séparation « des principes de toute religion particulière » (Pons, 1988).

Largement majoritaires à l'Assemblée, les Patriotes, préoccupés par le faible niveau d'instruction générale, firent adopter, en 1829, une nouvelle loi pour « encourager l'école élémentaire ». Cette loi, aussi appelée loi des écoles de syndics, instituait le Parlement comme autorité suprême en éducation et prévoyait, dans chaque paroisse, l'élection de syndics (ou commissaires) chargés d'administrer les nouvelles écoles. L'État défrayait la moitié des coûts de construction, le salaire des maîtres et les frais de scolarité des enfants pauvres.

Le clergé fut profondément mécontent. L'Église trouvait ce projet démocratique inacceptable, « la démocratie étant à ses yeux essentiellement une machine à produire l'athéisme massif » (Ouellet, 1973, p. 45). La loi comportait des objectifs évidents de laïcisation, notamment en excluant nommément les curés de la charge de commissaire dont ils assumaient auparavant les fonctions. La rupture se précisait entre les chefs laïques et le clergé catholique.

Les progrès furent rapides en éducation. Chez les francophones, on assista à une véritable explosion scolaire alors que les anglo-protestants abandonnèrent l'Institution royale pour profiter des conditions beaucoup plus généreuses de la nouvelle loi. De 325 écoles pour le Bas-Canada en 1828, on passa à 1 282 écoles en 1832.

L'enseignement secondaire balbutiait encore et demeurait essentiellement privé chez les catholiques. Quant à l'enseignement supérieur, il
se résumait au seul McGill College, fondé en 1821.

Ce premier projet éducatif démocratique affronta de nombreux problèmes. Les instituteurs n'avaient pas toujours une préparation adéquate, loin s'en faut; les fraudes et le patronage étaient
fréquents; l'enseignement laissait à désirer; les contrôles étaient
insuffisants. Ce ne furent pourtant pas ces difficultés qui allaient mettre fin à cette première expérience démocratique, mais plutôt la
dynamique conflictuelle inhérente au régime constitutionnel.

L'affrontement entre une Chambre d'assemblée, dominée par
les Patriotes, et un pouvoir exécutif sous la férule du gouverneur
parut de plus en plus inévitable. Ces tensions atteignirent leur
paroxysme en 1836, à la suite de l'échec des revendications conte-
nues dans les quatre-vingt-douze résolutions. Les députés refusèrent
de voter les crédits nécessaires au bon fonctionnement de l'État. La
Couronne répliqua en refusant d'approuver les lois votées par
l'Assemblée, dont la loi des écoles élémentaires, renouvelable pério-
diquement. Ainsi, en 1836 les écoles de syndics se retrouvèrent sans
le sou, alors que l'on venait de prévoir la création d'écoles normales
laïques pour préparer les instituteurs; ces derniers étaient d'ailleurs
en très grande majorité des laïcs.

En 1837, tout était mûr pour le soulèvement des Patriotes. Le
projet de libérer le Bas-Canada du joug britannique fit long feu[4]. Le
clergé en appela à la soumission, tout comme il l'avait fait lors de
l'incursion américaine de 1775. Sans l'appui d'une partie de la bourgeoisie anglophone, l'entreprise était vouée à l'échec. En peu de
temps, les insurgés furent écrasés et leurs leaders sévèrement châtiés
par les maîtres britanniques; certains furent pendus, d'autres, exilés.

La constitution fut suspendue et un régime d'exception
instauré. Lord Durham reçut le mandat d'enquêter sur les causes de
la rébellion. Son célèbre rapport proposait l'infériorisation politique
et l'anglicisation des Canadiens. Cela conduisit à l'adoption, en
1840, de l'Acte d'Union qui imposait l'unification des deux Canada.

---

4. Le Haut-Canada se souleva également et la rébellion connut le même échec.

Le clergé instituteur

Dans les années suivant la rébellion, les trois projets qui avaient occupé les devants de la scène au cours du dernier siècle s'affrontèrent de façon décisive. Le projet assimilateur ne survécut pas longtemps. On assista par ailleurs, chez les francophones, au déclin du projet libéral porté par les Patriotes et au triomphe du projet clérical et du nationalisme conservateur.

Trois projets politiques

L'Acte d'Union instaurait un seul gouvernement pour le Bas et le Haut-Canada, sur le modèle prévu par la constitution de 1791. Ce projet visait à mettre les Canadiens français dans un état de subordination politique et à forger une majorité parlementaire britannique. Un ensemble de facteurs le firent rapidement échouer.

L'abandon du protectionnisme par l'empire porta un dur coup aux exportations canadiennes de bois et de blé. La bourgeoisie montante chercha à développer un axe économique nord-américain, puis canadien, plutôt que britannique. Parallèlement, le contrôle de l'Assemblée par les Réformistes contraignit Londres à octroyer la responsabilité ministérielle. Se développa donc, peu à peu, une conscience canadienne qui n'était guère favorable aux ambitions des héritiers de Lord Durham et qui conduira, en 1867, à la Confédération.

Chez les Canadiens français, la lutte entre les libéraux et le clergé catholique se poursuivit pendant près d'un demi-siècle. Le clergé renforça considérablement sa position après l'échec des Patriotes. Les dirigeants laïques étaient discrédités alors que l'Église avait vu sa légitimité reconnue par les autorités britanniques. Toujours préoccupée par les conséquences de la Révolution française, elle s'opposait farouchement aux idées libérales.

L'Église s'empressa de consolider son emprise. Mgr Bourget se rendit en France pour recruter de nouvelles communautés qui pourraient s'occuper d'enseignement. Les Oblats, les Jésuites, les Sœurs du Bon-Pasteur, les Clercs de Saint-Viateur et d'autres furent accueillis à bras ouverts. Sur place, on encouragea la fondation de nouvelles communautés. Le rapport entre le nombre de prêtres et le nombre de fidèles doubla entre 1850 et 1890. Les instituteurs laïques, majoritaires depuis le début du siècle, furent peu à peu délogés.

La doctrine ultramontaine[5], dont Mgr Bourget fut un grand défenseur, gagna la ferveur des clercs. Elle proclamait la suprématie universelle du pape, ce qui, de droit divin, le rendait arbitre des questions sociales et politiques et impliquait la suprématie de l'Église sur l'État.

Les événements qui se déroulèrent en Italie contribuèrent à consolider la réaction catholique. Sous l'assaut des forces républicaines, le pape-roi, Pie IX, fut contraint de quitter Rome. En 1864, il publia le *Syllabus errorum* qui condamnait un ensemble d'idées montantes dont l'enseignement laïque, la séparation de l'Église et de l'État et le libéralisme. Cette condamnation allait de pair avec celle de la science et de ses méthodes trop liées au rationalisme (Sylvain, 1973).

C'était justement là le projet des fils spirituels des Patriotes qui s'étaient regroupés autour de l'Institut Canadien, créé par un groupe d'intellectuels dès 1844. L'Institut se voulait un organisme culturel ouvert à tous, sans distinction de classe, de religion ou de langue. Il disposait d'une importante bibliothèque et offrait des cours ou des occasions d'éducation mutuelle à ses membres. Ces derniers incarnaient aux yeux de l'Église tous les péchés du libéralisme qu'elle s'évertuait à pourfendre. Les publications et les projets de l'Institut inquiétaient sérieusement le clergé. Mgr Bourget décida d'en venir à bout.

Lorsque l'Institut, qui offrait une formation en droit et en médecine, tenta de fonder ou de s'associer à une université, Mgr Bourget le prit de vitesse en créant une université catholique à Québec, l'Université Laval, « par crainte que les laïcs ne s'emparent de l'éducation ici comme en France ». Puis, la bibliothèque de l'Institut fut frappée d'une condamnation romaine pour ne pas respecter les règles de l'Index[6]. Finalement, les membres qui

---

5. Ultramontain : au-delà des montagnes, désignant l'Italie par rapport à la France. Soutient la position traditionnelle de l'Église italienne dont les thèses furent confirmées par le dogme de l'infaillibilité du pape, en 1870. Au Québec, ce dogme se répercuta jusqu'aux échelons inférieurs de la hiérarchie.

6. La mise à l'Index désigne la condamnation par l'Église d'ouvrages non conformes à sa doctrine ou à sa morale. Un catholique s'en voyait ainsi interdire la lecture. On a mis fin à une telle pratique avec le Concile Vatican II.

refusèrent de démissionner furent excommuniés; l'évêque alla jusqu'à refuser d'accorder à un de ses membres, l'imprimeur Guibord, le droit d'être enterré en terre catholique. Ce qui fut finalement fait, après une longue lutte juridique et sous une importante protection de l'armée; Mgr Bourget avait cependant pris soin de déconsacrer le coin de cimetière réservé à l'impie.

Ainsi, l'ultramontanisme finit par triompher. L'emprise de l'Église catholique s'étendit à toutes les sphères de la société. Certains membres du clergé ne se privèrent même pas d'intervenir dans les débats électoraux. « Le ciel est bleu, l'enfer est rouge » leur tenait lieu de maxime politique. Les rouges, héritiers de l'Institut canadien, durent même avoir recours aux tribunaux pour faire annuler l'élection de deux députés bleus qui avaient profité de l'influence indue du clergé. Comme le souligne Turcotte, « les Canadiens troquèrent le rêve de la libération par la révolution politique contre un espoir de salut collectif par la voie religieuse (1988, p. 26).

Mise en place des structures scolaires

Au lendemain de l'Union, la situation scolaire du Bas-Canada était catastrophique. Les écoles étaient privées d'encadrement législatif et de financement depuis plus de cinq ans. En 1842, la fréquentation scolaire avait chuté de près de 90 % par rapport au sommet de 1836. La situation allait toutefois se rétablir rapidement à la suite de l'adoption d'une série de lois qui fixèrent progressivement un cadre éducatif qui durera près d'un siècle (Linteau, Durocher et Robert, 1979).

La première loi adoptée en 1841, dernier sursaut du projet éducatif impérial, s'appliquait aux deux provinces et suscita une vive opposition des francophones. Les autorités scolaires locales devaient se greffer aux nouvelles structures municipales dont les préfets étaient désignés par le gouverneur; les deux tiers des préfets désignés pour le Bas-Canada étaient des anglophones. Cette loi fut toutefois contournée dans la pratique avant d'être amendée par le parlement de l'Union qui dota chaque province (Canada-Est et Canada-Ouest) d'une loi scolaire spécifique.

La loi de 1846, que l'on désignait déjà sous le nom de Grande Charte de l'éducation québécoise (Mair, 1980b), prévoyait la création d'écoles communes, sous l'autorité de commissaires élus par les propriétaires fonciers. Un surintendant de l'instruction publique devait assurer la coordination de l'ensemble. À la suite de l'opposition du clergé, le droit à la dissidence fut octroyé à la minorité religieuse et, plus tard, les curés se virent reconnaître le droit d'être élus commissaires. À Québec et Montréal, deux commissions scolaires confessionnelles furent instituées d'office.

Toutefois, l'obligation faite aux commissions scolaires de percevoir une taxe foncière pour soutenir le fonctionnement des écoles souleva la colère d'une population qui considérait encore l'instruction comme un luxe. Malgré l'appui donné à la loi par le clergé, dans plusieurs régions, on chassa les instituteurs et on mit le feu aux écoles, déclenchant ce qui allait être connu sous le nom de « guerre des éteignoirs ». Drôle de guerre, drôle de nom, pour des gens qui mettaient le feu aux écoles; c'est que, ce faisant, ils étouffaient les Lumières. La situation ne fut rétablie qu'au bout de quelques années.

Malgré la création d'un bureau des examinateurs responsable de l'admission des candidats au poste d'instituteur, la situation de ces derniers était des plus préoccupante. En 1856, trois écoles normales furent fondées, Jacques-Cartier et McGill, à Montréal, et Laval à Québec. On mit sur pied une caisse de retraite pour les instituteurs et on créa une première revue pédagogique.

Par ailleurs, les appels incessants du Surintendant pour que les commissaires améliorent les salaires des instituteurs ne furent guère entendus. Cette situation conduisit à une féminisation et à une cléricalisation croissantes de l'enseignement. Les instituteurs catholiques gagnaient en moyenne deux fois moins que leurs collègues protestants et, dans chaque cas, le salaire des institutrices était grandement inférieur à celui de leurs collègues masculins.

Le dernier train de mesures adoptées mena à la division du système scolaire en deux secteurs confessionnels distincts. Les protestants s'inquiétaient des pouvoirs accrus d'un surintendant catholique. À la veille de la Confédération, ils cherchaient à préserver leur spécificité et l'autonomie de leurs écoles, envisageant avec crainte leur nouveau statut de minoritaires. Il était en effet certain que le Pacte confédératif n'avait aucune chance de succès s'il ne reconnaissait pas l'éducation comme étant de compétence provinciale. Dans ce contexte, « les protestants ne jugeaient pas prudent de confier les intérêts culturels de leur population minoritaire à un gouvernement ou à des fonctionnaires qui étaient étrangers à leur culture » (Mair, 1980a, p. 38).

Les protestants créèrent alors une association, ancêtre de l'Association provinciale des enseignants protestants, afin d'assurer la défense de leurs intérêts. Alors que l'association revendiquait un système scolaire non confessionnel, elle se fit l'avocate d'une protection des droits scolaires des minorités religieuses dans la nouvelle Constitution. L'introduction de l'article 93, toujours en vigueur, fut le résultat dc ces pressions (Mair, 1980a).

Un ministère de l'Instruction publique vit alors le jour avec le premier gouvernement provincial, en 1867. Ce ministère, dont le titulaire fut le premier ministre Chauveau, autrefois surintendant de l'Instruction publique, eut toutefois une existence de courte durée. Chauveau avait tenu à garder ses fonctions de surintendant; il trouva le titre de ministre plus approprié dans les circonstances. Cela ne souleva guère de débats sur le champ, étant donné la bonne réputation du titulaire et la portée essentiellement formelle du nouveau titre. Ce geste, que l'on peut situer dans le prolongement du courant libéral sur lequel insiste Charland (1987), revêtait néanmoins une valeur symbolique certaine. L'Église catholique fit de cette question un enjeu majeur.

L'Église eut finalement gain de cause; le ministère fut aboli en 1875 par le premier ministre Boucher de Boucherville sur le conseil des évêques, afin de mettre l'éducation à l'abri des « agitations politiques » (Audet, 1971). Quelques années plut tôt, deux comités du Conseil de l'instruction publique, l'un catholique et l'autre protestant, s'étaient vu confier la direction des écoles de leur confession respective par la nouvelle Assemblée de la province de Québec. La loi de 1875 fit également de tous les évêques dont le diocèse était en totalité ou en partie sur le territoire du Québec des membres d'office du comité catholique. Quant aux protestants ils furent grandement avantagés par une répartition de la taxe foncière qui tenait compte de la religion du contribuable.

Bref, si, pendant cette période, on peut observer d'importants progrès en éducation, la situation demeurait néanmoins inquiétante;

en 1871, la proportion d'analphabètes, était cinq fois plus grande au Québec qu'en Ontario. Chez les francophones, la population n'avait pas encore pris conscience de la nécessité de l'éducation de base pour tous, ses élites non plus. Celles-ci privilégiaient plutôt le développement de l'enseignement classique, laissant l'enseignement primaire dans un état lamentable de sous-développement. Finalement, sous les pressions religieuses, l'État abdiqua ses responsabilités aux mains de l'Église catholique et de la minorité protestante. Tout était désormais en place pour que se consolide le modèle théocratique.

HORS DE L'ÉGLISE, POINT DE SALUT

Les historiens de l'éducation s'entendent pour regrouper sous une même période les années qui s'échelonnent de 1875 à 1960. Cette période n'est pas seulement caractérisée par le maintien d'une même structure éducative, comme on le reconnaît généralement; elle est surtout marquée par la permanence d'un même modèle qui englobe l'ensemble du système éducatif. En confiant à deux comités confessionnels le contrôle des aspects les plus importants de l'éducation, le gouvernement québécois ouvrait la voie au développement d'un modèle éducatif théocratique, c'est-à-dire où l'Église et son clergé joueraient un rôle politique déterminant. Ce sera le cas chez les catholiques qui comptent pour près de 85 % de la population; l'éducation protestante évoluera rapidement vers le modèle libéral dominant alors chez nos voisins.

Le projet éducatif propre à chaque groupe va s'appuyer sur un projet politique défini autour de la langue, de la religion et de la nation. Après la victoire des ultramontains, le projet clériconationaliste étendra son emprise avec la multiplication des effectifs cléricaux et l'appui de la petite bourgeoisie francophone, formée principalement d'avocats, de médecins, de notaires et de petits commerçants. Chez les anglo-protestants, un nouveau projet libéral national, centré sur l'espace canadien et appuyé par la bourgeoisie montante, succédera au vieux projet impérial. Le premier fondera son emprise dans les institutions d'encadrement liées à l'État provincial, le second dans des institutions économiques relevant davantage du domaine fédéral.

Les forces démocratiques de même que le gouvernement provincial ne vont pas demeurer inactifs face à la domination cléricale. Le rôle de l'État, la place de l'école publique, la hiérarchisation des savoirs, la formation des maîtres seront l'objet de sévères critiques qui conduiront à des réformes importantes. L'évolution sociale rapide de l'après-guerre va finalement préparer la vague qui emportera le modèle théocratique que des ajustements majeurs ne suffiront pas à préserver.

Une longue grisaille

Jusqu'au milieu du XXe siècle, l'Église catholique va maintenir son emprise sur la société francophone, malgré quelques soubresauts réformistes. L'encadrement social de l'Église passait d'abord par la paroisse où dominaient le curé et le clocher, puis par l'école et un ensemble d'autres organisations qui virent le jour pour répondre à la percée des idées libérales. Par les fonctions de maintien des registres qui lui étaient confiées par le pouvoir civil, l'Église encadrait chacun de ses fidèles de la naissance jusqu'à la mort.

Ce pouvoir d'encadrement était énorme. Alors qu'on comptait à peine 1 000 religieuses et religieux catholiques en 1850, ce nombre passa à près de 10 000 au tournant du siècle pour atteindre près de 35 000, dont 75 % de femmes, en 1945. On comptait alors un religieux pour 87 fidèles. En plus du recrutement local, l'Église québécoise tira grand profit des conflits religieux qui secouèrent la France. Les lois Ferry, qui imposèrent la laïcité dans les années 1880, puis les lois Combes, qui supprimèrent l'enseignement congréganiste 25 ans plus tard, ont fait affluer un nombre important de religieux. Cela ne fut pas sans conséquence sur les débats scolaires qui allaient suivre.

L'ordre (ou le désordre...) observé dans la société était naturel, selon l'Église; il avait été voulu par Dieu qui avait prévu pour chaque personne une place sur cette terre; heureusement dira-t-on, les difficultés et les souffrances personnelles étaient un gage de rédemption. Dans ce modèle, les femmes occupaient une position particulière : elles étaient au coeur de la famille, unité de base de cet ordre social; de leur fécondité et de leur fidélité aux traditions dépendait la survie de la nation. Point n'est besoin d'insister sur les conséquences de ce modèle patriarcal sur la vie des femmes québécoises. Ces dernières se devaient d'être soumises à leur mari et dévouées à leur foyer; elles furent même privées du droit de vote jusqu'au début des années quarante, droit qu'elles avaient obtenu comme Canadiennes un quart de siècle plus tôt.

Fernand Dumont résume ainsi l'idéologie qui inspirait le projet clérico-nationaliste :

> *Les Canadiens français (comme on disait alors) constituent un peuple catholique, continuant les traditions et les coutumes héritées de l'ancienne France, celles d'avant la Révolution, et donc les plus authentiques; la famille est l'assise principale de cette société, et sa fécondité exceptionnelle en témoigne; l'agriculture est sa première vocation, à laquelle s'ajoute la mission de répandre en Amérique et sur les continents étrangers la foi catholique; l'industrie, les grandes entreprises économiques ne sont pas son lot; son infériorité sur ce point est le signe d'un idéal plus élevé* (1987, p. 239).

Ce projet social ancré dans la ruralité et centré sur la défense de la langue et de la foi, de la « race » disait-on alors, subit les assauts d'un capitalisme en pleine croissance qu'il était bien incapable de contenir. Dans la période entourant les deux guerres mondiales, le Québec connut en effet des périodes d'expansion économique marquées, appuyées principalement sur l'exploitation des richesses naturelles, notamment le minerai, l'hydro-électricité, les pâtes et papier. La division ethnique du travail se consolida; les postes de direction furent majoritairement occupés par les anglophones, alors que les francophones demeurèrent « coupeurs de bois et porteurs d'eau ». À l'exode vers les villes et vers les États-Unis qui accompagna l'industrialisation, le clergé répondit par un vaste mouvement de colonisation. Les colons furent incités à se réapproprier le territoire et à répandre leur culture. Ce mouvement connut un second souffle, dans la suite de la grande crise de 1929.

Bien qu'elle permit l'occupation de nouveaux territoires, au Lac St-Jean et en Abitibi, la colonisation ne contribua guère à enrayer l'exode rural. De 22,8 % qu'elle était en 1871, la population urbaine passa à 59,5 % en 1931 puis à 74,3 % en 1961. Dans les villes, le contrôle des âmes, principalement celles de la jeunesse, échappait au clergé. La classe ouvrière, de plus en plus importante, se dota de syndicats autonomes, porteurs d'un projet réformiste, voire même radical comme ce fut le cas des Chevaliers du travail à la fin du XIXe siècle.

Dans la foulée de la doctrine sociale de l'Église, développée par le pape Léon XIII, l'Église québécoise créa un vaste mouvement d'action catholique. Aux syndicats « neutres », elle opposa des syndicats catholiques; elle créa des organisations de jeunes (JEC, JOC...); elle se dota de journaux dont *L'Action catholique* à Québec et *Le Droit* à Ottawa; elle fonda l'École sociale populaire. Cette dernière contribua grandement à définir l'idéologie de l'action catholique; après la crise, elle proposa un « Programme de restauration sociale » fondé sur le corporatisme et sur la fierté patriotique que devaient inspirer les traditions et les valeurs chrétiennes; on y critiquait sévèrement la domination exercée par les grands « trusts » étrangers et les conséquences du capitalisme en crise.

La crise ébranla les fondements du libéralisme, malmené tant sur sa gauche que sur sa droite. Les bienfaits du progrès, de l'entreprise privée et de l'effort individuel n'étaient pas évidents. Malgré l'intermède réformiste du gouvernement Godbout entre 1939 et 1944, ce n'est qu'avec la Révolution tranquille que l'on viendra à bout de l'anti-étatisme alors dominant.

On était toutefois loin de l'unanimisme que l'on a souvent prêté à la société québécoise (Couture, 1991). L'Église elle-même fut divisée sur de nombreuses questions. Les évêques se querellèrent autour de l'ultramontanisme; les frères s'opposèrent aux prêtres des collèges classiques à propos de l'école publique; Mgr Charbonneau, à qui on reprochait son trop grand engagement social, fut contraint de démissionner; la jeunesse catholique eut de nombreux démêlés avec les associations piétistes.

Mais la critique vint surtout des opposants traditionnels de l'Église, héritiers des Patriotes. Aux Rouges, s'ajoutèrent les voix de nouveaux mouvements sociaux. L'idéologie des premiers, bien que grandement diluée, continua de se manifester à l'intérieur du Parti libéral. Les organisations de la classe ouvrière, syndicats, cercles, partis, furent autant de foyers de propagation d'un projet démocratique radical. Le mouvement féministe prit un certain essor au début du XXᵉ siècle, autour des suffragettes. L'interdiction du travail des enfants, la fréquentation scolaire obligatoire, la gratuité scolaire, le droit de vote des femmes furent autant d'objets de luttes.

Chez les anglo-protestants le projet libéral trouva plus d'adeptes. La grande et moyenne bourgeoisie québécoise était essentiellement d'origine britannique. Elle fut le fer de lance du développement industriel, en relation étroite avec la bourgeoisie canadienne, à laquelle d'ailleurs elle s'identifiait. Du projet impérial, elle garda une identification à la mère-patrie et à ses traditions. Cela fut particulièrement évident à l'occasion des débats qui entourèrent la conscription lors des deux grands conflits mondiaux.

Le « compromis historique » entre les deux minorités, l'une canadienne, l'autre québécoise, favorisa une évolution parallèle. Les anglo-protestants purent se passer du soutien de l'État provincial pour assurer le développement de leur système d'éducation. Ils jouissaient de la protection de la constitution canadienne et, lorsque nécessaire, ils imposèrent une taxe scolaire supplémentaire à une communauté beaucoup plus riche.

Il est tout de même étonnant que le projet clérico-nationaliste ait pu dominer aussi longtemps une société en pleine transformation. Un ensemble de facteurs, qui prirent toute leur importance après la Deuxième guerre, conduisirent assez rapidement à son effritement. Le développement accéléré des sciences, des techniques et des communications, l'ouverture sur le monde, la croissance économique et démographique, la montée d'une nouvelle élite issue des sciences sociales et l'agitation ouvrière entraînèrent un débordement des institutions cléricales alors que l'Église connaissait des problèmes de recrutement et une certaine désaffection (Gagnon et Montcalm, 1992).

Le milieu artistique s'affirma. Borduas et ses amis dénoncèrent avec *Refus Global* une « société tournée vers son passé, maintenue par le clergé et le pouvoir civil dans un climat de peur et d'ignorance ». De violents conflits ouvriers éclatèrent à Asbestos (1949), à Louiseville (1952), à Murdochville (1957). Une coalition d'opposition de plus en plus large exigeait la modernisation de l'État et de la société québécoise; on revendiquait notamment un système d'éducation répondant aux exigences modernes.

Le régime Duplessis, allié au clergé, continua à se faire le chantre des valeurs traditionnelles et du monde rural. À la contestation, il opposa la répression et la censure. Borduas fut congédié de l'École du meuble où il était professeur. La loi du cadenas déclencha la chasse aux prétendus communistes. Les syndicats récalcitrants furent menacés de perdre leur accréditation; l'Alliance des professeurs de Montréal en fut notamment victime.

Ce fut peine perdue. Une mutation sociale s'annonçait. Le régime ne survécut pas à la mort du « cheuf ». Nous y reviendrons.

Un État minimal

En vertu des pouvoirs conférés aux deux comités confessionnels par les lois scolaires de 1869 et 1875, chaque école devait adopter le programme prévu par le comité de sa confession, suivre ses directives concernant la discipline et l'organisation de l'école, n'utiliser que le matériel approuvé, n'engager que des maîtres autorisés, etc. Bref, la véritable responsabilité juridique de l'éducation relevait désormais des comités confessionnels et non plus du gouvernement.

En principe, lorsque, sur certaines questions, les intérêts des deux groupes étaient en cause, il appartenait au Conseil de l'Instruction publique, auquel participaient les membres des deux comités, de décider. Cependant, le Conseil ne se réunit qu'à quelques reprises entre 1875 et 1908, puis s'abstint de toute rencontre pendant plus de cinquante ans[7]. Les deux secteurs confessionnels se développeront donc de manière autonome, de telle sorte que l'on peut observer, tout au long de cette période, l'évolution parallèle de deux systèmes d'éducation.

Chez les catholiques, l'épiscopat assuma directement le contrôle de l'éducation, tous les évêques québécois étant d'office membres du comité catholique. Le reste en découla : la religion

---

7. Lorsque le CIP se réunit à nouveau, ce fut pour célébrer son centenaire avec, bien sûr, les discours de circonstance sur sa grandeur historique.

dominait les savoirs transmis, l'enseignement secondaire était conçu en fonction de la formation des membres du clergé, les clercs dirigeaient les institutions d'enseignement, filles et garçons étaient destinés à des rôles distincts.

Chez les protestants, par contre, les considérations culturelles prévalurent sur les considérations théologiques. Depuis l'abolition, au milieu du XIXe siècle, du statut particulier dont jouissait l'Église anglicane, les institutions protestantes avaient dû composer avec un nombre important d'Églises distinctes. Le caractère confessionnel de l'éducation protestante s'en trouva atténué; d'autres facteurs économiques et culturels allaient également agir en ce sens.

Une fois sa position dominante assurée, le clergé catholique s'opposa à toute mesure susceptible de l'affaiblir. L'intervention de l'État fut férocement combattue en vertu du principe voulant que l'éducation appartienne de droit naturel aux parents et de droit divin à l'Église. Il fallut toutefois peu de temps avant que les escarmouches ne reprennent.

Les libéraux provinciaux n'avaient pas totalement abandonné leurs idéaux en matière scolaire lorsqu'ils accédèrent au pouvoir en 1897. Des changements radicaux furent annoncés. Le gouvernement Marchand proposait de rétablir le ministère de l'Éducation aboli en 1875. Le ministre aurait désormais le pouvoir de choisir le matériel scolaire et de désigner des inspecteurs généraux sans demander, dans ce dernier cas, avis aux comités confessionnels. De plus, les enseignants religieux seraient, comme les autres, soumis au processus d'évaluation du Bureau central des examinateurs chargé d'émettre les autorisations d'enseigner.

Il n'en fallait pas plus pour déclencher, à nouveau, « la guerre scolaire ». L'évêque de Montréal, Mgr Bruchési, se rendit d'urgence à Rome solliciter l'intervention du Vatican. Après de nombreux échanges épistolaires entre le Saint-Siège et le premier ministre, ce dernier décida d'aller de l'avant avec son projet de loi, visant, disait-il, à remplacer un surintendant irresponsable par un ministre responsable devant l'Assemblée.

Le gouvernement se fit rassurant. « (...) Nous n'entendons pas créer de révolution », affirma le secrétaire de la province à l'occasion du débat. « Nous garderons les crucifix aux murs de nos écoles (...). Nous voulons que plus d'enfants sachent lire, nous voulons que la jeunesse soit mieux instruite; mais nous sommes de ceux qui croient que Dieu doit être présent partout dans l'enseignement » (dans Gérin-Lajoie, 1989, p. 62).

Une fois la loi adoptée par l'Assemblée, encore fallait-il qu'elle soit approuvée par le Conseil législatif qui disposait alors d'un droit de veto absolu. Formé majoritairement de conservateurs, le Conseil se rendit aux arguments du clergé et refusa de donner son assentiment. Le gouvernement aurait pu revenir à la charge, à une session ultérieure, mais il ne le fit pas, cédant, dit-on, aux pressions du premier ministre canadien, Wilfrid Laurier, qui cherchait à se concilier les faveurs de l'Église. Ce n'est qu'en 1964 qu'un tel ministère vit le jour, une « dernièrc » en Occident.

Les pressions étaient également fortes, de la part de certains libéraux et des démocrates, en faveur d'une loi imposant la fréquentation scolaire obligatoire. Une telle loi avait été adoptée en France dès 1882, en Ontario en 1891, et dans bien d'autres États avant le tournant du siècle. Cela marquait un changement fondamental dans le rôle de l'école en reconnaissant que tous les enfants devaient accéder à un certain seuil de connaissances jugées socialement nécessaires.

Mais le clergé québécois et ses alliés ne l'entendaient pas ainsi. Un premier projet déposé à l'Assemblée en 1901, un autre soumis en 1912 et visant les seuls protestants tout comme le large débat lancé en 1919, se butèrent tous à la résistance farouche du clergé. On invoquait tant le droit des parents, les dangers de laïcisation que les ennemis naturels à pourfendre. La gratuité scolaire suscitait autant d'opposition, condamnée par association avec la laïcité et la fréquentation scolaire obligatoire.

Ainsi, la Convention des syndicats catholiques affirmait, en 1918, « qu'une loi de fréquentation scolaire serait inefficace, violerait le droit naturel du père de famille et serait un acheminement vers l'école d'État » (dans Hamel, 1986, p. 92). L'inspecteur général, C.-J. Magnan, y ajoutait le spectre de la franc-maçonnerie. « L'histoire nous l'apprend, l'instruction obligatoire, puis l'école obligatoire ont été inventées dans les loges maçonniques et sont devenues aux mains des ennemis des traditions catholiques de la France des armes perfides et puissantes » (dans Audet, 1971, p. 254). Quant au cardinal Villeneuve, il affirmait en 1923 « On crie à l'école obligatoire, à l'école publique, à l'école nationale, à l'école d'État, comme si ce n'était point là violer la famille et par là anémier la société » (dans Gérin-Lajoie, 1989, p. 69).

D'autres ne croyaient tout simplement pas aux bienfaits de l'instruction pour tous et dénonçaient la « conscription scolaire ». Plusieurs années plus tard, Antoine Rivard, personnage important de l'Union nationale, dira : « Nos ancêtres nous ont légué un héritage de pauvreté et d'ignorance, et ce serait une trahison que d'instruire les nôtres » (dans Gérin-Lajoie, 1989, p. 29). Mieux vaut en rire...

Les tenants de cette loi pour leur part critiquaient « l'ignorance obligatoire », invoquaient un ensemble de données et associaient l'éducation obligatoire au suffrage universel. La fréquentation scolaire québécoise était alors bien inférieure à celle de ses voisins. En 1931, 67,7 % des jeunes québécois de moins de 14 ans étaient à l'école contre 90,4 % des jeunes ontariens. La situation était encore plus dramatique en milieu rural où seulement un jeune québécois de 14 ans sur deux fréquentait l'école. Par ailleurs, près des deux tiers des enfants canadiens au travail se retrouvaient alors au Québec et cette concentration s'était accentuée depuis le début du siècle (Hamel, 1984).

Outre l'opposition du clergé, la présence d'un secteur industriel à faible besoin en formation, la prédominance de la ferme familiale d'autosubsistance et la division du mouvement syndical expliquaient cette opposition persistante alors que la grande industrie exprimait de plus en plus le besoin d'une force de travail mieux formée. Ainsi la CTCC (l'ancêtre de la CSN) et l'UCC (l'actuelle UPA) se joignirent-elles au mouvement d'opposition. Dans le cas des cultivateurs, on craignait le fardeau fiscal foncier et l'on envisageait mal de pouvoir se passer du travail des enfants.

Il fallut finalement attendre 1943 pour que le gouvernement Godbout adopte une telle loi et que le comité catholique lui donne son appui, trente ans après le comité protestant. Il faut dire que l'État du Vatican avait lui-même adopté la fréquentation scolaire obligatoire... douze ans plus tôt. Cette loi introduisait également la gratuité scolaire pour les élèves du primaire. Ces deux mesures n'eurent pas tout l'effet voulu. Selon l'ancien ministre Gérin-Lajoie, la loi ne fut pas appliquée efficacement, Duplessis ayant repris le pouvoir dès 1944.

L'intervention de l'État fut mieux acceptée dans le cas du problème scolaire posé par la population juive. En 1924, sur les 30 000 élèves fréquentant les écoles protestantes de Montréal, 12 000 étaient juifs. On se plaignait de part et d'autre : la commission scolaire trouvait la taxation insuffisante alors que les Juifs dénonçaient leur non-représentation et revendiquaient un système d'écoles séparées.

Après une intervention législative qui créait une commission scolaire juive, une nouvelle entente intervint entre les deux parties, dans un climat teinté d'antisémitisme. Le compte rendu qu'en fit Louis-Philippe Audet quarante ans plus tard en porte encore la marque : « Les Juifs *pullulent* donc à Montréal et cette *présence envahissante* pose des problèmes... » (p. 241, nos soulignés). Le monopole des catholiques et des protestants fut ainsi maintenu, les élèves des autres confessions étant, pour fins d'éducation, considérés comme protestants. Ce n'est qu'à partir de 1965 que les personnes de foi juive purent être élues à la CEPGM.

Une reproduction étroite des élites

Dans le secteur catholique, la structure qui prévalait depuis le régime français se maintiendra tout en s'adaptant. Au début du siècle, l'école publique se résumait à l'école primaire. Quant à l'enseignement secondaire et supérieur, il était essentiellement privé; les universités et la majorité des écoles normales étaient sous le contrôle des autorités diocésaines alors que les communautés religieuses contrôlaient de nombreux collèges classiques. Ces derniers et les universités francophones se consacraient alors essentiellement à la formation du clergé et des professions libérales.

Face au développement économique rapide et à la position dominante des anglophones, le gouvernement, parallèlement à la filière « humaniste » des collèges classiques, créa une autre filière qualifiée de « polytechnique ». Sans remettre en cause le contrôle du clergé sur l'enseignement postprimaire, le gouvernement, avec l'appui d'une partie de la petite bourgeoisie francophone, favorisa la création d'institutions particulières dans les secteurs laissés vacants par le clergé. On visait ainsi à assurer la présence des francophones dans divers secteurs de la vie économique (Dandurand, Fournier et Bernier, 1980).

Déjà, l'École polytechnique existait depuis 1873. À la suite d'une demande pressante de financement de l'Université McGill pour développer la formation en génie, le gouvernement Chauveau, afin d'assurer l'équilibre entre les deux communautés, avait offert la même subvention à l'Université Laval. Cette dernière la refusa, craignant l'ingérence de l'État dans ses affaires. Ce fut finalement la CECM qui en hérita et qui fonda la première institution scientifique francophone.

Le gouvernement libéral de Lomer Gouin alla beaucoup plus loin. En 1907, à la demande de la Chambre de commerce, il créa l'École des hautes études commerciales et adopta une loi prévoyant la fondation des premières écoles techniques à Montréal et à Québec. On s'inquiétait en effet des conséquences néfastes de l'absence de main-d'oeuvre qualifiée, mise en évidence par une commission d'enquête fédérale sur l'enseignement industriel et technique.

Dans les décennies suivantes, des écoles techniques furent créées dans les principaux centres urbains, les écoles de métier se développèrent, des instituts spécialisés (papeterie, textile...) virent le jour et divers ministères fondèrent leurs propres institutions pour répondre à leurs besoins (Industrie et Commerce, Mines, Chasse et Pêche...). Ces diverses écoles furent, dès leur origine, placées sous la responsabilité d'un ministre titulaire[8]. Elles relevaient directement du gouvernement et échappaient ainsi au contrôle du comité catholique. Cette neutralité ne fut pas sans susciter de vives réactions chez le clergé, mais le gouvernement tint bon.

Toutefois les nouvelles écoles universitaires affiliées à l'Université Laval et à sa filiale de Montréal, devenue l'Université de Montréal en 1920, ne connurent qu'un très lent développement, dû, en partie, au peu de considération pour ces domaines de formation, mais surtout, à un enseignement public anémique.

L'école secondaire publique menant aux études supérieures était alors à peu près inexistante dans le secteur catholique. Dès la décennie 1920, les communautés de frères tentèrent de lui donner

---

8. Cette responsabilité fut d'abord confiée au Secrétaire de la province, puis au ministre de la Jeunesse et du Bien-être social.

vie. En vertu de leurs propres règles, les frères devaient consacrer leurs efforts à l'éducation des classes populaires et s'étaient interdit d'apprendre le latin, interdiction qui fut levée en 1922, leur ouvrant ainsi les portes de l'enseignement classique et d'un statut plus élevé (Turcotte, 1988).

Les frères se firent les promoteurs d'un enseignement public permettant d'accéder aux études supérieures, sur le modèle nord-américain du *high school*. Il fallait former l'élite canadienne-française afin qu'elle soit en mesure de compétitionner avec les anglophones. Leur projet souleva une vive opposition du comité catholique et des collèges classiques. Le frère Desbiens dira de cette longue lutte, qui allait se poursuivre jusqu'aux années soixante, qu'elle reflétait bien davantage qu'une rivalité. « Je dirais qu'il y avait une rupture de classe, au sens marxiste... Ce n'était pas une rivalité, c'était deux mondes différents » (Desbiens, 1986, p. 500).

Deux réformes successives, en 1923 puis en 1929, ajoutèrent à un cours primaire de six ans (porté à sept ans en 1937), un primaire complémentaire d'une durée de deux ans et un primaire supérieur de trois ans. Ce dernier n'était toutefois accessible que dans les grandes villes; selon l'Église il ne fallait pas trop instruire les fils de cultivateurs, de crainte de les inciter ainsi à fuir vers la ville. Cet enseignement fut néanmoins peu fréquenté jusqu'à la fin de la guerre. Il n'ouvrait toujours pas sur l'enseignement supérieur, cette demande ayant été rejetée par le comité catholique.

Avec la complicité des commissions scolaires, les frères vont néanmoins poursuivre leur lutte et contourner à maints endroits les directives de Québec. En 1934, les Frères des écoles chrétiennes réussirent à obtenir l'autorisation d'implanter un enseignement classique public, non sans avoir dû au préalable menacer de s'affilier à la protestante université McGill[9]. Les catholiques anglophones avaient déjà vu leur diplôme reconnu par les principales universités; on craignait grandement leur fuite chez les protestants.

---

9. Dans un mémoire adressé au surintendant en 1942, les Frères affirmaient que 80 % des jeunes possédaient les talents suffisants pour entreprendre les études secondaires mais qu'une bonne moitié n'était pas en mesure d'aller au-delà du premier degré, la Providence ne leur ayant « départi qu'un nombre moyen de talents » (dans Turcotte, 1988, p. 174).

Les universités refusèrent toutefois d'octroyer aux programmes publics francophones la reconnaissance nécessaire. Mais les écoles universitaires le firent. Boudées par la petite bourgeoisie traditionnelle, ces écoles n'avaient d'autre choix que d'élargir leur recrutement aux écoles publiques. Au début des années cinquante, on estime à près de 40 % la proportion des inscrits universitaires francophones qui n'étaient pas détenteurs du baccalauréat décerné par les collèges classiques. Cette proportion atteignait les deux tiers dans le cas de l'École polytechnique (Dandurand et al., 1980).

Toutefois, seuls les collèges classiques permettaient d'accéder à l'ensemble des facultés. Les formations de prestige étaient, dans l'ordre, la prêtrise, la médecine et le droit. Jusqu'au milieu du siècle, près de la moitié des bacheliers optaient pour la prêtrise; ceux-ci provenaient en majorité de milieux populaires, car la vocation religieuse représentait souvent pour ces milieux la seule voie d'accès aux études supérieures. Les dirigeants des collèges rendaient régulièrement visite aux curés des villages afin d'identifier d'éventuelles recrues. Ces dernières étaient généralement placées dans un juvénat, aux frais de la communauté, et fréquentaient le collège à proximité. Quant aux diplômés de médecine et de droit, ils avaient en majorité emprunté la voie déjà tracée par leur père. L'université contribuait ainsi à une reproduction étroite de la petite bourgeoisie des professions libérales.

L'éventail des choix offerts aux filles était, par ailleurs, à l'image des rôles que la société confiait à leurs mères. Les filles n'avaient guère accès à l'enseignement classique. Le premier collège classique pour jeunes filles, fondé en 1908, fut suivi de quelques autres, mais rien n'en favorisait le développement[10]. Contrairement aux collèges de garçons, ils ne recevaient aucune subvention de l'État et les filles n'avaient pas accès aux bourses d'études. Plusieurs professions leur demeuraient interdites; elles ne furent acceptées au Barreau qu'en 1941 et à la Chambre des notaires qu'en 1956. En 1960, les filles ne représentaient toujours que 14 % de la clientèle des universités francophones.

---

10. Le premier collège pour filles porta initialement le nom d'école d'enseignement supérieur afin de ne pas usurper le titre de collège, réservé aux institutions pour garçons.

Les filles étaient donc très majoritairement orientées vers les fonctions dites féminines; elles devenaient institutrices, infirmières, secrétaires et ... ménagères. Alors qu'à ses débuts l'enseignement ménager visait à freiner l'exode rural, il prit avec le temps une orientation familiale et féminine. Mgr Tessier, principal propagandiste de ce sexisme ordinaire écrivait, en 1942 :

> Pourtant la portée véritable de l'enseignement ménager est bien plus large et plus élevée. Il ne s'agit pas surtout d'initiation aux industries et aux arts domestiques; il s'agit de continuer à préparer nos jeunes filles, âmes et corps, à leur mission familiale.
>
> Il est étrange qu'on ait oublié le rôle capital de la femme dans la société ! Un regard, même distrait, sur notre histoire passée; une minute de réflexion sur la vie actuelle; l'examen sommaire du rôle de la femme au foyer, et du rôle du foyer dans la vie d'un peuple... suffirait à nous alerter et à nous révéler qu'il n'y a pas actuellement de problème plus angoissant et dont la solution soit plus urgente ! (dans Dumont, 1990, p. 40).

Le sociologue Pierre Dandurand (1990) qualifie de « vieille Europe » cette école québécoise d'avant la Révolution tranquille. Elle correspondait en effet au modèle qui prévalait en Angleterre et en France au XIXe siècle : un enseignement primaire pour le peuple et un enseignement secondaire pour l'élite.

La situation était fort différente chez les protestants. À partir de 1924, ces derniers adoptèrent le modèle du *high school* en vigueur dans l'Amérique anglo-saxonne rompant avec le modèle plus élitiste des « grammar schools » britanniques. Dès la 8e année, les élèves étaient regroupés en deux sections, l'académique, conduisant à l'université, et la générale. Contrairement à la situation prévalant chez les catholiques, cet enseignement était presque totalement donné dans des institutions publiques. Un système intégré permettait donc le passage du primaire au *high school* puis à l'université. Fait à noter, dès 1914, près de 40 % de la population des écoles protestantes de Montréal était d'origine immigrante.

Aux lendemains de la Deuxième guerre, l'écart entre catholiques et protestants atteignit des sommets. Seulement 25 % des premiers accédaient à la 8ᵉ année, contre 80 % chez les seconds; ces proportions étaient respectivement de 2 % et de 7 % pour la douzième année (Audet, 1971). L'école de rang, qui regroupait tous les élèves dans une seule classe, représentait encore, chez les catholiques, plus de 70 % des établissements scolaires (Linteau et al., 1989). En 1951, le taux de scolarisation des 15-19 ans était d'à peine 30 % au Québec, contre 44 % en Ontario.

Un ensemble de problèmes allaient contraindre le comité catholique à agir. La clientèle augmentait en flèche, particulièrement au secondaire, alors que les vocations diminuaient. On manquait d'écoles et de maîtres dans des proportions alarmantes. On critiquait la médiocrité de la formation : 40 % des garçons échouaient leur certificat de 7ᵉ année et 45 % redoublaient au moins une année au primaire. On s'en prit à la multiplicité des structures, à la fiscalité locale qui était source d'importantes inégalités, à l'absence de coordination, aux cheminements qui débouchaient souvent sur une impasse.

Au même moment, après que le gouvernement eut refusé les subventions du gouvernement fédéral aux universités[11], la Commission Tremblay se pencha sur les problèmes constitutionnels. À la surprise de plusieurs, 60 % des mémoires abordèrent la question de l'éducation. Mais l'Association des collèges classiques s'opposait toujours à la création d'un véritable réseau public et à l'introduction d'options qui, selon elle, équivalait à un crime de lèse-culture générale.

En 1956, le comité catholique se résigna finalement à la création d'un enseignement secondaire public permettant d'accéder à l'université. Parallèlement, les collèges classiques s'ouvrirent aux sciences et à la technologie. Mais, c'était trop peu, trop tard. « Le meilleur système d'éducation au monde » vivait ses dernières heures. Le frère Untel, avec ses *Insolences,* porta le coup de grâce à une structure que ses collègues combattaient depuis quarante ans. Avec beaucoup de verve, Desbiens dénonçait l'incompétence du département de l'Instruction publique, la piètre qualité de l'éducation et la

---

11. Cette question ne sera réglée qu'en 1959, après la mort de Duplessis. Entre-temps, les universités anglophones acceptèrent les subsides fédéraux, contrairement à leurs homologues francophones, soucieuces de ne pas déplaire au premier ministre.

religiosité qui imprégnait l'ensemble. Cela lui valut une condamnation par la Sacrée Congrégation des Religieux à Rome et un exil de trois ans en Europe. Il fut finalement rapatrié dans l'honneur pour occuper une fonction importante au nouveau ministère de l'Éducation (Desbiens, 1988)[12].

Un enseignement désuet

Malgré les bouleversements économiques et sociaux qui ébranlèrent la société québécoise, les contenus d'enseignement changèrent fort peu. Une analyse des programmes d'études en vigueur depuis la fin du XIXᵉ siècle jusqu'aux années soixante révèle que la religion y occupait toujours une place centrale; c'est elle qui donnait à l'ensemble du curriculum son unité et son esprit.

C'est ce qu'observent Gauthier et Belzile (1993) à propos des programmes-catalogues adoptés en 1905. Ces programmes, désignés ainsi à cause de leur contenu minutieusement détaillé, « valorisent une société figée et homogène où règne l'ordre, où la religion est perçue comme le lien unificateur entre les hommes » (p. 26). Cette « teinte religieuse » ne fut guère affectée par les révisions qui suivirent, même par celle de 1956.

Ainsi prend-on la peine de préciser dans les idées directrices du nouveau programme de 1956 que c'est de la personnalité chrétienne qu'il faut assurer le développement, celle qui juge d'après « la droite raison éclairée par la foi ». Il faut donc « coopérer avec la grâce divine pour former de parfaits chrétiens, catholiques, c'est-à-dire de véritables caractères, des hommes complets » (dans Grégoire, 1987, p. 49).

En ce qui concerne les filles, leur nature et leur mission particulières exigeraient un enseignement séparé dont on précise également les orientations. « Il ne faut jamais perdre de vue que le but principal de l'éducation des jeunes filles est de les préparer à remplir chrétiennement leur rôle familial et social. Par conséquent, dans

---

12. Cette réédition des *Insolences* (Desbiens 1988), annotée par l'auteur vingt-cinq ans plus tard, permet de suivre toutes les péripéties de cette importante publication.

toutes les sections des écoles primaires supérieures de filles, l'enseignement doit être pénétré d'un esprit nettement féminin et familial. En outre, dans chacune des sections, le programme doit comporter un dosage suffisant d'enseignement ménager » (dans Dumont et Fahmy-Eid, 1986, p. 155).

Les manuels scolaires, rédigés en très grande majorité par des clercs, propageaient cette vision du monde, comme le démontre une étude des manuels en usage entre 1950 et 1960 (Nepveu, 1982). La messe, les fêtes religieuses, la mort, le péché, la prière, la Sainte-Vierge... occupaient une place de premier choix dans les manuels de français. En histoire, on présentait une vision idéalisée de la religion catholique et de ses représentants. On se rappellera l'épopée des saints martyrs canadiens et les tortures dont ils furent victimes, la communion de Dollard des Ormeaux avant son départ, l'exaltation des premiers colons et du régime français. Même les manuels de mathématiques n'y échappaient pas. La Commission des programmes et des manuels insistait d'ailleurs sur la nécessaire contribution de l'arithmétique à la formation morale.

Les manuels développaient un sentiment de satisfaction face à ce « nous » canadien-français et cultivaient en même temps le refus de l'Autre. Ainsi, les Indiens, sans écoles ni églises, étaient-ils présentés comme d'ignares païens. Le petit catéchisme venait couronner le tout avec ses centaines de questions-réponses qu'il fallait apprendre par coeur et qui servaient à l'organisation de concours catéchistiques le vendredi après-midi. Bref, Dieu était vraiment partout !

Sur le plan pédagogique, le Rapport Parent a décrit « la pauvreté » de l'enseignement primaire d'alors. Il dénonça un « enseignement livresque dominé par le souci de l'examen et la crainte du Seigneur » (Tome 2, p. 94). Il critiqua la façon de juger les maîtres à partir du résultat des élèves. Il stigmatisa la discutable qualité pédagogique des manuels et la pauvreté de la langue utilisée.

Quant à l'enseignement des collèges classiques, il était centré sur les humanités gréco-latines, dans la tradition du *Ratio studiorum* des Jésuites datant du XVIe siècle[13]. La religion pénétrait tout

---

13. Le *Ratio Studiorum* ou Règlement fut publié à Rome en 1591. Il contenait le programme, la méthode d'enseignement et l'esprit qui devaient guider les maîtres dans leur rôle d'éducateurs.

l'enseignement; la philosophie était thomiste et jusqu'aux années soixante, on y dissertait sur les preuves de l'existence de Dieu; en littérature, on n'étudiait que les « bons auteurs »; l'histoire était dévouée à la défense de l'Église et du clergé[14]. Comme le souligne Galarneau (1978), « le collège classique ne pouvait (...) considérer sa mission accomplie que s'il préparait un homme dévoué à l'Église avant de l'être à l'État ou à la nation » (p. 215).

Dans une analyse de la revue des collèges classiques, L'enseignement secondaire, Nicole Gagnon (1975) a montré la permanence des caractéristiques de l'enseignement classique au-delà des changements observés. L'éducation était centrée sur la culture littéraire qui, en raison de sa visée globale, était appelée culture générale. L'étude des langues anciennes visait à renforcer la langue française, à distinguer le génie latin du génie saxon. Son caractère désintéressé marquait l'ensemble de la formation.

Par ailleurs, toute la vie des collégiens et des couventines était rythmée par les exigences religieuses : messe quotidienne, prière, pèlerinages, etc. Les contacts avec l'extérieur se réduisaient au minimum et la surveillance se faisait constante. Toute correspondance passait par le préfet de discipline; les lectures étaient scrutées, voire censurées.

Le modèle se modifia légèrement au cours des années. Les sévères critiques adressées dans les années trente par Adrien Pouliot, professeur à l'école de chimie de l'Université Laval, contre le peu de place accordée à l'enseignement des sciences et les changements sociaux amenèrent les collèges classiques à moderniser leur enseignement, préparant ainsi la voie aux changements qui s'annonçaient.

La situation était toutefois bien différente du côté protestant[15]. Le Rapport Parent nota plutôt une école élémentaire

---

14. Dans ses *Insolences,* Desbiens commentait ainsi les copies de philosophie du secondaire public : « (...) ils nous parlent du Bon Dieu, de l'Évangile et du péché originel. La plupart des copies que j'ai corrigées mobilisaient la Révélation et le Bon Dieu pour établir que l'homme est libre. Avec le ciel et l'enfer comme fond de scène, évidemment » (1988, p. 55).

15. La pédagogie protestante, inspirée de Bacon et Locke, propose d'instruire l'élève grâce au contact avec la réalité. L'étude des choses y prédomine; le latin et le grec sont réservés aux élèves qui désirent s'orienter vers les humanités.

moderne et bien équipée. À ses débuts, l'enseignement protestant mettait l'accent sur l'héritage britannique et ses symboles : fête de la reine Victoria, jour de l'Empire, etc. Cet accent s'est déplacé au fil des ans vers la réalité canadienne.

Les courants liés à la pédagogie nouvelle et à la pensée de John Dewey exercèrent une influence importante durant les années 1930 et 1940. L'éducation protestante insistait alors sur le développement des habiletés nécessaires à l'exercice d'une citoyenneté responsable et favorable à une transformation démocratique de la société. Les critiques faites à la pédagogie nouvelle provoquèrent toutefois un changement de cap dans les années cinquante. L'école protestante adopta une approche plus traditionnelle mettant l'accent sur les matières de base et sur le respect des différences individuelles grâce à l'introduction d'options et de cheminements différenciés. Quant à l'espace consenti à la religion, il était bien plus réduit que chez les catholiques; on se contentait de la lecture de la Bible ou de textes la commentant (Mair, 1980b).

Une vocation quasi apostolique

Jusqu'au milieu des années cinquante, les religieuses et religieux comptaient pour près de 50 % des effectifs enseignants. Ils travaillaient majoritairement dans les centres urbains et les couvents de village alors que les institutrices laïques enseignaient généralement loin des grands centres. La carrière de ces dernières prenait obligatoirement fin avec le mariage. Celle-ci était donc généralement de courte durée; entre 1940 et 1962, elle fut de six ans, en moyenne (Mellouki, 1991).

Quant aux instituteurs laïques, ils étaient peu nombreux, comptant, en 1960, pour moins de 15 % de l'ensemble. Le personnel religieux se voyait ainsi majoritairement confier la direction des établissements; en 1960, les religieuses détenaient 45 % des postes de direction et les religieux, 20 % (Hamel, 1991a).

Les conditions de travail variaient selon le sexe et l'appartenance ou non à une congrégation religieuse. Le salaire des femmes était de loin inférieur à celui de leurs collègues masculins qui n'était déjà pas reluisant, correspondant à peu près à celui d'un commis de bureau. Quant au personnel religieux, son salaire était de près de 50 % inférieur à celui du personnel laïque de même sexe. S'ajoutait une différence selon le secteur d'enseignement, les protestants étant beaucoup mieux rémunérés.

La formation des maîtres de l'enseignement public était donnée dans trois types d'institutions. Les écoles normales d'État, appelées ainsi à cause de l'importance du financement gouvernemental, s'adressaient surtout aux garçons. Au nombre de trois jusqu'aux années cinquante, leur personnel était majoritairement laïque et leur direction cléricale. Les écoles normales de filles étaient de plus petite taille et disséminées un peu partout sur le territoire. Chaque diocèse s'était doté d'une telle institution afin d'éviter l'exode rural et de prévenir le dévergondage des jeunes filles. Finalement, les communautés religieuses transformèrent peu à peu leurs écoles de formation, les scolasticats, pour en faire des scolasticats-écoles normales. L'Église exerçait un contrôle complet sur l'ensemble par le biais du comité catholique. Chez les protestants, par contre, cette formation était donnée essentiellement à l'université.

Jusqu'à 1939, il suffisait de réussir le concours d'accès au métier d'enseignant, organisé par le Bureau central des examinateurs, pour pouvoir être engagé par une commission scolaire. Le Bureau aboli, la détention d'un diplôme d'école normale devint une condition d'emploi, sauf pour les membres des communautés religieuses qui en furent exemptés.

Mellouki résume ainsi la conception de l'enseignant dominante jusqu'au milieu du siècle : « Ses actions, ses gestes et ses comportements quotidiens devaient dénoter une profonde imprégnation de sa personnalité des principes moraux judéo-chrétiens (...). Son enseignement consistait dans la transmission des connaissances de base et dans la formation religieuse des jeunes à qui il devait donner l'exemple (...) le maître devait s'armer des méthodes les plus sûres, celles de la tradition catholique, qui avaient fait leurs preuves au cours de l'histoire » (1991, p. 296).

Tout comme d'autres facettes du système scolaire, les écoles normales ont connu une réforme d'envergure durant les années cinquante. Les divers brevets qui portaient alors le nom du niveau d'enseignement visé (élémentaire, complémentaire et supérieur) furent remplacés par les Brevets A, B et C. Les exigences d'entrée furent élevées et uniformisées pour les filles et les garçons. On reconnut l'équivalence entre le brevet A et le baccalauréat en pédagogie décerné par les universités.

Les filles optaient néanmoins très majoritairement pour le brevet C (74 %) alors que les garçons obtenaient le brevet A à 89 % (Hamel, 1991a). La formation donnée fut améliorée : la psychologie y fit son entrée, la formation pédagogique et professionnelle fut renforcée, une nouvelle idéologie centrée sur le respect de l'enfant et des différences individuelles était en émergence. Cette idéologie trouva sa confirmation dans le Rapport Parent, son principal propagandiste, Roland Vinette, étant associé aux deux réformes.

La fragmentation du personnel enseignant se refléta dans la constitution des premières associations enseignantes. À une division selon le sexe, s'ajouta une division selon le milieu géographique et la nature des institutions. À la première Association catholique des institutrices rurales, fondée par Laure Gaudreault en 1936, s'en ajoutèrent d'autres, ce qui mena à la création de la Fédération catholique des institutrices rurales. En 1946, cette dernière s'allia à la Fédération provinciale des instituteurs ruraux et à la Fédération des instituteurs et institutrices des cités et villes, pour fonder la Corporation des instituteurs et institutrices catholiques (CIC), l'ancêtre de l'actuelle CEQ. D'autres associations regroupaient les professeurs d'écoles normales, ceux des collèges, les enseignants protestants et les anglo-catholiques.

Le gouvernement Duplessis réduisit pratiquement à néant les moyens d'action de ces associations naissantes. Le droit de grève fut supprimé, le droit à l'arbitrage fut retiré en milieu rural et réduit en milieu urbain. Cela conduisit à un important affrontement entre l'Alliance des professeurs de Montréal et le gouvernement. L'Alliance, entreprit une longue lutte juridique et eut finalement gain de cause devant le Conseil privé de Londres. Mais l'arbitraire faisant loi, le gouvernement adopta une loi rétroactive confirmant la désaccréditation. Quant au président de l'Alliance, Léo Guindon, il fut congédié. Cette résistance contribua avec d'autres luttes syndicales à ébranler le régime duplessiste.

QUI S'INSTRUIT S'ENRICHIT

Le modèle éducatif théocratique avait été passablement ébranlé par les événements qui suivirent la Seconde guerre mondiale. Une vaste réforme de l'éducation allait assurer rapidement le passage à un nouveau modèle que l'on peut qualifier de libéral, dans le sens donné au concept de démocratie libérale. Cette réforme accompagnera une importante modernisation de la société québécoise à laquelle on devait donner le nom de Révolution tranquille. Les élites traditionnelles verront leur pouvoir fondre à une allure révolutionnaire, même si l'Église catholique réussira à arracher des garanties concernant la confessionnalité scolaire et l'école privée.

L'égalité des chances servira de principe organisateur au modèle éducatif libéral. L'école devait permettre à chaque individu de développer pleinement tous ses talents; l'élève ne devait désormais être évalué qu'en fonction de ses capacités, sans égard à ses origines. Cet idéal d'égalité des chances, véritable « boîte noire » de l'ensemble, pour reprendre l'expression utilisée par Derouet (1992), soutiendra la création d'un véritable système public d'éducation davantage centralisé et standardisé; l'école ne serait en mesure d'offrir des chances égales que si chacun avait accès à une éducation de qualité équivalente. C'était, croyait-on, la meilleure façon de répondre aux nouveaux besoins économiques d'une société en transformation.

Un enthousiasme généralisé s'emparera des milieux de l'éducation. Un large consensus s'établira autour des objectifs de démocratisation proposés. Des efforts importants seront déployés par le personnel des écoles et des collèges pour donner vie à ce projet porteur de tant d'espoir. L'innovation et la coopération seront à l'ordre du jour.

La réforme dut toutefois faire face rapidement à de sévères critiques, dans un contexte où la société québécoise se polarisait autour de la question sociale et de la question nationale. On tentera, dans un second souffle, d'améliorer la qualité de l'enseignement par une centralisation accrue des encadrements pédagogiques; on cherchera également, en révisant l'organisation scolaire, à dissiper les doutes provoqués par une culture critique qui avait affaibli la foi en l'égalité des chances. Cela n'empêchera pas le consensus établi autour du modèle libéral de continuer à s'éroder, alors que la crise économique et sociale s'accentuera.

Une révolution tranquille

La disparition, en moins de six mois, de Duplessis et de son remplaçant, Paul Sauvé, avait laissé l'Union nationale quelque peu désemparée à la veille des élections de 1960. Les libéraux en tirèrent profit. Réunie autour de Jean Lesage et du slogan électoral, « C'est l'temps qu'ça change », « l'équipe du tonnerre » fut portée au pouvoir. Ainsi s'amorça ce qu'un journaliste du *Globe and Mail* de Toronto qualifia de « quiet revolution » et qui allait passer à l'histoire comme la Révolution tranquille, révolution marquant le passage de la tradition à la modernité.

Rapidement, le nouveau gouvernement entreprit la modernisation de l'État québécois. L'élection anticipée de 1962, portant sur le projet de nationalisation des compagnies d'hydro-électricité, confirma la politique du « Maîtres chez nous ». En quelques années, de nombreuses sociétés d'État furent créées dans les domaines de la finance (Caisse de dépôt, Société générale de financement), de la sidérurgie, des mines, etc.

Tout en visant à assurer la croissance du capital québécois et à favoriser l'accès des francophones aux postes de commande, cette politique s'expliquait également par la réaction à une continentalisation de l'économie canadienne qui laissait le Québec à la périphérie. Cette continentalisation, privilégiant un axe Nord-Sud, a provoqué un déplacement du capital anglo-canadien et américain de Montréal vers Toronto. L'approche interventionniste de l'État québécois aurait ainsi constitué une réponse à cette marginalisation économique (Gagnon et Montcalm, 1992).

D'importants investissements furent consentis pour améliorer les infrastructures. Le système d'éducation fut redéfini; la Commission Castonguay sur la santé et le bien-être se mit à l'oeuvre; des expériences d'autonomie régionale furent encouragées; le code du travail fut revu. En moins de dix ans, la fonction publique doubla ses effectifs tout en acquérant un statut qui rompait avec le « patronage » duplessiste. Le secteur culturel connut une véritable effervescence, qu'il s'agisse du cinéma, de la littérature, de la chanson, du théâtre ou de la télévision.

Les élites traditionnelles n'allaient pas lâcher prise; elles réussirent à reporter l'Union nationale au pouvoir aux élections de

1966. Mais, contrairement à ce qu'on aurait pu craindre, les réformes se poursuivirent. On créa de nouvelles sociétés d'État dans les secteurs du pétrole, de la forêt, de la télévision. On amorça la création des cégeps et de l'Université du Québec. Cette modernisation s'essouffla sous le gouvernement de Robert Bourassa qui apporta un soutien beaucoup plus marqué au développement du secteur privé.

Parallèlement, on assista à une déconfessionnalisation de l'ensemble des organisations syndicales. La CTCC devint la CSN, la CIC se transforma en CEQ et l'UCC se fit UPA. Les naissances, les mariages et les décès reprirent leur place dans les registres civils. Les religieuses et religieux « défroquèrent » en masse; en moins de dix ans, leurs effectifs chutèrent de moitié. Bref, la société québécoise se laïcisait à une vitesse vertigineuse.

Ces politiques « d'affirmation nationale » ont rapidement conduit à un affrontement avec l'État fédéral. Le refus du parti libéral d'adhérer à la thèse de la souveraineté-association amena René Lévesque et ses alliés à quitter le parti et à fonder, en 1967, le Mouvement souveraineté-association. Ce dernier fusionna avec le Rassemblement national à sa droite pour former le Parti québécois auquel se joignirent, à gauche, de nombreux membres du Regroupement pour l'indépendance nationale qui se saborda. La question nationale était désormais au coeur des débats et allait le demeurer.

Comme un peu partout en Occident, la contestation étudiante commença à gronder. La jeunesse entonnait un chant de révolte contre l'autorité, les institutions, le colonialisme. Aux États-Unis la lutte contre la guerre du Vietnam souleva les campus alors que le mouvement hippie et le « flower power » prenaient forme. La France fut paralysée par les événements de mai 1968. Les étudiants québécois, pour leur part, occupaient cégeps et universités.

La contestation se poursuivit au Québec jusqu'au milieu des années soixante-dix. La question nationale et son corollaire, la question linguistique, soulevèrent d'importantes mobilisations, notamment autour des lois 63 (1969) et 22 (1974). Octobre 1970 passa à l'histoire, à la suite des enlèvements et des actions terroristes réalisés par le Front de libération du Québec, mais aussi pour la répression arbitraire qui en découla et dont *Les Ordres* de Michel Brault ont si bien rendu compte.

Par ailleurs, déçu des limites du projet réformiste, le mouvement syndical se radicalisa et ouvrit un « deuxième front », celui de
l'action politique. La CSN, la FTQ et la CEQ publièrent tour à tour,
en 1971 et 1972, des manifestes qui prônaient, jusqu'à un certain
point, une approche révolutionnaire du changement social[16]. Cette
radicalisation se cristallisa dans la première grève générale des
secteurs public et parapublic en 1972, sous le thème « Nous, le
monde ordinaire », qui mena à l'emprisonnement des présidents
Charbonneau, Laberge et Pepin.

Les années soixante-dix virent aussi se consolider d'autres
mouvements sociaux, dont le mouvement féministe fut le plus marquant. Une mobilisation sans précédent se mit en branle autour de
l'Année internationale de la femme, en 1975. Les changements
sociaux qui en découlèrent affectèrent le travail, la famille, la vie
privée, les mesures de protection sociale.

Le triomphe du P.Q. aux élections de 1976 relança quelque
peu le projet réformiste. Le gouvernement péquiste tenta alors de
raviver l'ardeur de la Révolution tranquille et de réaffirmer le rôle du
secteur public. Son premier mandat porta la marque de son projet
social-démocrate : régime public d'assurance automobile, loi anti-
briseurs de grève, mesures favorables aux femmes, etc.

C'est toutefois l'adoption de la loi 101, faisant du français la
langue commune de la société québécoise, qui marqua un tournant.
Cette loi annonçait une rupture avec une vision ethniciste du projet
nationaliste québécois. Quant à la concertation sociale tentée par
l'organisation de sommets économiques, elle ne connut guère de succès.

L'échec du référendum de 1980 a marqué un autre tournant
conduisant du nationalisme politique au nationalisme économique
qui s'affichait désormais ouvertement favorable aux intérêts privés.
Parallèlement, dans le contexte de la récession de 1981-1982, le gouvernement péquiste s'en prit durement aux syndiqués des secteurs
public et parapublic. Il décida unilatéralement d'une réduction des

---

16. La FTQ publia *L'État rouage de notre exploitation*, la CSN, *Ne comptons que
sur nos propres moyens* et la CEQ, *L'école au service de la classe dominante*.

salaires, en plus d'augmenter les tâches. Ce fut l'affrontement. Le gouvernement vint à bout de la résistance des enseignantes et enseignants après trois semaines de grève en recourant à une des lois les plus répressives qu'ait connu le mouvement syndical québécois (loi 111).

Les politiques péquistes ouvrirent la voie aux politiques néo-libérales déjà dominantes dans l'Amérique de Ronald Reagan et l'Angleterre de Margaret Thatcher. Le retour au pouvoir des libéraux de Robert Bourassa en 1985 confirma cette tendance. Trois comités, dits de sages, furent immédiatement mis au travail. Leurs rapports recommandèrent la privatisation, la déréglementation et la réduction du rôle de l'État dans la plus pure tradition conservatrice. Mais ce programme ne fut que partiellement implanté.

Parallèlement, on assista à une concentration et à une inter-nationalisation du capital québécois. Provigo, Bombardier, Gaz Métropolitain, SNC, Lavalin et d'autres devinrent les nouveaux mythes de l'entrepreneurship québécois et du tout-au-privé. Le Conseil du patronat se mit à rêver de remplacer l'Assemblée des évêques. Un nouveau clergé vit le jour autour des banquiers et des dirigeants d'entreprises privées. Paroles d'économistes valaient paroles d'évangile. Une fois sa domination assurée, la nouvelle garde montante se tourna contre l'État qui l'avait nourrie, afin d'assurer la suprématie des forces du marché.

Certains analystes en sont venus à la conclusion suivante : « selon toute vraisemblance, la société québécoise est en train de procéder à un réalignement majeur de sa structure de pouvoir, processus qui se compare aux changements spectaculaires - s'il ne les dépasse pas - qu'a produits la Révolution tranquille » (Gagnon et Montcalm, 1992, p. 27). Reste à voir.

Une réforme des structures

On peut dire que la réforme scolaire débuta dès 1959 sous le gouvernement Sauvé. Les subventions gouvernementales aux institu-tions éducatives furent accrues et prirent un caractère statutaire qui tranchait avec le patronage antérieur. C'est également à ce moment que la CIC obtint l'application du précompte syndical, connu sous l'appellation de formule Rand[17], pour l'ensemble des institutrices et instituteurs laïques, que le droit à l'arbitrage fut rétabli, etc. Mais ce n'était encore là que des mesures partielles.

L'arrivée au pouvoir du parti libéral consacra la rupture. Mais les jeux étaient pourtant loin d'être faits. Dès la désignation du ministre de la Jeunesse, les craintes ancestrales s'exprimèrent. Le nouveau ministre, Paul Gérin-Lajoie, avait en effet obtenu que le département de l'Instruction publique soit placé sous son autorité. Certains y virent un premier pas vers l'instauration du ministère tant redouté. Mais ce n'était pas là l'intention du gouvernement, affirma Gérin-Lajoie devant le comité catholique; les questions pédagogiques allaient continuer de relever du surintendant et des comités confessionnels.

Le premier ministre se fit encore plus rassurant. Lors de son premier discours à l'Assemblée législative, il déclara sans ambages : « Il n'est pas question et il ne sera jamais question sous mon administration de créer un ministère de l'Instruction publique » (dans Tremblay et al., 1989, p. 122). L'opposition rassurée, le gouvernement put prendre les mesures jugées les plus urgentes : il instaura la gratuité de l'école publique; il porta la fréquentation scolaire obligatoire à 15 ans; il élargit à l'ensemble des parents les droits démocratiques alors réservés aux seuls propriétaires fonciers; les commissions scolaires furent tenues d'offrir l'enseignement secondaire jusqu'à la 11e année et de se regrouper si nécessaire pour ce faire. Tout en parant au plus pressé, on pensait aussi à préparer l'avenir; une commission royale d'enquête sur l'enseignement fut instituée. On désigna sous le nom de « Grande Charte de l'éducation », la douzaine de lois adoptées dès 1961.

Encore fallait-il expliquer à la population la nature des changements envisagés et lui faire partager l'objectif d'élever le niveau général d'éducation. Le seul regroupement des commissions scolaires n'était pas une mince entreprise; on en comptait alors près de 2 000 sur le territoire québécois. « Qui s'instruit s'enrichit » devint le slogan d'une vaste campagne d'information. Le slogan ne faisait toutefois pas l'unanimité, même chez les proches du ministre.

---

17. La formule Rand, du nom du juge américain l'ayant décrétée la première fois, oblige l'employeur à percevoir à la source les cotisations syndicales chez tous les salariés, lorsque ceux-ci ont opté majoritairement en faveur de la syndicalisation.

On lui reprochait son caractère trop exclusivement matérialiste, igno-
rant la valeur profondément humaine de l'éducation. Le double sens
de l'enrichissement, à la fois matériel et spirituel, ne semblait pas
perçu par beaucoup de personnes. On pourrait dire que depuis, il a
été carrément oublié.

La mise sur pied d'une commission royale se fit sans problème. Sa création était à l'ordre du jour depuis que le rapport Tremblay
sur les questions constitutionnelles en avait fait la recommandation en
1956. Le choix de Mgr Parent, alors vice-recteur de l'Université
Laval, à sa direction, permit de rassurer le clergé. Une commission
royale revêtait plusieurs avantages aux yeux du ministre responsable :
elle permettait d'obtenir une vue d'ensemble de la situation et de
commander les études jugées nécessaires, elle favorisait la réflexion
des milieux, et son indépendance face au pouvoir politique conférait à
ses recommandations un poids moral déterminant (Gérin-Lajoie,
1989)[18].

Cette décision prit tout son sens lorsque la Commission
Parent remit la première tranche de son rapport, au printemps de
1963. S'éloignant de la très grande majorité des mémoires qui lui
avaient été présentés, la Commission proposait de « mettre de l'ordre
dans la maison » et recommandait la création d'un véritable ministère de l'Éducation et d'un Conseil supérieur consultatif auprès du
ministre. Seuls des groupes aussi marginaux que le Parti communiste
canadien et l'Association des femmes diplômées des universités
avaient proposé une telle structure, les autres organisations ne
prenant que modérément - ou pas du tout - leurs distances par rapport
aux structures existantes.

Gérin-Lajoie insista pour qu'un projet de loi fut déposé dans
les plus brefs délais. C'est ce qui fut fait dès la session de juin 1963.
Mais, tout comme le premier volume du Rapport Parent, le « bill
60 » suscita de vives oppositions. Parmi les opposants, on comptait
essentiellement des organisations catholiques qui avaient recours aux
mêmes vieux arguments pour nier à l'État tout rôle en éducation.

---

18. D'autres comités d'études étaient déjà à l'ouvrage notamment sur l'éducation
    des adultes et la formation professionnelle. Deux autres commissions d'enquête
    suivirent sur le commerce du livre, en 1963, et sur l'enseignement des arts, en
    1966.

Un des plus sévères critiques du rapport, le père Genest, affirmait que « l'éducation tout entière risque de devenir un ballon électoral, de connaître la surenchère et tous les vices de la petite politique (...). Le plus curieux est qu'au nom de la démocratie le rapport arrive à installer une véritable dictature » (dans Tremblay et al., 1989, p. 253). Un groupe piétiste dénonçait les Dominicains de la revue *Maintenant,* les accusant de s'être rangés « du côté des agnostiques, des francs-maçons, des incroyants de toute sorte (contre) les forces pédagogiques chrétiennes... et les forces nationales » (p. 289). Quant à la CIC, l'ancêtre de la CEQ, elle se rallia au camp des opposants, aux côtés de la Fédération des collèges classiques et des commissions scolaires catholiques. Elle se demandait « comment la famille et l'Église parviendraient à exercer une influence valable en éducation dans une société où le ministre de l'Éducation aura les pouvoirs que la Commission Parent recommande » (p. 250).

Par contre, de nombreuses organisations ainsi que plusieurs personnes influentes apportèrent leur appui au projet libéral. Ce fut notamment le cas de la FTQ et de la CSN qui s'engagèrent ouvertement dans le débat. On invoquait la nécessaire coordination de l'ensemble et le fait que l'arbitraire politique pouvait difficilement surpasser celui que l'éducation avait connu jusqu'alors.

Même si l'Église officielle se faisait plus conciliante dans le contexte d'ouverture entourant Vatican II, l'Assemblée des évêques refusa son accord au texte du projet. Le gouvernement jugea alors plus prudent de reporter le débat à l'automne, ce qui, pour certains, équivalait à un enterrement de première classe. Mais le ministre de la Jeunesse ne l'entendait pas ainsi. Dès le report du « bill 60 », il entreprit une large tournée qui allait constituer un point marquant dans l'histoire de l'éducation au Québec et constituer une véritable leçon de démocratie politique. En quelques mois, les opposants au projet de loi furent ramenés au rang de minoritaires. À la fin du mois d'août, le congrès général de la CIC renversait, à trois contre un, les orientations prises par son Conseil d'administration qui voulait que le ministre soit assujetti à l'autorité du Conseil supérieur.

Comme le rappelle Léon Dion, dans sa monographie sur le sujet, la campagne du « bill 60 » se présenta comme un affrontement décisif entre l'Église et l'État. Le concordat existant était rompu. L'Assemblée des évêques perdait son pouvoir au sein du comité catholique et ce dernier voyait son rôle réduit. Les évêques firent tout en leur pouvoir « en vue d'amener le gouvernement à conformer son projet de loi aux objectifs et aux intérêts de l'Église en éducation » (Dion, 1967, p. 135).

La Commission Parent n'ayant pas encore fait connaître ses recommandations concernant la confessionnalité des structures scolaires, on craignait la laïcisation. Les pressions étaient d'ailleurs fortes en ce sens. Aussi l'Assemblée des évêques exigea-t-elle l'introduction d'un préambule aux projets de lois scolaires reconnaissant explicitement le droit des parents de créer et de choisir des institutions éducatives répondant à leurs convictions et de bénéficier du soutien de l'État pour ce faire. L'enseignement confessionnel était ainsi protégé, à tout le moins dans le secteur privé. Ce préambule fut largement utilisé par la suite pour justifier le financement public de l'enseignement privé, même après son abandon par le législateur lors de la refonte des lois.

Ces garanties obtenues et les pouvoirs du comité catholique confirmés, notamment en ce qui concerne les aspects religieux des programmes et la reconnaissance du statut confessionnel des écoles et les exigences en découlant, l'Assemblée des évêques donna officiellement son accord au projet de loi. Ainsi, le 19 mars 1964, les lois créant le ministère de l'Éducation (MEQ) et le Conseil supérieur de l'éducation (CSE) reçurent la sanction royale.

Ce n'est qu'en 1966, en pleine campagne électorale, que les orientations de la Commission Parent sur la confessionnalité furent rendues publiques. Critique à l'égard de certains pouvoirs conférés aux comités confessionnels, la Commission proposait la création de commissions scolaires non confessionnelles laissant à chaque communauté le choix quant au caractère religieux ou non de son école. Il n'en fallait pas plus pour que les vieux épouvantails refassent surface. On accusa à nouveau le gouvernement de vouloir « sortir les crucifix des écoles », de proposer une éducation sans Dieu, sans morale.

La tempête électorale apaisée, il fallut attendre le début des années soixante-dix avant que l'on procède à ce qui allait s'avérer, au contraire, une reconfessionnalisation des structures administratives; on fit alors de chaque commission scolaire une entité confessionnelle. Le comité catholique octroya par la suite d'autorité le statut de catholiques à toutes les écoles des commissions scolaires dites pour catholiques.

Quant aux structures supérieures de l'éducation, rarement furent-elles remises fondamentalement en cause au cours des trente années écoulées. Tout au plus a-t-on vu, selon les circonstances, augmenter ou diminuer le nombre d'organismes conseils ou de ministères à vocation éducative.

Une mission redéfinie

À peine le ministère de l'Éducation avait-il été créé que la Commission Parent remettait la deuxième tranche de son rapport. Elle proposait une réforme majeure de l'organisation scolaire et une redéfinition complète de la mission confiée à chaque ordre d'enseignement.

Unification et démocratisation étaient les deux mots clefs résumant les propositions des commissaires. Un système d'enseignement unique était proposé pour les catholiques et les protestants; de nouvelles institutions polyvalentes devaient permettre d'intégrer les diverses formations alors dispersées. Ces orientations furent reprises sans tarder par le gouvernement. On allait enfin mettre sur pied un véritable réseau public d'enseignement.

Le changement n'était pas mince. Catholiques et protestants avaient alors leur propre système éducatif. Les écoles secondaires publiques étaient limitées aux centres urbains et aux gros villages; des collèges classiques privés préparaient l'accès à l'université après 15 années d'étude; des écoles normales, des instituts familiaux, des écoles de métiers, des instituts de technologie, des écoles gouvernementales, des instituts privés s'adressaient à autant de clientèles différentes.

La scolarisation demeurait faible. En 1961-1962, à peine un jeune de 16 ans sur deux fréquentait l'école et seulement 16 % accédaient aux études collégiales (Audet, 1971; CSE, 1992b). Les jeunes en difficulté n'avaient à peu près pas accès à l'éducation; l'éducation préscolaire publique était inexistante chez les francophones; l'éducation des adultes et la formation professionnelle étaient grandement sous-développées. Tels furent les constats qui amenèrent la commission à proposer un réseau scolaire unifié, de l'éducation pré-scolaire à l'université.

L'éducation préscolaire fut rendue accessible, à demi-temps, à l'ensemble des enfants de cinq ans. On ouvrit les portes de l'école aux enfants que l'on désignait alors sous le vocable « d'enfance exceptionnelle ». Les finalités de l'école élémentaire furent revues; sa mission serait désormais de préparer à l'école secondaire et non plus de constituer un niveau terminal attesté par le fameux certificat d'études primaires. La durée du primaire fut réduite à 6 ans et on instaura la promotion automatique au secondaire à l'âge de 13 ans. On considérait qu'avec une pédagogie moderne il serait possible à la grande majorité des élèves d'atteindre en 6 ans les objectifs autrefois étalés sur 7 ans, en repoussant au secondaire certaines notions liées à la mission terminale du primaire.

La mission du secondaire devait être redéfinie en consé-quence. Puisque près des deux tiers des jeunes de 13 à 16 ans accé-daient à l'école secondaire, sa mission devait, selon les commis-saires, s'apparenter désormais davantage à celle du primaire, c'est-à-dire que son enseignement devait s'adresser à l'ensemble des jeunes. Les élèves ne seraient plus dirigés vers des établissements différents ou des sections particulières. L'école polyvalente, tout en regroupant les formations autrefois dispersées, offrirait désormais un programme commun à l'ensemble des élèves au cours des deux pre-mières années.

Cette intégration devait être facilitée par l'instauration de programmes à trois voies que l'on désigna généralement sous les appellations de allégée, moyenne et enrichie. Un système progressif d'options à compter de la troisième année et la promotion par matière devaient donner au système toute la souplesse nécessaire; cette souplesse fut toutefois grandement limitée par des contraintes organisationnelles et financières.

L'école polyvalente exigeait la concentration des ressources dans un même établissement et donc, une certaine régionalisation. En découlait un transport scolaire d'une durée plus ou moins longue. Ce qui, pour certains, deviendrait le symbole de la démocratisation de l'éducation serait décrié par d'autres, comme le « péril jaune ».

L'enseignement secondaire devait représenter, selon les com-missaires, « la fin de la formation scolaire proprement dite pour la majorité des jeunes » (tome 2, p. 150). Pour offrir l'enseignement postsecondaire, on proposait la création de nouveaux instituts résultant d'une fusion des diverses institutions existantes. Le nom d'instituts fut finalement troqué pour celui de collèges afin d'amadouer quelque peu les collèges classiques durement secoués par la réforme. Ces collèges auraient pour mission à la fois de préparer aux études universitaires et d'assurer une formation technique de qualité.

Ce projet provoqua d'importantes résistances, tant de la part des collèges classiques que des institutions anglophones. Le régime pédagogique proposé réduisait la durée de la formation offerte pour les premiers et obligeait les secondes à transformer le modèle qu'elles avaient adopté depuis des décennies, le modèle nord-américain des *high schools* conduisant directement à l'université.

Le gouvernement invita les collectivités régionales à élaborer des projets mettant en commun les ressources éducatives existantes afin de créer les nouveaux collèges d'enseignement général et professionnel, les cégeps. Le « bill 21 » vint, en 1967, fixer le cadre de ces nouvelles institutions. Face à la résistance des universités anglophones, on retarda toutefois la réforme de quelques années dans ce secteur.

Une restructuration majeure transforma également la formation professionnelle. Même si cette dernière avait connu un certain développement avec l'industrialisation de l'après-guerre, ses effectifs étaient réduits et les taux d'échec élevés. Elle demeurait toujours à la marge du système éducatif et on se plaignait d'une pénurie chronique de main-d'oeuvre spécialisée (Payeur, 1991).

Le Rapport Parent fit siennes les principales recommandations du Comité d'études sur l'enseignement technique et professionnel (Comité Tremblay) qui avait été formé au début de 1961. Les formations de métier et les formations techniques seraient désormais intégrées dans des écoles et des collèges polyvalents. On voulait ainsi favoriser un plus large accès à ces formations et contribuer à une socialisation plus égalitaire.

L'entente conclue en 1961 entre le gouvernement québécois et son vis-à-vis fédéral a sans doute pesé dans la décision de créer des institutions polyvalentes. Cette entente prévoyait en effet le remboursement de 50 % à 75 % des dépenses consacrées à un vaste éventail de programmes de formation technique et professionnelle pour adultes que l'on avait choisi d'offrir dans ces mêmes institutions (Gérin-Lajoie, 1989).

L'éducation des adultes, jusqu'alors principalement du domaine privé, fut intégrée à la mission de l'enseignement public; le rapport du Comité d'études sur le sujet, présidé par Claude Ryan alors rédacteur en chef du *Devoir,* contribua largement à un tel changement de cap. Une direction générale de l'éducation permanente vit le jour au MEQ; des services d'éducation des adultes furent créés dans les commissions scolaires; les organismes volontaires d'éducation populaire reçurent un soutien de l'État; des expériences de télévision éducative furent tentées, notamment au Saguenay Lac-Saint-Jean. En quelques années, l'éducation permanente connut un développement phénoménal.

La réforme fut complétée par la création de l'Université du Québec, en 1968. La durée des formations universitaires de premier cycle fut uniformisée et la formation des maîtres en faisait désormais partie. C'est aussi grâce à la fusion d'institutions existantes, principalement de collèges classiques et d'écoles normales d'État, que les diverses constituantes de l'Université du Québec furent créées à Hull, Rimouski, Trois-Rivières, Chicoutimi, Montréal et Rouyn (Hamel, 1991b).

La commission avait prévu un taux d'accessibilité pour chacun des ordres et secteurs d'enseignement. Se basant sur la théorie voulant que la distribution des quotients intellectuels d'une population suive la courbe normale, dite de Gauss, on estimait par exemple à 17 % la proportion des jeunes de 20 à 24 ans aptes à suivre des études universitaires et à 25 % la proportion de ceux qui, à l'autre extrémité, incapables de terminer leur secondaire, étaient condamnés à l'initiation au travail. Guy Rocher (1990b), qui fut membre de la commission, rappelle, avec un certain humour, les hésitations des commissaires qui obligèrent à maintes reprises Jacques Parizeau, alors à la planification, à refaire ses calculs prévisionnels.

Cette théorie a été largement battue en brèche depuis. Comme l'écrit Derouet, « non seulement la psychologie n'est pas parvenue à objectiver la notion d'aptitude, mais les progrès de la sociologie l'ont fortement mise à l'épreuve en mettant en évidence les liens secrets qu'elle entretient avec les inégalités sociales » (1992, p. 151). La sélection devait en effet être fonction des seules capacités intrinsèques de l'élève et des seuls critères scolaires; elle ne devait, en principe, être affectée par aucune influence extérieure. Les désillusions n'allaient pas tarder.

L'égalité des chances promise et le modèle méritocratique la supportant furent durement mis à l'épreuve par les thèses radicales inspirées des théories de la reproduction et par les premières études sociologiques d'envergure sur la situation scolaire des jeunes québécois. On reprocha à l'école de transmettre un contenu et des valeurs voués à la reproduction d'une société de classes (CEQ, 1974); on démontra que les inégalités sociales trouvaient leur prolongement dans l'orientation scolaire (Massot, 1979); on critiqua la division de l'école secondaire en voies et l'orientation précoce des élèves.

Ces critiques semèrent le doute sur la capacité de l'école d'assurer une plus grande équité sociale et de garantir l'égalité des chances. Elles ébranlèrent, jusqu'à un certain point, le principe organisateur du modèle libéral. Elles furent aussi à l'origine d'interventions ayant pour objectif de corriger les inégalités observées.

Néanmoins, il ne fait pas de doute que cette réforme a permis au Québec de rattraper un important retard en matière de scolarisation. Les objectifs visés ont été non seulement atteints, mais dépassés, Les filles en furent de loin les principales bénéficiaires; elles ont su, portées par le mouvement féministe, tirer profit d'un système plus accessible. Les jeunes ruraux, malgré le retard qu'ils connaissent toujours, ont été le deuxième groupe qui a profité le plus du changement.

Une difficile rénovation pédagogique

La réforme de l'organisation scolaire devait être accompagnée d'une transformation importante des programmes et de la pédagogie. On proposait de substituer aux humanités classiques un humanisme contemporain plus ouvert aux sciences, à la technique et à la culture de masse. On insistait sur la nécessité de remplacer l'enseignement magistral et l'esprit de compétition par une école plus coopérative centrée sur un esprit d'équipe et de solidarité.

Le règlement No 1 « relatif à la réorganisation de l'enseignement élémentaire et secondaire » vint, dès 1966, préciser la nouvelle philosophie pédagogique. Le règlement ne comprenait que quelques articles; il était accompagné d'un guide dont le titre résumait l'esprit : *L'école coopérative : polyvalence et progrès continu* (MEQ, 1966). L'objectif premier de cette réorganisation était, conformément au principe méritocratique, de permettre à chaque enfant de « progresser au rythme qui convient le mieux à ses aptitudes et à sa personnalité » (p. 7).

Dans le but de respecter les différences individuelles et d'assurer le progrès continu, on instaura la promotion par matière au secondaire et on proposa une école primaire sans degré. L'élève entrait à l'école primaire à un âge donné, mais rien ne devait l'empêcher de progresser à son rythme, de suivre des matières à des degrés différents, de participer à des sous-groupes plus ou moins avancés, selon ses acquis. Ce modèle était alors très en vogue aux États-Unis (Gutiérrez et Slavin, 1992); mais, là-bas comme ici, la vogue fut de courte durée et le progrès continu ne progressa que très peu. Comme nous le verrons au chapitre 4, ce modèle est toutefois à nouveau au coeur des projets de réforme de l'école primaire dans plusieurs pays.

L'école devait être coopérative tant dans sa gestion que dans sa pédagogie. Le Rapport Parent s'inquiétait du « danger grave » pour l'enfant d'une concurrence abusive qui aurait fait de l'école « une société d'âpres rivalités » et conduit l'enfant défavorisé par cette concurrence à une « conduite antisociale ». On prônait une pédagogie plus sociale, plus communautaire, une pédagogie active qui aurait laissé davantage de place à l'enfant. Selon Mellouki (1989) la méthode prit alors définitivement le dessus sur le contenu.

Le personnel devait être étroitement associé à cette réorganisation, notamment par la création d'ateliers pédagogiques. Il lui appartenait de décider collectivement du type d'organisation pédagogique souhaité : écoles à aires ouvertes, *team teaching,* etc. Des stages de formation furent offerts aux enseignantes et enseignants sur les principes et méthodes de l'école active. Une nouvelle revue fut créée à leur intention, portant elle aussi le titre évocateur de *L'école coopérative.* Mais la coopération tourna rapidement à la confrontation. Quant à la revue, elle s'éteignit en 1978, après que la direction eut refusé de publier un dossier sur la confessionnalité scolaire, dossier qui fut finalement édité par la CEQ.

Au début, les programmes en vigueur demeurèrent les mêmes que ceux existant dans les années cinquante. Les matières autrefois données dans différentes sections du secondaire se transformèrent en autant d'options graduées. Le Rapport Parent avait toutefois recommandé que tous les élèves puissent consacrer quelques heures par semaine à travailler dans les ateliers, qu'ils soient initiés aux arts, qu'ils reçoivent une solide formation de base qui leur évite « de n'être demain que des robots dans une société fortement technique et culturellement plus évoluée qu'aujourd'hui » (tome 2, p. 126).

Ce n'est qu'en 1969 que les nouveaux programmes firent leur apparition. Comme le souhaitaient les commissaires, il s'agissait de programmes-cadres, concept qui remplaçait celui des anciens programmes dits catalogues. L'objectif de ce changement était de corriger « les abus de l'enseignement livresque et stéréotypé » qui avait dominé jusqu'alors (tome 2, p. 99). Le MEQ (1966) affirmait que les enfants pourraient ainsi être désormais « coauteurs » de leur programme d'études. Selon les analyses de Gauthier et Belzile, la culture présentée était « celle de l'individu, voire de l'individualisme » (1993, p. 27).

Les programmes-cadres devaient en principe être complétés par des programmes institutionnels élaborés par les commissions scolaires. Les enseignantes et enseignants devaient disposer d'une importante marge de manoeuvre dans leur application. Mais le modèle ne fut pas compris par tous de la même manière. Certains programmes n'eurent que quelques pages alors que d'autres furent encore plus détaillés que les programmes-catalogues. Néanmoins les notions de base furent modernisées, notamment en mathématique et en sciences humaines; les objectifs particuliers pour les filles et les garçons disparurent; on réduisit le nombre d'examens et la responsabilité en fut davantage laissée aux commissions scolaires.

Dès le début, l'implantation de cette réforme pédagogique d'envergure se buta à l'incompréhension. La planification était déficiente, la coordination insuffisante; les commissions scolaires étaient dans l'impossibilité de fournir le soutien institutionnel nécessaire; une incertitude planait en permanence sur sa réalisation. Comme le souligne Grégoire dans son étude sur l'évolution des programmes, cette réforme « a été lancée avec des moyens insuffisants et avec une conscience plutôt faible de l'ampleur des enjeux en cause » (1987, p. 163).

Parallèlement, on assista à une diversification du personnel scolaire. Les inspecteurs d'école disparurent. L'administration scolaire connut une expansion marquée. L'enseignement aux enfants en difficulté commanda un personnel spécialement formé; des spécialistes firent leur apparition au primaire pour l'enseignement de certaines matières. On eut besoin de nombreux « agents de développement pédagogique » pour assurer les liens entre le MEQ et les milieux; les écoles exigeaient par ailleurs un ensemble de nouveaux services liés à l'animation de la vie étudiante, au soutien pédagogique et à l'aide aux élèves. Une distinction fut alors établie entre les fonctions d'enseignement proprement dites et des fonctions professionnelles diversifiées.

Quant à la formation des maîtres, en vertu du règlement N° 4, adopté en 1966, l'État s'accapara d'une grande partie des responsabilités autrefois confiées aux comités confessionnels; il lui appartenait désormais de définir les critères de qualification et de certification des maîtres. Le niveau de la formation fut relevé et les exigences accrues, notamment grâce aux nouvelles responsabilités assumées par les universités.

La réforme des programmes collégiaux soulevait, pour sa part, des difficultés différentes. Il fallut d'abord distinguer les contenus qui devaient relever de l'enseignement collégial de ceux qui seraient confiés aux universités. La définition des cours communs obligatoires fut largement marquée par l'héritage des collèges classiques; la philosophie et la littérature s'imposèrent contre les tenants d'une définition plus moderne de la formation générale. Là aussi, les programmes nationaux ne devaient fournir qu'un encadrement souple, laissant à chaque professeur le soin d'en préciser le contenu dans un plan d'études.

Bref, la rénovation pédagogique cafouilla et fut rapidement emportée par la contestation étudiante et syndicale montante et par les critiques qui lui étaient faites de toutes parts. Les médias s'en prirent durement à la formation donnée, tout particulièrement à la piètre qualité de la langue. Une série d'articles de Lysiane Gagnon sur ce sujet publiés dans *La Presse,* au printemps de 1975, ne fut pas sans rappeler les critiques du frère Untel. D'autre part, on critiqua le contenu classiste, sexiste, voire raciste des manuels scolaires; on fustigea le côté passéiste de certains programmes; on dénonça l'insuffisance de l'enseignement de l'histoire, etc. Il n'en fallait pas plus pour qu'un vent de réforme s'empare du nouveau pouvoir péquiste.

Un second souffle

Le ministre péquiste de l'éducation, Jacques-Yvan Morin, affirma vouloir donner un « second souffle » à la réforme. Les objectifs quantitatifs ayant, selon lui, été atteints, il fallait désormais se tourner du côté de la qualité. Le discours initial était empreint d'un brin de nostalgie pour l'école d'avant la réforme et les « on dit » y trouvaient un bel écho. Ainsi on put lire sous la plume du ministre, en introduction au *Livre vert sur l'enseignement primaire et secondaire* (1977), que « les gens déplorent le manque d'exigences de l'école et des maîtres à l'endroit des élèves, l'absence de rigueur, de discipline et d'esprit de travail qui sévit dans certains établissements. Ils se plaignent du relâchement dans l'enseignement de la langue maternelle (...). Bref, beaucoup de parents et d'éducateurs estiment que nos écoles n'ont pas de projet pédagogique cohérent et que la formation des enfants s'en va à vau-l'eau ».

Pas un secteur n'y échappa. Un véritable arc-en-ciel de documents de consultation et d'orientation annonçait des jours meilleurs pour l'école primaire et secondaire, pour les collèges, pour la formation professionnelle, etc. Deux commissions d'étude furent créées, portant respectivement sur les universités (Commission Angers) et sur l'éducation des adultes (Commission Jean). Parallèlement à cette fébrilité gouvernementale, la CEQ, elle aussi, se dotait d'une plate-forme sur l'école, constituant jusqu'à un certain point un contre-projet (CEQ, 1978).

Sauf pour l'enseignement primaire et secondaire, la montagne accoucha d'une souris. Certains projets gouvernementaux furent mis en échec par divers groupes de pression. D'autres furent relégués aux oubliettes par le gouvernement lui-même, atteint d'une grave panique budgétaire.

Le ton de l'énoncé de politique qui suivit pour l'école primaire et secondaire tranchait avec celui du *Livre vert,* plus conservateur.

Avec un gouvernement péquiste, l'école s'affichait québécoise; c'était d'ailleurs le titre de cet énoncé qui prit plutôt l'appellation de sa couleur, le Livre orange. On affirmait poser « les jalons d'une nécessaire relance du système scolaire québécois, en vue d'une qualité accrue de l'enseignement qu'on y dispense » (MEQ, 1979, p. 11).

On dota l'école primaire et secondaire de nouveaux régimes pédagogiques. On fit droit aux critiques concernant la sélection et l'orientation précoces; les voies d'apprentissage furent abolies au secondaire et la formation commune fut prolongée d'une année. On confirma l'objectif d'une plus grande égalité des chances en adoptant une « politique d'intervention éducative en milieux défavorisés » et une « politique de l'adaptation scolaire ».

Aux programmes-cadres, on substitua de nouveaux programmes-habiletés, comme les qualifie Grégoire (1987). L'acquisition d'un ensemble d'habiletés de base, disséquées en une multitude d'objectifs d'apprentissage, devait désormais assurer l'intégration des connaissances, et non l'inverse. Ces programmes étaient autrement plus précis que les programmes-catalogues d'autrefois.

De nouveaux cours furent introduits en histoire nationale, en éducation économique, etc. Les outils pédagogiques furent modernisés et expurgés de leurs éléments sexistes et racistes. Mais l'équilibre souhaité ne fut pas atteint; par exemple, les arts occupaient toujours une portion congrue de l'horaire alors que la culture technique demeurait dévalorisée.

Les sciences et la mathématique virent leur domination confirmée, sinon en termes de crédits obligatoires, du moins en termes de prestige (Trottier, 1990). La mathématique remplaça les humanités comme instrument de sélection. Elle devint même, selon les programmes officiels, « un complément de culture qui peut améliorer l'intérêt et le plaisir de vivre (...) un langage important, essentiel à la communication des idées et à l'expression des buts de la société » (dans Grégoire, 1987, p. 145). L'enseignement du français, pour sa part, subit de notables transformations, sous l'égide des théories de la communication.

Les exigences pour l'obtention d'un diplôme d'études secondaires furent accrues. Le rehaussement de la note de passage de 50 % à 60 %, souleva une vive réaction chez les jeunes du secondaire, ce qui amena le ministre Laurin à adopter une application progressive qui épargnait les élèves en place. Ce n'est donc qu'en 1986-1987 qu'on en saisit toutes les conséquences négatives sur la réussite éducative[19].

Chaque école fut invitée à définir son propre projet éducatif axé sur les valeurs et les aspirations du milieu. Le discours ministériel empruntait au marché plusieurs de ses concepts; il était question de clients, de réclame, de concurrence, etc. On confirma une place plus importante aux parents dans les mécanismes décisionnels locaux en créant des conseils d'orientation pour chaque école primaire et secondaire dont le mandat consistait notamment à doter l'établissement d'un projet éducatif propre.

Sur le plan pédagogique, le MEQ qualifia les mesures prises de retour à l'essentiel, alors que d'autres y virent un retour en arrière. Pour plusieurs, les moyens proposés résonnaient trop comme l'écho de l'école d'autrefois. Programmes très précis, multiplication des évaluations centralisées, invitation faite aux établissements de se doter d'une « image de marque », n'étaient pas sans rappeler un certain passé. Malgré l'appui que la CEQ apporta à plusieurs des mesures du Livre orange, elle qualifia l'ensemble de contre-réforme.

La panique qui s'empara du gouvernement lors de la récession de 1982 et les coupures budgétaires en découlant, créèrent un climat fort peu favorable à ce « second souffle ». Les moyens faisaient grandement défaut; la publication des manuels devant accompagner les nouveaux programmes tardait; la préparation du personnel était insuffisante; l'autoritarisme ministériel affectait l'enseignement (CSE, 1984b). La défense de l'autonomie professionnelle devint une préoccupation, mais ce n'est qu'à la fin de la décennie que l'on prit véritablement conscience de la dévalorisation et de la perte d'autonomie du personnel de l'éducation.

Pour sa part, la volonté exprimée de poursuivre la réforme des structures scolaires par la création de commissions scolaires linguistiques se buta aux protections constitutionnelles. Le gouvernement libéral décida, par la suite, de soumettre un nouveau projet

---

19. Historiquement, la note de passage pour les diverses matières fut généralement fixée à 50 %. Elle était exceptionnellement de 60 %, notamment pour la langue maternelle, mais descendait parfois à 40 %. On exigeait toutefois une moyenne générale de 60 % (MEQ, 1991c).

directement à la Cour suprême pour avis; le verdict favorable de cette dernière ne régla pas pour autant la question, comme nous le verrons au dernier chapitre.

Quant à la formation professionnelle secondaire, face à la chute vertigineuse de sa fréquentation, on décida, au milieu des années quatre-vingt, d'en reporter l'accès après la quatrième ou la cinquième secondaire; elle serait désormais offerte dans de nouvelles écoles professionnelles accueillant jeunes et adultes. Cela n'endigua pas pourtant la désaffection observée.

Par ailleurs, une formation secondaire d'une durée de cinq ans fut considérée de plus en plus comme le minimum nécessaire pour tout jeune québécois; ce faisant l'école secondaire devint le lieu d'une concurrence sociale accrue. Dans un contexte de crise, marquée par un taux de chômage élevé, particulièrement chez les jeunes et les moins instruits, les jeunes optèrent en masse pour l'enseignement collégial. De telle sorte que les cégeps accueillent aujourd'hui plus de 50 % des jeunes, soit une proportion presque aussi élevée que celle qui accédait au secondaire au moment du Rapport Parent.

Les critiques ne cessèrent pas pour autant. L'école devint même le bouc émissaire d'une société en crise. Elle était bien incapable de répondre à des demandes profondément contradictoires. On souhaitait à la fois une école de masse et une école élitiste. On proposait d'accroître technocratiquement les exigences tout en affirmant vouloir diplômer une proportion beaucoup plus grande de jeunes; on rendait les cégeps plus accessibles sans en revoir la mission; on intégrait les jeunes en difficulté dans les classes ordinaires et dans un même mouvement, on en retirait les élèves dits plus doués. On tenta de dégager de nouveaux consensus, comme ce fut le cas lors des États généraux sur l'éducation en 1986; quelque 5 000 personnes se réunirent alors pour faire le point, à l'invitation de la Fédération des commissions scolaires catholiques du Québec. Mais ce fut en vain.

MARCHÉ CONTRE DÉMOCRATIE

Le relatif consensus construit autour des principes fondant le modèle libéral n'est plus. De lourdes incertitudes pèsent sur la mission de l'école. Celle-ci exige désormais une cohérence nouvelle alors que des projets divergents cherchent à s'imposer. Certains se font les champions d'un projet néo-libéral avec le marché comme maxime; d'autres, au contraire, cherchent un nouvel horizon pour une école plus démocratique. Ces deux projets donnent lieu à des interventions diffuses qui n'en sont pas moins significatives.

Le contexte social des dernières années a favorisé le projet néo-libéral. La concurrence et le marché sont devenus, pour plusieurs, de nouveaux dogmes éducatifs. Pour eux, l'école n'a pas à être conçue comme un service public visant l'intérêt général, mais comme une institution devant répondre à des intérêts privés. L'idéal d'égalité des chances est devenu, aux yeux de ces conservateurs, une idéologie que l'on s'acharne à caricaturer sous le nom d'égalitarisme (Dandurand, P., 1990).

La concurrence s'accentuant sur le marché de l'emploi, on vit renaître les vieilles thèses d'une répartition rationnelle des individus fondée sur l'identification de dons naturels. Le hasard ou la nature faisant bien les choses, nul n'allait se surprendre de voir les bien-nantis en sortir victorieux. Les titres scolaires, fortement grugés par l'inflation, allaient devenir de plus en plus de simples marchandises. Évalués à leur valeur d'échange, les savoirs valent désormais ce que vaut la position sociale à laquelle ils permettent d'accéder.

Le projet démocratique s'est ainsi vu imposer des reculs importants. Les inégalités se sont accentuées alors que l'école commune était remise en question par un ensemble de projets sélectifs répondant à des intérêts particuliers. L'application à l'éducation du modèle industriel taylorisé, avec sa multitude de contrôles et ses exigences technocratiques, a étouffé la créativité et l'initiative; la qualité accrue tant promise ne fut pas pour autant au rendez-vous. Parallèlement, un accroissement marqué de l'abandon des études, avec l'exclusion en découlant, prenait l'allure d'une véritable catastrophe nationale.

Dans une société où les exigences de scolarisation sont de plus en plus élevées, la production d'exclus n'a pas d'avenir. L'obtention d'un diplôme d'études secondaires devient une nécessité et le cégep n'a d'autre choix que de s'ouvrir au plus grand nombre, surtout dans un contexte où l'emploi se fait rare. C'est une telle conviction qui inspire cet autre projet que nous avons qualifié de social-démocrate. Il invite à regarder vers l'avenir, à prendre en compte les nouvelles exigences sociales et les nouveaux besoins. Il recherche une plus grande égalité tout en affirmant l'autonomie des personnes et des institutions.

C'est un projet en construction. Il s'est exprimé dans la vaste campagne lancée par la CEQ (1990) en faveur de la réussite éducative, dans les nombreuses actions entreprises dans les écoles et les collèges pour assurer la réussite du plus grand nombre. On le retrouve également dans les initiatives pédagogiques visant l'éducation relative à l'environnement, l'éducation interculturelle, l'éducation à la réalité internationale ou planétaire. Il prend encore la forme de diverses innovations visant à développer l'apprentissage coopératif, de nouvelles formes d'évaluation des apprentissages ou des relations plus étroites avec les parents et la communauté.

La crise éducative et les nombreux dysfonctionnements observés aujourd'hui expriment donc l'essoufflement d'un modèle qui a marqué l'éducation pendant plus de trente ans. On ne connaît pas encore les formes que prendra le nouveau consensus qui permettra au système éducatif de sortir de cette période de turbulence. Mais il sera inévitablement le résultat des luttes sociales qui ont cours.

La réflexion historique qui précède nous rappelle l'importance de soutenir les nouvelles pratiques démocratiques en émergence. Elle invite à pousser plus avant les réformes entreprises par les révolutionnaires tranquilles. Celles-ci devront toutefois s'ouvrir aux nouvelles exigences d'un monde en pleine transformation. C'est donc vers l'avenir que nous sommes maintenant invités à nous tourner.

Chapitre 2
Choisir pour demain

Or l'homme, ce pourrait être une de ses définitions, est pétri de projets; il est obsédé par demain (...). Ses actes d'aujourd'hui sont orientés par le demain qu'il imagine ou qu'il souhaite.

Albert Jacquard. *L'héritage de la liberté.*

La connaissance des événements qui se sont succédé, au cours des deux siècles que nous venons de survoler, a permis de donner un sens à l'histoire du système éducatif. Des modèles, marqués de continuités, se dégagent et se suivent au rythme des ruptures qui marquent le temps. L'histoire est reconstruction.

L'avenir, par contre, est création. C'est le lieu de l'aléatoire, de la surprise, de l'improbable. Bien que la fiabilité des divers outils prévisionnels s'accroisse, l'avenir, dans son ensemble, demeure inattendu. N'est prévisible, finalement, que ce qui germe déjà dans le présent. Et encore. Personne n'avait prévu la première crise du pétrole, ni la chute brutale de l'empire soviétique.

On ne saurait pourtant s'interroger sur l'éducation sans se tourner vers l'avenir. Comme l'être humain, l'éducation a besoin de sens et elle ne se pense pas sans projet. Elle ne saurait exister sans conception du monde, de la nature, de la société, de la personne. L'éducation est transition entre le passé et l'avenir, pour les enfants, la société, l'humanité.

Le Conseil des collèges le reconnaissait fort justement, dans ce rapport sur l'état et les besoins de l'enseignement collégial qui allait devenir son testament. « Aussi, écrivait-il, toute tentative de mise à jour et de rajustement de la mission, du rôle et du fonctionnement de l'école doit-elle reposer sur une analyse lucide et partagée des traits marquants de la société et sur une vision la plus éclairée possible de son développement prévisible et souhaité » (1992, p. 11).

Ce développement n'est pas déjà fixé, il est à construire. L'avenir sera le fruit de la nécessité, mais aussi du hasard et de la volonté. Comme l'écrit poétiquement Jacquard, « Nous, les hommes, sommes les tisserands de la tapisserie où s'inscrira demain » (1991, p. 104).

Les enfants qui entrent à l'école aujourd'hui seront sur le marché du travail vers l'an 2010 et y demeureront jusque vers le milieu du prochain siècle. Les changements qu'ils connaîtront sont aussi inimaginables que l'étaient ceux qu'ont connus leurs aînés. Faut-il rappeler que les personnes qui sont au crépuscule de leur existence ont vu naître la radio, le cinéma, l'aviation, la bombe atomique et qu'elles ont été témoins de changements sociaux tout aussi majeurs.

Loin de nous l'ambition de jouer à l'oracle. Les prévisions des « futurologues » d'hier font trop souvent sourire aujourd'hui. Telle cette vision de l'an 2000 que présentait le magazine *Life* dans une édition de 1965. Papa se rendait travailler en hélicoptère pendant que maman, à la maison, surveillait bébé à l'aide d'un radar, laissant le ménage à un robot tout neuf; les enfants, eux, étaient à l'école, ... devant le téléviseur (Rioux, 1993). Les années nous ont appris que les changements sociaux ont marqué bien davantage la famille nord-américaine que ne l'ont fait les changements techniques annoncés.

La crise multiforme que traversent aujourd'hui les sociétés occidentales annoncerait toutefois, de l'avis de spécialistes d'horizons disciplinaires variés, une bifurcation historique ouvrant à d'importantes redéfinitions. Les équilibres d'autrefois sont rompus. L'économie cafouille, la famille est éclatée, l'Église est désaffectée, l'équilibre écologique est menacé, le monde se redéfinit.

Küng (1991), observe une crise du sens, des valeurs, des normes qui exigerait une pensée nouvelle et annoncerait une époque qui n'a pas encore de nom propre mais qui inviterait à une vision globalisante du monde et de l'homme dans toutes ses dimensions. D'autres affirment, dans le même sens, que l'humanité doit entreprendre une révolution spirituelle, morale, intellectuelle et institutionnelle de très grande ampleur (Fondation, 1994).

Au chapitre des sciences et des techniques, l'humanité serait à l'aube d'un véritable changement d'ère, comparable même à celui du néolithique (Robin, 1989); un âge de fer planétaire s'ouvrirait (Morin, 1990a). Une société programmée, où la production et la diffusion massive de biens culturels occupent la place centrale, remplacerait la société industrielle (Touraine, 1992). Sur le plan de l'éthique, le « crépuscule du devoir » renforcerait l'individualisme (Lipovetsky, 1992) alors que les menaces qui pèsent sur l'humanité rendraient urgente une éthique de la responsabilité (Jonas, 1992). Le préfixe « post » est des plus à la mode, comme en font foi les concepts de postfordisme, postmoralisme et postmodernisme.

Il n'est pas facile de saisir dans toutes ces réflexions celles qui annoncent de véritables mutations. Il n'en demeure pas moins que certaines tendances sont irréversibles, qu'il s'agisse de la mondialisation, de la conscience écologique, des changements familiaux, du rôle accru de l'information. Mais le sens que prendront ces changements et les exigences qu'ils portent sont loin d'être déterminés. Ce qui en résultera « relève du possible, non du nécessaire; de l'enjeu, non du destin; de l'évolution des rapports de force, non d'une loi de l'histoire » (Lalive d'Epinay, 1992, p. 78). Aussi ne chercherons-nous pas surtout à deviner l'avenir possible, mais à identifier les défis à relever, les problèmes à résoudre, les contraintes à dépasser pour qu'advienne l'avenir souhaitable.

Cette réflexion sur demain plaide en faveur d'un humanisme renouvelé. Un humanisme fondé sur la dignité des personnes, sensible à la diversité du genre humain et conscient de l'urgence écologique (Bihr, 1992). Il invite à élargir la démocratie, à maîtriser les changements scientifiques et techniques, à nous ouvrir au monde, à démocratiser le travail et à assumer les nouvelles façons de vivre. Ce sont là les grands axes qui serviront à décrire cet avenir souhaité. Nous dégagerons au passage les principaux enjeux pour l'éducation dont nous ne verrons toutefois toutes les conséquences que dans les deux prochains chapitres.

Un projet d'école ne saurait se passer d'une telle réflexion. D'une part, l'éducation vise la compréhension du monde; elle vise à former des personnes maîtresses de leur devenir, qui puissent agir sur les processus à l'oeuvre dans un monde en mutation. D'autre part, l'éducation peut contribuer à favoriser ou à combattre certaines tendances qui se profilent à l'horizon; au risque d'être dysfonctionnelle et anachronique, elle n'a d'autre choix, comme l'écrit le CSE (1990), que d'être « un levier important de changement social et de construction de l'avenir » (p. 31). Dans l'un et l'autre cas, il importe de chercher à connaître et à définir ce dont demain sera fait.

ÉLARGIR LA DÉMOCRATIE

Définir la démocratie n'est pas simple. On pourrait, avec Moscovici (1992), affirmer que chacun l'entend à sa manière et que c'est bien ainsi. On pourrait plutôt, comme le fait Robin (1989), référer, de façon classique, à une « organisation de la société dans laquelle la souveraineté des décisions appartient à l'ensemble des citoyens, ce qui implique le respect de leur liberté et de leur égalité » (p. 292). On pourrait encore, par la négative, la définir par ce qu'elle n'est pas : ni dictature, ni totalitarisme.

Certes, la démocratie exige la souveraineté du peuple, elle doit garantir la pratique du pluralisme des opinions et des modes de vie. Mais il faut aussi reconnaître qu'elle n'a jamais une forme définitive, qu'elle évolue. Au gré du temps, elle s'est transformée, elle s'est élargie. Elle se conjugue désormais avec une plus grande égalité et une plus grande liberté. Elle est toujours en devenir, vers plus d'humanité, vers un plus grand contrôle de l'être humain sur son destin individuel et collectif.

Traditionnellement, la démocratie a été avant tout définie comme représentative. Elle a grandi avec les États-nations. Elle s'est nourrie du suffrage devenu, peu à peu, universel. Dans l'ordre social, elle s'est identifiée très fortement à l'aspiration égalitaire. Puis, elle s'est étendue à des domaines de la vie où régnait toujours un régime autoritaire, qu'il s'agisse de la famille ou des rapports entre les sexes; on a ainsi rompu les barrages qui l'arrêtaient pour la faire se répandre un peu partout (Moscovici, 1992).

Aujourd'hui, écrit Chantal Mouffe, « la démocratie consiste à essayer d'étendre les principes de l'égalité et de la liberté à un nombre croissant de relations sociales » (1992, p. 3). Son sort se joue partout dans la société postindustrielle qui est la nôtre; elle est traversée de tensions, de conflits, de mobilisations; elle ne sera « vigoureuse que si elle est portée par un désir de libération qui se donne constamment de nouvelles frontières... » (Touraine, 1994, p. 23).

La démocratie est en effet l'objet d'enjeux majeurs dans les deux sphères qu'elle recouvre : le social et l'individuel. Un projet conservateur prône l'individualisme tous azimuts sur les plans économique et social alors qu'il s'acharne à défendre un certain traditionalisme au chapitre des modes de vie. Le projet démocrate, au contraire, se veut plutôt libéral dans le domaine privé mais plus interventionniste dans le domaine social. On comprendra que deux projets éducatifs fort différents verront le jour selon que l'on choisisse de privilégier l'une ou l'autre voie.

Une démocratie politique et sociale

Pour certains, la démocratie politique serait désormais victorieuse. Les faits ne manquent pas pour confirmer leurs thèses. Le colonialisme est mort. Les droits des nations sont reconnus. Franco, Pinochet, Salazar relèvent du passé. Le mur de Berlin est tombé. En quelques mois, l'empire soviétique a implosé. Les chancelleries occidentales ont fait du respect des droits de la personne un élément majeur de leur politique, officiellement du moins. Avec la disparition des ennemis d'hier, certains annoncent même la fin de l'histoire, la réconciliation autour d'une démocratie libérale unanimement reconnue.

Pourtant, de nouveaux phénomènes inquiètent et des voix s'élèvent pour dénoncer une crise souterraine qui mine l'esprit démocratique et ses institutions. À l'Est, renaissent de nouveaux fascismes et des barbaries que l'on croyait vaincus. L'intégrisme, qu'il soit musulman, hindou ou chrétien, progresse. La montée de l'intolérance, de la xénophobie et du racisme réveille de mauvais souvenirs.

Dans ses terres d'origine que sont les pays occidentaux, la démocratie déçoit. La classe politique est contestée[20]. Les partis politiques sont en perte de militantisme. Le poids démesuré de l'argent, de la publicité et du marketing a contribué à transformer les campagnes électorales en véritables marchés politiques. Les citoyennes et les citoyens ont l'impression d'être impuissants face à des décisions qui les concernent mais qui leur échappent.

Un peu partout, les thèses néo-libérales réhabilitent un projet fort peu démocrate. Le marché autorégulateur y est présenté comme un impératif catégorique qui échapperait à la démocratie. L'économie obéirait à des lois naturelles, non humaines; la poursuite, par chacun, de son intérêt égoïste conduirait à l'intérêt général. Comme le résume si bien Polanyi (1983), « au lieu que l'économie soit encastrée dans les relations sociales, ce sont les relations sociales qui sont encastrées dans le système économique » (p. 88).

On en connaît les conséquences. La compétitivité et la productivité, promues au rang de valeurs, dominent le discours quotidien (Paquette, 1991a); elles sont, avec l'argent, devenues des fins, non plus des moyens. La valeur des choses et des hommes est réduite à leur valeur monétaire. L'enrichissement devient la mesure ultime de la réussite. La solidarité sociale recule pendant que l'exclusion frappe des individus de plus en plus nombreux, des groupes sociaux, des pays. Les inégalités s'accentuent, des fractures se précisent, laissant apparaître une société duale. Des « citoyens à part entière » deviennent progressivement des « citoyens entièrement à part ».

Avec Lipovetsky (1992), on peut affirmer que « la dualisation des démocraties ne signifie pas seulement le retour de la grande pauvreté, les mécanismes de précarisation et de marginalisation sociales, elle signifie l'accentuation de deux logiques antinomiques de l'individualisme. D'un côté, l'individualisme attaché aux règles morales, à l'équité, au futur; de l'autre, l'individualisme du chacun pour soi et du "après moi le déluge" » (p. 18).

Si, en tant qu'expression des conduites de consommation, en tant que lieu de rencontre des offres et des demandes anonymes, le

---

20. Un sondage Multi-Réso - *Le Devoir* mené à l'automne 1993 révélait que « 83 % des Québécois ne croient plus aux politiciens » (15 octobre 1993, p. A-1).

marché fonctionne comme une pratique démocratique incontournable, il n'est pas une fin, mais un moyen (Robin, 1989). La démocratie exige non seulement la liberté, mais aussi la justice. Une société démocratique ne peut, sans finir par renier ses valeurs fondamentales, laisser s'accroître les inégalités.

Il est vrai que l'État-nation, qui a servi de cadre au projet démocratique, voit aujourd'hui son champ d'action se restreindre. De nombreuses décisions macro-économiques échappent désormais au cadre national. Mais les contraintes économiques ne sont pas telles qu'elles devraient imposer l'injustice criante et le manque de solidarité. Il y va plutôt de décisions politiques, fixées par une volonté commune, de décisions qui relèvent de l'ordre des valeurs, des horizons qu'une société se donne (Ladrière et Gruson, 1992).

Par ailleurs, des pressions s'exercent aussi vers le bas, en faveur d'une décentralisation des fonctions étatiques. Mais les mesures en ce sens visent souvent à conforter les tenants de l'État minimum, plutôt qu'à soutenir une démarche cohérente visant à développer une citoyenneté à part entière et à soutenir un véritable développement régional.

Le premier défi de la démocratie est sans doute, comme le souligne Cassen (1993), de procéder « à la réappropriation citoyenne de la sphère du social, indûment accaparée par l'économie » (p. 11). Il importe, face aux défis de demain, d'élargir la démocratie à l'ensemble de la vie sociale, non de la restreindre.

La démocratie ne saurait se satisfaire de la seule représentation parlementaire. Elle se nourrit aussi d'un ensemble de contre-pouvoirs, de mouvements sociaux qui n'ont pas peu contribué aux avancées démocratiques, qu'il suffise de mentionner le rôle important du mouvement syndical et du mouvement des femmes. Ces mouvements se sont généralement définis en opposition aux pouvoirs en place, et il faut reconnaître qu'ils vont continuer à le faire. Car la démocratie se nourrit d'un esprit de liberté et d'indépendance tout autant qu'elle se fortifie d'individus conscients de leurs responsabilités envers eux-mêmes et envers leurs semblables (Touraine, 1992).

Transposées au chapitre de l'éducation, ces réflexions invitent à fonder les choix éducatifs sur des principes de justice et d'égalité. Elles plaident en faveur d'un renforcement de l'éducation à la citoyenneté, d'une éducation fondée sur le dialogue et d'une école qui soit elle-même un lieu d'exercice de la démocratie.

Des personnes et des droits

Dans une étude anthropologique sur l'idéologie moderne, Louis Dumont (1983) oppose l'individualisme des sociétés modernes[21] à l'holisme des sociétés traditionnelles. Dans ces dernières, la collectivité assigne à chacun, dès sa naissance, sa place et son rôle; elle lui dicte ses comportements et ses croyances; la crainte des dieux assure la pérennité de l'ensemblc. Dans les sociétés modernes, au contraire, l'individu apparaît, en principe, comme une valeur absolue, porteur individuel de valeurs et de responsabilités. En ce sens, les sociétés démocratiques sont anthropologiquement individualistes.

Fondées sur l'idéal de citoyens souverains et égaux, les sociétés démocratiques ont, dès leur origine, affirmé les droits inaliénables des individus. Ces droits étaient toutefois contrebalancés - et parfois niés - par un ensemble de normes et de traditions qui encadraient les comportements et exigeaient une obéissance inconditionnelle aux devoirs ainsi définis, qu'il s'agisse des rapports familiaux, sexuels ou autres.

Il a fallu attendre que la démocratie soit plus que centenaire avant que les rapports entre les sexes, en Occident à tout le moins, ne soient plus régis par la tradition et pour qu'un consensus se dégage concernant l'égale dignité des personnes. Désormais, la logique des droits individuels régit les rapports entre les personnes et caractérise en bonne partie la représentation culturelle occidentale.

La période contemporaine est aussi marquée par un relâchement des normes morales imposées et par une émancipation des individus. L'obligation morale est de moins en moins ordonnée du dehors. Comme l'écrit Moscovici (1992) « on a vu un domaine de la vie après

---

21. Le concept de moderne est utilisé ici dans son sens philosophique et réfère aux sociétés postérieures aux révolutions du XVIIIe siècle. Il ne réfère pas, au sens courant du terme, aux seules sociétés contemporaines, même si celles-ci sont également modernes au sens premier.

l'autre renoncer aux interdits qui furent les siens » (p. 36). Les croyances religieuses, les relations amoureuses, les rapports familiaux ne répondent plus à un modèle préétabli. L'identité individuelle n'est plus donnée, elle est à construire. L'heure est aux solidarités électives.

Cette autonomie croissante des individus, cette capacité accrue pour chaque personne de gérer sa vie selon ses propres valeurs est porteuse de liberté, mais aussi de désarroi. Elle n'est pas sans risques ni sans exigences. Elle peut entraîner l'anémie du sens civique et le désintérêt pour les questions collectives. Elle exige des normes communes de vie clairement affirmées. Mais il n'en demeure pas moins que cette libération des normes prédéterminées culturellement constitue une avancée démocratique. Rêver du retour à un âge moral dépassé, comme le propose Bloom (1987) par exemple, relève d'une chimère conservatrice.

Mais il est vrai que l'acceptation d'un relativisme facile, comme le prônent certains courants dits postmodernistes, peut conduire à un repliement sur soi et à un refus des grandes préoccupations qui transcendent le moi. La logique de la liberté individuelle ne doit pas, comme l'écrit Touraine (1992), se réduire à l'affirmation d'un narcissisme autodestructeur.

L'idéal de l'autonomie, du libre choix, exige des critères de sens au-delà du simple fait de choisir. Car l'égalité extrême de tous les choix peut même conduire à la négation de la démocratie. L'accomplissement de soi, l'authenticité, comme l'appelle Taylor (1992), est un idéal moral, un idéal de « véracité à soi-même » qui s'est dégradé et qu'il importe de réhabiliter pour contribuer à redresser nos conduites et ouvrir sur l'image d'une existence meilleure. Cette réhabilitation passe par une plus grande responsabilisation à l'égard du monde, du prochain, de la société, de la nature, par un retour en force de l'éthique.

L'éthique est en effet de retour. Les ouvrages qui lui sont consacrés se multiplient. L'éthique renvoie aux normes et valeurs qui doivent guider nos décisions et nos actes. Elle précède la morale qui suppose des règles a priori[22]. Son retour découle de cette liberté

---

22. Bourgeault, par exemple, réserve le mot éthique pour désigner « ce qui, échappant aux systèmes et aux codes (...) oriente néanmoins, par ses questions et ses propositions plus que par l'imposition de règles, les conduites humaines » (1990, p. 112). La démarche éthique est ouverte, elle invite au choix. Les mutations en cours expliquent son retour.

croissante laissée aux individus, tout autant, nous le verrons plus loin, que des défis nouveaux posés par les technosciences. Selon la formule de Lipovetsky (1992), l'éthique entre en état de grâce au moment où les grands bréviaires idéologiques ne sont plus en mesure de donner le ton.

L'éthique religieuse et l'éthique laïque du devoir qui lui a succédé sont en perte de vitesse. Le libéralisme ambiant favorise une éthique de la réussite qui relègue dans l'ombre la question des valeurs et pour laquelle est bon ce qui est bon pour soi, ce qui rapporte.

Or, la véritable visée éthique, comme le soulignent Ladrière et Gruson (1992), repose sur l'affirmation d'une liberté individuelle qui « n'existe que conjointe à la reconnaissance de la liberté de l'autre » (p. 25). L'éthique suppose une relation à l'autre, elle implique sollicitude dans les relations interpersonnelles et égalité dans la vie institutionnelle.

La citoyenneté démocratique ne saurait se satisfaire d'une éthique de la réussite. Elle exige que chaque personne se sente responsable du bon fonctionnement des institutions et du sort des autres citoyens. Une éthique de la responsabilité apparaît comme corollaire d'une autonomie accrue. Une responsabilité à l'égard de ses contemporains et de l'environnement, mais aussi à l'égard de l'avenir que le présent pourrait menacer. Nous en verrons toutes les conséquences dans la suite de ce chapitre.

Par ailleurs, la société pluraliste, aussi postmoraliste soit-elle, a besoin d'un consensus fondamental qui régisse la vie collective. Aussi, n'est-il pas surprenant que « le retour aux valeurs (...) s'accompagne d'une revendication juridique, dont la rigueur concrète vient s'opposer à la fascination du vide social, de la mode et autres formes de l'éphémère » (Cohen-Tanugi, 1989, p. 42). L'emprise croissante du droit et des droits de la personne, nouvelle religion des temps modernes, découle de l'importance prise par le sujet et par l'éthique dans les rapports sociaux. « Le droit, écrit Rocher, devient le dernier lieu où la morale commune peut espérer faire un certain consensus » (1990a, p. 105).

En bref, sous l'angle des droits, la démocratie exige l'élargissement et le respect des droits des personnes, droits civiques, mais aussi sociaux et culturels. Elle se fonde sur la liberté de sujets autonomes qui résistent à l'arbitraire de tous les pouvoirs. Elle implique la reconnaissance de l'autre comme sujet et le refus de ce qui s'y oppose, que ce soit la misère, la dépendance ou la répression.

On ne saurait trop insister alors sur la nécessité de l'éducation aux droits incluant la connaissance des principaux instruments qui en assurent la protection. S'impose également une solide éducation éthique et morale qui ajoute aux droits, en corollaire, la responsabilité. L'école même devrait être une institution qui développe l'autonomie et où les normes de la vie commune sont partagées.

MAÎTRISER LES CHANGEMENTS SCIENTIFIQUES ET TECHNIQUES

Dès ses débuts, la science moderne a incarné des valeurs libératrices. Elle a largement contribué à dégager les esprits de bon nombre de superstitions et de l'obscurantisme qui les accompagnait. Elle a permis de libérer les corps des hommes et des femmes et de maîtriser un environnement hostile (Atlan, 1991). Elle fut ainsi une précieuse alliée de la démocratie.

Par contre, en imposant une vision totalisante du monde, la science se fit, parfois, asservissante. Elle devint l'instrument d'un certain pouvoir. La liberté acquise par la maîtrise accrue de la nature le fut au prix d'une destruction de l'environnement. Bref, source de compréhension et de capacité d'agir, la science peut être mobilisée tant pour le meilleur que pour le pire.

Au cours du dernier siècle, elle a notamment ouvert sur l'infiniment petit et l'infiniment grand. Le mystère de la Genèse a été repoussé au « big-bang », survenu il y a environ 15 milliards d'années. À l'échelle de l'univers, les êtres humains ne sont plus que d'humbles « poussières d'étoiles », pour reprendre l'image d'Hubert Reeves. À l'échelle atomique, nous voilà par contre dotés du pouvoir des démiurges. L'énergie nucléaire a été domestiquée, jusqu'à la « bombe ». En décodant le texte génétique, la biologie moléculaire permet d'intervenir au plus intime du vivant.

Parallèlement à ces avancées, la science s'alliait de plus en plus étroitement à la technique, puis à la production. Les technosciences, comme on les désigne souvent, vont continuer, dans les années qui viennent, à se développer à un rythme accéléré, transformant les façons de vivre et de produire. Après un XXᵉ siècle dominé par l'énergie, l'humanité fait son entrée dans l'ère de l'information.

Ces succès des technosciences sont aussi venus rappeler à l'humanité sa finitude et sa fragilité. « La soumission de la nature destinée au bonheur humain, écrit le philosophe Hans Jonas, a entraîné par la démesure de son succès, qui s'étend maintenant également à la nature de l'homme lui-même, le plus grand défi pour l'être humain que son faire ait jamais entraîné » (1992, p. 13).

À ces nouveaux dangers et aux dégâts du progrès qui ont pour noms pollution et menaces écologiques, certains ont répondu par des réflexes anti-science, nouveaux chantres de l'apocalypse et de l'obscurantisme. D'autres recherchent plutôt une nouvelle alliance avec la nature et, tout en reconnaissant l'indéniable apport des sciences et des techniques et l'efficacité de la raison instrumentale[23], s'interrogent sur leurs fins et constatent leur crise.

L'ère de l'information

L'information est entendue ici dans son sens scientifique, celui d'une donnée saisissable sur la matière qui la porte que celle-ci soit inerte ou vivante. Les technologies de l'information et de la commande non seulement bouleversent la production, elles soulèvent aussi des questions fondamentales par les interventions qu'elles permettent - ou qu'elles pourraient permettre - sur le vivant.

Au cours des quinze dernières années, l'informatique a pénétré avec une rapidité fulgurante toutes les sphères de la production et de la vie sociale. Qu'il s'agisse de la production automobile, de la câblodistribution, de la téléphonie, des ordinateurs personnels, des jeux électroniques et des gadgets de toutes sortes, les microprocesseurs ont envahi nos vies. L'innovation à ce chapitre est encore loin d'être terminée. La miniaturisation se poursuit alors que l'on consacre des efforts inouïs à la mise au point d'ordinateurs de cinquième génération, dits « intelligents ».

---

23. Taylor définit ainsi la rationalité instrumentale : « cette rationalité que nous utilisons lorsque nous évaluons les moyens les plus simples de parvenir à une fin donnée. L'efficacité maximale, la plus grande productivité mesurent sa réussite » (1992, p. 15).

Le développement convergent de l'informatique et des télé-communications rend possible le traitement d'un volume gigantesque de données et leur transport quasi instantané à l'échelle planétaire. Il permet l'accès à des banques de données, au courrier électronique, à la télévision interactive et prépare l'arrivée de nouveaux services multimédias. L'intégration de l'image, du texte, du son et leur transport rapide ouvrent la voie à des applications éducatives multiples. La mise en place de ces « autoroutes électroniques » pourrait modifier radicalement les modes d'accès aux connaissances.

Ces nouvelles technologies de l'information et de la communication vont également continuer de bouleverser la production et le travail, comme nous le verrons plus loin. Les activités de production matérielle seront de plus en plus prises en charge par des machines alors que l'information deviendra la nouvelle matière première. L'innovation ne résidera plus tellement dans la construction de nouvelles machines, mais dans la maîtrise maximale d'une grande quantité d'informations. La conception, le savoir-faire, la création et le traitement des données seront désormais au coeur de la production. Alors que dans une automobile, les matières premières représentent entre 30 % et 40 % de la valeur, elles comptent pour à peine 1 % de la valeur d'un composant électronique.

Les biotechnologies, dont le développement est plus récent, permettent déjà de mettre à profit les propriétés et les capacités de micro-organismes et de cultures cellulaires pour le traitement de certains déchets ou de certains minéraux. Elles ont rendu possible la création de nouvelles espèces animales et végétales plus rentables. Mais c'est surtout par la capacité d'agir sur le patrimoine génétique de l'être humain que les biotechnologies sont porteuses d'espoirs et d'inquiétudes.

La découverte de l'ADN par Watson et Crick, il y a quarante ans, a ouvert la voie à la biologie moléculaire. On a déjà réussi à identifier génétiquement la cause de certaines maladies. Un vaste programme international de recherche, lancé il y a quelques années, vise désormais à déchiffrer l'ensemble du génome humain, ce fin filament d'ADN qui supporte tous nos gènes[24]. L'être humain possède ainsi la capacité d'agir sur sa propre évolution.

_____

24. Voir à ce sujet le No 181 de *Science et vie* (décembre 1992) intitulé « L'explosion de la génétique humaine ».

Les réalisations de la biologie moléculaire, jointes à celles de la médecine, soulèvent des questions éthiques et philosophiques inédites. La protection de la lignée germinale d'Homo sapiens, le patrimoine génétique de l'humanité, tout comme la commercialisation de segments de ce patrimoine[25], sont l'objet de vives polémiques chez les scientifiques. Plus largement, les repères traditionnels de la vie, de la mort et de la filiation vacillent. L'acharnement thérapeutique, l'euthanasie, les nouvelles techniques de reproduction font désormais partie des débats publics. Sur le plan philosophique, les théories de l'auto-organisation permettent d'expliquer l'autonomie du vivant à partir de la seule matière, sans recours à un finalisme divin ou à un principe de vie (Atlan, 1991).

Les succès de la génétique ne sont pas, par ailleurs, sans conduire à une certaine idéalisation de l'hérédité et à un camouflage de la complexité des interactions dans la constitution de l'individu. Certains prétendent même que la génétique peut expliquer, prédire et même modifier le comportement humain en vue de l'amélioration de la société. Une recherche récente a prétendu très sérieusement avoir identifié une composante génétique dans des domaines aussi variés que l'orientation politique, la satisfaction au travail, la pratique religieuse, la tendance au divorce et l'alcoolisme. Comme le rappelle Horgan (1993), le déterminisme biologique risque de revenir en force avec les tentations eugénistes qui l'ont historiquement caractérisé.

Finalement, la science, selon l'image de Singh (1992), ne fait pas reculer l'inconnu comme le soleil en se levant repousse les ténèbres. Les questions à résoudre semblent infinies. L'accroissement des connaissances factuelles et leur compartimentation accrue ainsi que la rapidité de l'évolution scientifique et technique ne seront pas sans poser de nouveaux défis au système éducatif.

Face à cette croissance exponentielle du savoir, la solution ne pourra plus résider dans un cumul de connaissances spécialisées; une formation moins compartimentée qui vise à développer l'esprit scientifique et qui comporte une composante critique et éthique s'avérera plus opportune. L'école devra également s'assurer que les élèves

---

25. Dans le cadre de la recherche sur le génome humain, deux chercheurs du National Institute of Health des États-Unis ont demandé un brevet pour des séquences d'ADN qu'ils avaient identifiées. Cette décision a conduit à la démission du directeur de l'Institut, James Watson, l'un des découvreurs de l'ADN.

acquièrent les connaissances et les habiletés leur permettant de tirer pleinement profit des capacités éducatives des nouvelles technologies de l'information et de la communication.

Une nouvelle alliance

L'être humain a toujours transformé la nature. Jusqu'à récemment toutefois, l'impact de ses activités sur le milieu était relativement localisé. Aujourd'hui, non seulement l'être humain a-t-il acquis la capacité de provoquer des cataclysmes qui pourraient conduire à sa perte, mais son activité menace désormais la biosphère, donc les conditions même de sa survie en tant qu'espèce. C'est là un fait absolument nouveau pour l'humanité qui tient notamment du gigantesque succès de la technique scientifique dans son projet de domination de la nature.

La jolie petite planète bleutée que les images prises de l'espace nous ont permis d'apprivoiser connaît un équilibre précaire. Au début de 1989, la revue Time faisait de notre planète malade, son « homme de l'année ». Du 3 au 14 juin 1992, se tenait à Rio la « Conférence des Nations Unies sur l'environnement et le développement », mieux connue sous l'appellation de « Sommet de la Terre ».

Les problèmes sont admis, même si leur ampleur et leurs conséquences font encore l'objet de débats. Ils ont désormais une dimension planétaire. La croissance soutenue de la population et de l'activité humaine menace la couche d'ozone, augmente l'effet de serre, conduit à l'acidification et à la mort de lacs et de forêts.

Le 11 juillet 1987, la population du globe franchissait le cap des 5 milliards d'êtres humains. C'était deux fois plus qu'en 1950 et 10 fois plus qu'au XVIIe siècle; une conséquence de plusieurs facteurs dont les victoires sur la mortalité infantile et sur la maladie ne sont pas des moindres. On prévoit que la population continuera de croître pour atteindre 10 à 12 milliards vers le milieu du prochain siècle (Vallin, 1992), ce qui créera des pressions considérables sur les ressources naturelles et pourrait provoquer d'importantes migrations des pays du Sud vers ceux du Nord.

D'ici là, la température moyenne de la planète devrait croître de quelques degrés centigrades, une hausse plus importante que tout ce qu'on a pu observer au cours du dernier millénaire (King, 1992). En effet, la composition de l'atmosphère se transforme rapidement, principalement à cause de la production de gaz carbonique issu de la combustion d'énergies fossiles (pétrole et charbon). L'effet de serre, qui piège la chaleur du Soleil reflétée par la Terre, s'en trouve ainsi accru, de même que la température moyenne. Hausse du niveau des mers, inondation des villes côtières, désertification, perturbations de l'agriculture sont au nombre des conséquences à prévoir pour les populations.

D'autres émissions menacent la couche d'ozone qui de sa haute altitude protège la Terre des rayons ultraviolets en provenance du Soleil. Cette percée viendrait accroître les risques de cancers de la peau et de lésions oculaires, d'où les conseils prodigués par les responsables de la santé et qui inquiètent la population.

Depuis le début du siècle, le volume global de l'activité humaine a été multiplié par quarante. La capacité de la planète de supporter une activité qui croît de façon exponentielle, n'est pas infinie. L'époque où il y avait de nouvelles terres à découvrir est derrière nous. Il n'y a plus d'oasis qui soient à l'abri du danger, pas plus que d'autres planètes pour nous accueillir[26]. Nous sommes définitivement « assignés à résidence sur cette planète » nous dit Jacquard (1991, p. 8).

Poursuivre la trajectoire actuelle d'un productivisme effréné serait, à plus ou moins long terme, suicidaire pour l'humanité. Il ne s'agit pas de rêver d'une nature vierge, ni d'un monde prémoderne; mais un nouveau modèle de développement devient nécessaire. Un modèle de développement durable qui vise la satisfaction des besoins élémentaires de tous, en tenant compte des capacités de la biosphère de supporter les effets de l'activité humaine, comme le suggère la Commission mondiale sur l'environnement et le développement (CMED, 1988). Cela exigera une coopération internationale soutenue, une prévention adéquate et des modes de vie adaptés.

---

26. Quant à l'étoile la plus proche, Proxima du Centaure, elle est située à 43 000 milliards de kilomètres, soit près de 70 000 fois la distance qui nous sépare du Soleil.

Plus fondamentalement, il faut rechercher une nouvelle alliance avec la nature. Une alliance où l'équilibre et le souci d'harmonie l'emporteront sur la domination et la déprédation de la nature; une alliance où les générations présentes seront solidaires des générations futures; une alliance fondée sur une pensée globale. L'éducation devra en tenir compte. C'est là d'ailleurs un des objectifs que s'est donné l'éducation relative à l'environnement qui connaît, au Québec, un succès remarquable, dans la foulée du rapport Brundtland.

Science avec conscience

Alors qu'elles triomphent, repoussant sans cesse les limites de la connaissance et du possible, les technosciences soulèvent à la fois adhésion inconditionnelle et rejet sans nuance. Leurs apologistes sont peu préoccupés par les menaces qui guettent l'humanité, convaincus que la science dispose d'une solution à tout. Leurs détracteurs, par contre, n'y trouvent pas le sens qu'ils recherchent et se tournent plutôt vers les parasciences ou un naturisme nostalgique.

La science est enrichissante et libératrice en même temps qu'elle est porteuse de possibilités terrifiantes voire apocalyptiques. Son développement récent exige de plus en plus de conscience, dans le double sens, comme le dit Morin (1990a), d'une conscience morale et d'une conscience intellectuelle d'elle-même. Elle ne peut plus éluder la question de ses fins, séparer l'homme de la nature, s'en tenir à une étroite rationalité technoscientifique.

Le rêve d'une maîtrise totale de l'univers, d'une nature automate que l'on pourrait décrire simplement de l'extérieur, a vécu. La science doit réintégrer l'être humain dans le monde qu'elle décrit. Elle doit s'affirmer science humaine, faite par des humains, pour des humains. Elle n'a pas le droit, affirment Prigogine et Stengers, « de nier la pertinence et l'intérêt d'autres points de vue, de refuser en particulier, d'entendre ceux des sciences humaines, de la philosophie, de l'art » (1986, p. 97). Il ne s'agit pas là d'un simple changement de perspective, mais d'une véritable transformation conceptuelle, de la production d'une nouvelle philosophie de la nature qui viendrait métamorphoser la science, l'ouvrant au social, à l'histoire, au devenir (Dupuy, 1982).

L'être humain fait partie de la nature. Il vit dans un univers qui change continuellement et les gestes qu'il pose peuvent avoir désormais des conséquences irréversibles sur son devenir. L'énergie nucléaire est d'un autre ordre de grandeur que l'énergie éolienne, Hiroshima et Tchernobyl sont là pour nous le rappeler. Les manipulations génétiques sont d'une autre nature que les interventions chirurgicales. Les technosciences peuvent non seulement affecter l'avenir, elles menacent même la survie de l'humanité.

Nous l'avons vu, la constitution de l'homme n'est plus définitive. Son existence même n'est plus assurée. L'avancement du savoir augmente notre pouvoir « de contrôler et de manipuler, de porter atteinte à l'environnement aussi bien qu'à l'être humain et de détruire plus qu'on ne pourra reconstituer » (Singh, 1992, p. 8). Un nouveau devoir en découle pour l'être humain, celui de préserver son existence et son essence contre les abus de son propre pouvoir.

Plutôt qu'une éthique fondée sur le mythe du progrès et ses bienfaits illimités, s'impose comme une nouvelle exigence, une éthique qui reconnaisse les périls qui pèsent sur l'humanité, qui soit tournée vers l'avenir et qui fasse appel à l'anticipation, à la prudence et à la solidarité. On ne peut éviter, dans les décisions présentes concernant la technique, de prendre en compte ses conséquences éventuelles sur demain. C'est le sens que donne le grand philosophe allemand Hans Jonas à l'éthique de la responsabilité qui se veut, comme l'affirme le sous-titre d'un de ses ouvrages, une éthique pour la civilisation technologique.

Le devenir de la vie sur terre est maintenant de la responsabilité humaine. L'humanité ne peut avoir le suicide pour vocation. L'agir humain ne doit pas mettre en jeu l'avenir des générations futures. « Ne compromets pas les conditions pour la survie indéfinie de l'humanité sur terre », doit devenir une nouvelle maxime. Étant donné les conséquences potentiellement catastrophiques et souvent irréversibles des choix en cause, Jonas suggère de « davantage prêter l'oreille à la prophétie de malheur qu'à la prophétie de bonheur » (1992, p. 54). Lorsque la survie de l'humanité est en jeu, la peur est très certainement le commencement de la sagesse. La prudence est sœur de la responsabilité, avec sa nécessaire prise en compte des risques majeurs et des erreurs toujours possibles.

La démocratie exige toutefois que de telles évaluations ainsi que les choix qui en découlent ne soient pas réservés aux seuls experts. Comme le rappelle Levy-Leblond (1992), en démocratie, la conscience prime sur la compétence. Les choix concernant les questions constitutionnelles ne sont pas, en démocratie, l'apanage des seuls constitutionnalistes. Il devrait en être de même des choix technoscientifiques.

L'éducation devra intégrer ce nouveau paradigme scientifique en voie d'élaboration, sans omettre sa dimension éthique. Une approche systémique et transdisciplinaire des phénomènes deviendra nécessaire. S'imposera également le développement de la capacité d'acquérir continuellement des connaissances nouvelles et de faire preuve d'attitudes critiques face à l'utilisation des technosciences.

S'OUVRIR AU MONDE

L'ouverture au monde paraît une exigence incontournable de l'avenir et de l'éducation. À aucun moment de l'histoire, les peuples, les cultures et les personnes n'ont été mis aussi étroitement et intensément en contact. Mesurées en temps, les distances se sont comprimées. Les télécommunications permettent même aux entreprises tout comme aux individus d'être informés instantanément de ce qui se passe à des milliers de kilomètres. Ainsi, tombent peu à peu les murs qui séparaient le monde et isolaient les peuples.

Les échanges internationaux se multiplient, qu'il s'agisse des biens ou des personnes. De nouveaux horizons se dessinent. Un monde multipolaire voit le jour. L'économie mondiale se redéfinit. Les appartenances se diversifient. De nouveaux enjeux en découlent : entre les intérêts des puissants et ceux des peuples, entre le Nord et le Sud, entre la diversité et l'uniformisation, entre le marché et la démocratie.

Une mondialisation inéluctable

Depuis la dernière guerre mondiale, le commerce international a été multiplié par vingt. Aujourd'hui, plus du quart des produits nationaux bruts, à l'échelle mondiale, est attribuable aux secteurs internationaux (Singh, 1992). Les 200 plus grandes firmes multinationales ont un chiffre d'affaires global de 3 000 milliards de dollars, soit le quart de la production mondiale. On peut observer quotidiennement les manifestations de cette mondialisation, dans les images qui voyagent, dans les produits que l'on achète, dans les cultures qui se transforment.

Avec le développement de l'informatique, des télécommunications et de la production numérique, les centres de service ou les sites de montage peuvent être localisés n'importe où à travers le monde. Les entreprises peuvent ainsi chercher à se rapprocher de leurs clients potentiels ou encore tirer profit d'une main-d'oeuvre locale bon marché. Si la production industrielle fut d'abord touchée, les services ont suivi. Par exemple, de nombreuses compagnies aériennes ont transféré leur système comptable en Inde, afin de profiter d'une main-d'oeuvre qualifiée et peu coûteuse. Comme le souligne Mattelart, « l'espace de l'organisation de la production et de la commercialisation s'est étendu à l'espace du marché-monde » (1992, p. 255). La nationalité d'une entreprise ne fournit plus guère d'informations sur le lieu de fabrication d'un produit pas plus que sur l'origine de ses composantes. L'approvisionnement international est une caractéristique de la globalisation industrielle.

Il en va de même de la sphère financière, où la voie est ouverte à une économie-monde en temps réel. Les capitaux peuvent franchir frontières et océans en quelques millièmes de seconde. Alors que le krach boursier de 1929 avait mis plusieurs jours à se répercuter d'un pays à l'autre, le mini krach de 1987 a fait ses ravages en simultané.

De nouveaux espaces économiques continentaux se forment en Europe, en Asie et en Amérique. À l'exception de l'Europe, cette continentalisation échappe aux débats démocratiques. L'Accord de libre-échange nord-américain (ALENA) a d'abord répondu aux exigences de marchands à la recherche d'un élargissement de leurs marchés.

Ce double processus de mondialisation et de continentalisation va se poursuivre et continuer de bouleverser les économies nationales. La disponibilité et la qualification de la main-d'oeuvre deviennent des atouts majeurs dans cette concurrence apatride.

L'insertion du Québec dans ce processus se réalise toutefois difficilement. La proportion des exportations par rapport à l'ensemble de la production a chuté au cours des années quatre-vingt. Afin de redresser la situation, le ministère de l'Industrie, du Commerce et de la Technologie a identifié un ensemble de secteurs pouvant s'inscrire avantageusement dans la mondialisation des échanges dont l'aérospatiale, l'industrie pharmaceutique, les technologies de l'information et de l'énergie (Conseil des collèges, 1992).

Tout cela n'est pas sans conséquences culturelles. À ce chapitre, on assiste à un mouvement paradoxal caractérisé d'une part par une plus grande ouverture sur le monde alors que d'autre part on résiste à l'uniformisation et on affirme son identité propre.

Les pressions uniformisantes sont nombreuses. L'anglais est en voie de devenir le latin des temps modernes. Les grands événements internationaux sont, partout, présentés en direct. La culture vestimentaire et musicale des jeunes se fait aussi planétaire; même la prude Chine accueille Madonna. La déréglementation des télécommunications ouvre la porte à l'internationalisation des ondes et plus particulièrement à leur envahissement par les productions culturelles américaines. Les satellites se moquent des frontières; le réseau CNN a été le premier à viser une clientèle planétaire, aidé en cela par la guerre du Golfe.

Nous devenons les citoyens d'un monde de plus en plus métissé. Les contacts se multiplient entre des personnes de traditions culturelles variées. Nous entrons dans cet « âge de fer planétaire » que décrit Edgar Morin. Une ère « où toutes les cultures, toutes les civilisations sont désormais en interconnexion permanente » (1990b, p. 156). Mais aussi une ère marquée par les difficultés d'apprendre à vivre ensemble et par des relations interethniques et interculturelles qui ne sont pas exemptes de conflits, de « barbarie », dirait Morin.

Cette diversité se manifeste aussi dans un cadre proprement national et elle ne fera que croître. Ainsi, à l'instar des autres nations occidentales, le Québec va continuer d'accueillir une population immigrante diversifiée provenant principalement d'Asie, d'Afrique, d'Amérique latine et des Caraïbes, poussée à se déplacer par des conditions de vie difficiles et les menaces pesant sur ses droits. Cela paraît inévitable, dans un contexte démographique caractérisé par une chute radicale de la natalité et par un vieillissement accéléré de la population, comme nous le verrons un peu plus loin.

Par ailleurs, l'affirmation nationale fait contrepoids aux pressions uniformisantes et aux grands ensembles qui se construisent. Comme l'écrit Lise Bissonnette en éditorial du *Devoir*, « le village global qui excite tant les commerçants, est une vaste prison s'il ne réunit que des villages qui ont abdiqué leur droit d'initiative et leur liberté » (23 janvier 1993). Dans le cas du Québec, la question culturelle occupe une place centrale, dans un contexte marqué par l'ambiguïté nationale et par la fragilité de la situation démolinguistique.

Malheureusement, on observe aussi une tendance au repli sur des identités ethniques ou culturelles particulières. Le projet national se définit alors autour d'un héritage et non d'un projet ouvert à toutes les citoyennes et à tous les citoyens. Dans sa forme la plus extrême, ce courant rejette tout ce qui est perçu comme autre. Le Québec n'est pas à l'abri de ces phénomènes de repli, son histoire en témoigne.

À ce chapitre, le défi posé par la mondialisation est donc double : d'une part, favoriser une ouverture sur le monde et l'acceptation de la diversité ethnoculturelle de l'humanité tout en assurant, d'autre part, la préservation d'une culture nationale et le nécessaire ancrage de chaque individu dans une culture propre qui donne à tout sujet humain son identité première.

Un des défis majeurs de l'éducation québécoise de demain passe par ce qu'il est convenu d'appeler l'éducation interculturelle. Une éducation qui met au premier plan la compréhension et l'acceptation de la diversité culturelle, qui accorde plus d'importance au contexte mondial tout en privilégiant l'apprentissage d'une culture commune.

De nouveaux défis pour l'humanité

Sur le plan politique, la chute de l'empire soviétique a sonné le glas du monde bipolaire qui a caractérisé la période de la guerre froide. Mais l'aigle victorieux bat de l'aile; l'empire américain décline. Une nouvelle hiérarchie des puissances se dessine. De nombreuses décisions économiques et politiques échappent désormais aux États-nations. Ces derniers perdent en substance, sans qu'émerge encore vraiment une nouvelle légitimité internationale universellement reconnue.

Depuis la fin des dominations coloniales, les droits de toutes les nations sont reconnus; le droit international n'est plus l'apanage du club des Occidentaux. L'ONU s'affirme davantage comme porteuse de cette voix collective des nations et de la sécurité planétaire. Si on assiste à une revitalisation des instances internationales, le rêve d'un ordre démocratique mondial s'est rapidement émoussé avec la guerre du Golfe et les interventions à dominante américaine qui ont suivi. Car face aux nouvelles formes de coopération fondées sur la reconnaissance d'une ONU garante de la paix et du développement, les États-Unis s'affirment toujours comme gendarmes du monde, prétendus protecteurs de la démocratie. Il est donc bien difficile de prévoir quelles seront les caractéristiques de l'ordre mondial à venir.

Il n'en demeure pas moins que, sur le plan économique, les États les plus puissants continuent d'imposer des règles économiques et monétaires aux conséquences inhumaines. L'ordre des puissants domine toujours l'ordre des nations. L'interdépendance qui caractérise la mondialisation n'a pas mis fin à la dépendance et à l'exploitation. La guerre économique sans merci qu'encouragent les politiques du Fonds monétaire international (FMI) fait de nombreuses victimes. La dualité Nord-Sud se substitue à la dualité Est-Ouest.

L'écart des revenus entre pays pauvres et pays riches a plus que doublé au cours des trente dernières années. En 1992, le revenu moyen des cinq pays les plus riches était de 122 fois supérieur à celui des cinq pays les plus pauvres. Quarante pour cent des habitants de la planète doivent survivre avec 3,3 % du revenu mondial. Cent quatre-vingt millions d'enfants souffrent de malnutrition, 14 millions meurent annuellement avant d'avoir atteint l'âge de cinq ans (PNUD, 1992). Ces données font frémir. Quand les responsables nationaux et internationaux seront-ils cités à comparaître devant le tribunal de l'humanité ?

Les ajustements structurels du FMI imposent l'austérité et contraignent les pays pauvres à accroître leurs exportations afin de dégager les devises exigées par le remboursement de leurs dettes, totalisant 1 300 milliards de dollars. Tous les pays endettés faisant de même, le prix des matières premières et des produits d'exportation du Sud diminue. Ainsi, plus ils remboursent, plus ils s'appauvrissent. Entre 1983 et 1990, le flux net de capitaux du Sud vers le Nord a atteint 150 milliards de dollars soit, en dollars constants, deux fois plus que les sommes consacrées par le plan Marshall à la reconstruction de l'Europe d'après-guerre (Chossudovsky, 1992). Voilà une nouvelle forme d'aide à rebours.

Aussi nécessaires soient-elles, les vastes opérations humanitaires onusiennes que l'on s'acharne à médiatiser ne sauraient se substituer à la justice. Un nouveau modèle de développement s'impose, fondé sur un plus grand partage des ressources planétaires et sur une plus grande justice. Car, imposé à l'ensemble de la planète, le modèle libéral-productiviste du Nord, comme l'appelle Lipietz (1989), conduirait à notre propre perte. La généralisation de la consommation sans fin et du gaspillage impliquerait le suicide de l'humanité.

L'éducation à la solidarité et à la compréhension internationales, notamment promue par l'UNESCO, devra de plus en plus prendre place à l'école, dans la perspective d'un équilibre mondial qui soit fondé sur autre chose que la misère du plus grand nombre et le gaspillage de quelques-uns. Les initiatives du Centre d'éducation interculturelle et de compréhension internationale (CEICI) et les pratiques de conscientisation de plusieurs organisations non gouvernementales indiquent déjà la voie à suivre.

DÉMOCRATISER L'ÉCONOMIE ET LE TRAVAIL

Nul n'est besoin d'insister sur l'importance des relations qu'entretiennent l'éducation et le travail. On pourrait néanmoins regretter, à ce chapitre, la vision trop étroitement instrumentale qui domine souvent les analyses prévisionnelles. Comme si les institutions scolaires n'avaient qu'à répondre à une demande dont le contenu leur échappe, à se plier aux diktats d'entreprises toutes-puissantes.

Pourtant les changements qui affectent aujourd'hui l'économie et le travail - et qui vont se poursuivre et même s'accélérer dans les années à venir - invitent à une réflexion d'une autre nature. La mondialisation des marchés, nous l'avons vu, bouleverse les activités industrielles et avive la concurrence. Les changements technologiques transforment non seulement les emplois, mais la nature même du travail. La crise, avec ses nombreuses facettes, s'affirme aussi crise du travail.

La démocratie industrielle s'impose désormais, tant pour répondre aux aspirations des personnes qu'aux exigences de la productivité. Mais ce serait rêver que de croire le passé révolu. Le spectre du taylorisme n'est pas disparu, pas plus que l'inhumanité du capitalisme sauvage. Les vitamines néo-libérales les ont même renforcés. L'emploi et le travail sont l'objet d'enjeux, de luttes sociales, auxquels l'éducation n'est pas étrangère.

Un modèle de développement en crise

Ces changements qui touchent l'emploi et le travail sont la conséquence d'une crise plus profonde du modèle de développement qui a dominé l'Occident pendant près d'un demi-siècle. Alain Lipietz en présente les principales caractéristiques dans un excellent essai, intitulé *Choisir l'audace*. Lipietz allie sa compétence d'économiste à ses convictions de citoyen et d'humaniste dans un effort de vulgarisation visant à éclairer les choix économiques et sociaux qui s'imposent à l'aube du XXIe siècle.

La production de masse, rendue possible par la taylorisation au début du siècle, ne pouvait, sans consommation de masse, que conduire à une crise de surproduction. C'est ce qui arriva avec la grande crise des années trente. Un nouveau modèle de développement allait, après bien des aléas, permettre de relancer la croissance sur de nouvelles bases : le fordisme. L'appellation tire son origine d'un des pionniers de la production automobile en série, Henry Ford. Ford avait vite constaté que sa production ne pourrait croître qu'en autant qu'il pourrait écouler sa marchandise et que, pour cela, il fallait que ses employés deviennent aussi ses clients. La croissance des profits exigeait des salaires décents.

Le fordisme s'appuya donc d'abord sur le principe d'une répartition des gains de productivité obtenus par la mécanisation et la taylorisation entre les investissements et le pouvoir d'achat des salariés. Il se caractérisa également par un rôle accru de l'État visant à assurer un encadrement juridique des rapports de travail et à réguler la croissance, notamment par une certaine socialisation du revenu. Le fordisme n'a pas été créé de toutes pièces. Il s'est mis progressivement en place, avec de nombreuses nuances selon les pays.

Or, l'équilibre du compromis fordien ne marche plus. Nous sommes entrés dans une ère de turbulence qui appelle à la définition d'un nouveau modèle de développement. Une nouvelle bifurcation historique s'ouvre devant nous.

Toujours selon Lipietz, se profilent deux voies de sortie à la crise du fordisme. Le modèle libéral-productiviste, chanté par les néo-libéraux, prône le désengagement de l'État et la déréglementation, laissant libre cours aux forces du marché. Il conduit à une polarisation sociale et à une accentuation de la précarité. Des modèles alternatifs s'esquissent, en opposition. Ils prônent plutôt « l'implication négociée » des salariés, le plein-emploi et son corollaire, le partage de l'emploi, un nouvel ordre international et des façons écologiques de vivre et de produire. C'est ce que Küng (1991) désigne par l'expression « économie écosociale avec marché ».

Dans *Capitalisme contre capitalisme,* Michel Albert présente deux modèles de capitalisme qui s'opposent sur la scène mondiale et qui montrent à l'oeuvre deux modèles de développement qui rejoignent, sur plusieurs plans, les thèses de Lipietz. Un premier modèle, qu'il qualifie de néo-américain, est « fondé sur la réussite individuelle et le profit financier à court terme ». L'autre, qu'il appelle rhénan, est principalement porté par les social-démocraties nordiques; il « valorise la réussite collective, le consensus et le souci du long terme » (p. 25).

Le modèle néo-américain correspond à l'Amérique de la révolution conservatrice menée par Ronald Reagan. Pour paraphraser Mattelart (1992), le renard libre a été lancé dans un poulailler dont on s'est empressé de faire tomber toutes les clôtures. Les riches sont devenus plus riches et les pauvres, plus pauvres. Les grandes villes sont ravagées par la violence, la drogue et les guerres de gangs. L'économie est devenue un vaste casino où des aventuriers sans scrupules jouent à un Monopoly grandeur nature, s'enrichissant sans créer de richesses à partager. C'est le capitalisme à la place de l'État.

Mais, continue Albert, « il n'est pas vrai que l'efficacité économique doive nécessairement être nourrie de l'injustice sociale » (p. 191). Le modèle rhénan le démontre très bien en étant à la fois plus juste et plus efficace. Les sociétés rhénanes, malgré certains reculs conjoncturels, mettent l'accent sur le plein-emploi, soutiennent la formation professionnelle, développent une organisation du travail plus démocratique.

Ce qui oppose ces projets, ce n'est pas l'existence du marché, mais l'ampleur de l'espace social qu'il doit occuper. Sont en cause les valeurs et les principes qui, au-delà des déterminismes conjoncturels, fondent les communautés humaines dans leur action. Dans une économie hautement développée, précise Meidner (1992) en se référant au modèle suédois, le progrès ne devrait plus être assuré par une augmentation du volume de la production, mais par l'amélioration de la qualité de vie de toute la population.

Selon Bernard et Boisjoly (1993), au Canada, « tout nous pousse actuellement vers le modèle qui envahit l'Amérique du Nord, un modèle de flexibilité statique, de polarisation des classes et d'éclatement des classes moyennes » (p. 326). Néanmoins, l'évolution, ajoutent-ils, demeure incertaine; le traité de libre-échange pousse dans cette direction alors que les particularités sociales canadiennes, notamment la place qu'y occupent les programmes sociaux, tirent en sens inverse.

Dans une étude récente, un collègue a bien démontré à quel point la pauvreté gagnait du terrain un peu partout au Québec (Langlois, 1991). En 1991, on dénombrait plus d'un million de personnes pauvres au Québec, dont un tiers d'enfants. Cette pauvreté est un fardeau de la naissance jusqu'à la mort; la proportion des naissances de petit poids est beaucoup plus importante dans les quartiers pauvres alors que l'espérance de vie y est de 9 ans inférieure à celle des beaux quartiers.

Les enfants en souffrent, l'école également, Les enfants pauvres sont plus souvent victimes d'infections et de maladies. Selon le Groupe de travail pour les jeunes, présidé par Camil Bouchard, 25 % des enfants pauvres ne mangent pas à leur faim. Ventre affamé n'a point d'oreille, dit le dicton.

Pourtant, la pauvreté n'est pas inéluctable. Le succès avec lequel les programmes sociaux ont permis de combattre la pauvreté chez les personnes âgées l'illustre bien. Le 24 novembre 1989, la Chambre des communes adoptait une résolution affirmant que tous devaient s'employer à éliminer la pauvreté chez les enfants canadiens, d'ici l'an 2000. Depuis, la situation s'est, au contraire, détériorée.

Les exigences d'une scolarisation accrue plaident en faveur d'un programme efficace de lutte à la pauvreté et de ressources éducatives et sociales supplémentaires pour les écoles de milieu pauvre. C'est aussi en ancrant ses pratiques dans une architecture des valeurs fondée sur la solidarité plutôt que sur l'individualisme que l'école pourra contribuer à la transformation de cette réalité.

L'emploi en mutation

L'économie québécoise, à l'instar de celle des autres sociétés occidentales, traverse une période de changements structurels profonds. Le secteur des services est en pleine expansion, qu'il s'agisse du génie-conseil, de la finance, du transport, des communications, de la culture ou des services personnels. Les secteurs modernes de production de biens durables (produits électriques, machinerie, etc.) remplacent les secteurs traditionnels des mines et de la fabrication, le textile et le cuir notamment.

Ces changements ont profondément affecté la répartition de l'emploi entre les grands secteurs d'activités. En 1990, près de trois emplois sur quatre se retrouvaient dans les services aux entreprises et aux particuliers, le secteur tertiaire, comparativement à un sur deux en 1961 (Rousseau et Saint-Pierre, 1992). La majorité des nouveaux emplois ne se créent plus dans les industries de transformation ou de production des biens. L'automatisation et l'informatisation de la production industrielle ont même tendance à réduire le nombre d'emplois dans ces secteurs, tout en transformant leur nature.

Comme l'écrit Céline Saint-Pierre (1992), « les sociétés industrielles vivent le passage d'une économie axée sur la transformation de la matière à une économie où le travail d'émission, de saisie, de traitement et d'analyse de l'information occupe une place de plus en plus importante; mais aussi une économie dans laquelle la valeur de la production des services augmente continuellement, (...) la production des biens matériels étant assurée, en grande partie, par des ensembles automatisés et informatisés » (p. 139).

L'informatisation ne touche pas que les activités de production. Elle s'étend maintenant aux activités de gestion, d'encadrement, de conception et de communication. Elle affecte tant les ouvriers et les employés de bureau que le personnel technique et professionnel. Elle permet une bien plus grande flexibilité de la production, logiciels, robots et chaînes de montage étant facilement modifiables.

Cette flexibilité permet le passage d'une production de masse à une production centrée sur un ajustement rapide à la demande. De plus, la qualité des produits devient une nouvelle exigence de clients davantage préoccupés par le pouvoir d'usage des biens qu'ils acquièrent. Les entreprises n'ont d'autre choix que d'offrir des produits et services de plus en plus diversifiés qui répondent à des critères élevés de qualité.

Les technologies informatiques modifient également la nature du travail. La mobilisation des capacités intellectuelles s'accroît alors que diminuent les exigences liées à la force physique. Le travail se fait de plus en plus abstrait. L'ouvrier devient opérateur ou surveillant de machines. Il doit être capable de décoder les symboles et les signes qui apparaissent aux cadrans ou aux écrans d'ordinateurs. Il aura à communiquer, à échanger des informations avec d'autres personnes de différents statuts d'emploi. On fera davantage appel à l'autonomie et à la responsabilité, à la capacité de travail en groupe des individus.

En fait, les moteurs de la croissance se déplacent du champ de la matière vers celui de l'information. Le savoir et les connaissances théoriques deviennent des facteurs de production déterminants, la source même de la richesse économique. Avec Wirth (1991), on doit reconnaître que « l'efficacité du processus de production ne dépend plus d'habiletés physiques, mais de la capacité des travailleurs de comprendre le système, de telle sorte qu'ils soient en mesure d'exercer leur jugement lorsqu'un problème doit être résolu, ou que des efforts de collaboration doivent être fournis pour améliorer le processus » (p. 283).

Avec l'informatisation, la croissance ne suffit plus à créer l'emploi, alors que s'accroît la population active. La société québécoise s'est ainsi peu à peu habituée à un taux de chômage qui flirte sans cesse avec les 12 %, et même avec les 20 % chez les 15-24 ans. Si on ajoute à ces chiffres les personnes découragées de chercher un emploi et celles qui sont contraintes de travailler à temps partiel, près du quart de la force de travail québécoise est sous-employée. Selon la Conférence des évêques catholiques du Canada, le chômage a atteint les proportions d'un mal social qui constitue un véritable désordre moral, une guerre invisible contre la dignité humaine.

À moins d'un changement radical, on peut prévoir que cette situation va perdurer. Près de la moitié des nouveaux emplois créés en 1990 étaient à temps partiel (Rousseau et Saint-Pierre, 1992). L'insertion des jeunes sur le marché du travail va demeurer difficile. Si la sous-scolarisation condamne à l'exclusion, la scolarisation n'offre plus, par contre, une garantie d'emploi. Cela ne tient pas de l'éducation, mais de l'économie.

Pourtant, bien qu'il ne soit plus la seule source de définition de l'identité et qu'on estime qu'il ne représentera plus que 20 % du cycle de vie éveillée d'un jeune de 20 ans, le travail continue de structurer la vie et les personnalités (Gorz, 1993). L'exclusion durable, écrit Cassen (1993), ne constitue pas seulement une pathologie sociale de très grande ampleur aux effets dévastateurs, mais équivaut à une véritable privation de citoyenneté. Cela coûte cher, tant à la société qu'aux individus. D'autres avenues sont possibles qui misent sur la solidarité sociale, sur l'insertion des exclus, sur une revitalisation du secteur public ainsi que sur l'éducation et la formation.

Devenu rare, le travail devra aussi être partagé[27]. Nombreux sont ceux qui proposent de travailler moins pour travailler tous et pour vivre mieux; qui envisagent une civilisation du temps libéré favorisant l'être plutôt que l'avoir, encourageant l'activité démocratique tout en protégeant l'humanité d'une consommation effrénée qui la rapproche sans cesse de l'irréversible dégradation (Lipietz, 1989; Gorz, 1988). Chacun pourrait ainsi être en mesure de mettre en valeur son potentiel dans des activités de production de sens et d'utilité sociale (Lalive d'Epinay, 1992).

Dans ce contexte d'ensemble, les prévisions concernant le marché de l'emploi deviennent aléatoires. Tout au plus a-t-on la certitude que les personnes seront appelées à changer fréquemment d'emploi au cours de leur vie professionnelle, à s'adapter continuellement aux changements dans leur milieu de travail et que le niveau de scolarité demandé continuera de croître. On estime, par exemple,

---

27. Ces dernières années, chez le personnel enseignant et professionnel des commissions scolaires, 40 % des personnes ont volontairement réduit leur temps de travail.

que près des deux tiers des nouveaux emplois créés d'ici l'an 2000 exigeront plus de douze années de scolarité et que la moitié d'entre eux commandera même une formation de niveau universitaire (Conseil des collèges, 1992). Ces prévisions semblent toutefois contredites par la multiplication des petits boulots sans qualification.

Cette transformation accélérée de la production entraînera donc un recours fréquent à la formation continue qui devra s'appuyer sur une formation de base améliorée. La formation professionnelle devra pour sa part préparer à la maîtrise d'un champ d'activités plus large et refuser de s'adapter étroitement aux besoins immédiats des entreprises. L'école devra développer davantage des compétences qui favorisent l'autonomie, l'adaptabilité et la capacité à résoudre des problèmes. La mise en valeur des potentialités humaines, au travail ou dans le temps libre, exigera ainsi une éducation plus approfondie et plus diversifiée tout au long de la vie. C'est là le véritable sens d'une éducation permanente.

Une organisation du travail en redéfinition

En avivant la concurrence, la mondialisation de l'activité économique a contraint les entreprises à améliorer la productivité du travail (Bélanger et Breton, 1992). On a vite constaté que, à eux seuls, les changements technologiques n'étaient pas garants de l'amélioration recherchée. En effet, les technologies les plus avancées ne peuvent contraindre le personnel à utiliser au maximum ses ressources créatrices dans la production (Lipietz, 1991). Aussi certaines entreprises allaient-elles innover en modifiant l'organisation de la production et du travail.

Déjà, le modèle traditionnel donnait des signes évidents de contre-productivité. Dans un contexte culturel transformé, l'activité de travail répétitive et étroitement encadrée allait être vécue comme une contrainte insoutenable. La démotivation, l'absentéisme et la dévalorisation en découlant n'allaient pas contribuer à améliorer les taux de profit.

Le taylorisme caractéristique de l'organisation du travail de la société industrielle allait être remis en cause. L'organisation scientifique du travail, proposée par l'ingénieur des méthodes qu'était

F.W. Taylor, impliquait une stricte séparation entre la conception du processus de production, privilège du bureau des méthodes, et son exécution. Le processus était décomposé en une série d'opérations simples, en un ensemble de tâches formellement prescrites ne laissant guère d'initiative à l'individu, intimé de suivre strictement les consignes. La démocratie n'avait pas sa place au travail.

Dirigé contre « la flânerie » des ouvriers professionnels qui imposaient leur rythme à la production, le taylorisme, conjugué à la mécanisation, dont la chaîne de montage des *Temps modernes* de Chaplin demeure la meilleure illustration, a permis un développement important de la production de masse. Mais, avec le temps, il allait devenir lui-même un frein au développement technologique et à la productivité.

La désaffection à l'égard du travail traduit le désir que le travail fasse partie de la vie et non que celle-ci lui soit sacrifiée, l'espérance que l'activité professionnelle devienne source de satisfaction et de motivation (Robin, 1989). Le travail-devoir, caractérisé par l'obéissance et la soumission, se fait anachronique dans une culture « centrée sur la motivation et la responsabilisation, l'initiative et la participation » (Lipovetsky, 1992, p. 126).

Les premières tentatives de réforme visaient d'abord l'amélioration de la satisfaction au travail. Mais la crise plus récente et le rôle catalyseur joué par les technologies informatiques et la production flexible incitèrent les entreprises à puiser dans la réserve de productivité que recèle le travail humain. Le travailleur-objet sera de plus en plus contraint de céder la place au salarié-sujet, le principe de responsabilité se substituant au principe d'obéissance.

La révolution antitaylorienne prend de multiples visages. Les cercles de qualité, les groupes semi-autonomes de production, la polyvalence des fonctions sont quelques exemples des formes nouvelles que prend l'organisation du travail. Cette dernière se fait plus flexible. Elle exige une plus grande responsabilisation des individus et des groupes de travail. Elle implique une réduction des niveaux hiérarchiques. Elle favorise une structure d'autorité plus démocratique. Elle encourage la communication et les échanges entre le personnel ouvrier, technique et professionnel. Les fonctions de travail utilisent davantage les compétences ouvrières, font appel à l'initiative, à l'autonomie.

Tant les salariés que les entreprises en retirent des avantages. Les premiers voient leur travail s'améliorer et se diversifier; les secondes accroissent leur productivité et leur compétitivité. C'est, entre autres choses, à son modèle d'organisation productive caractéristique que le Japon doit son succès économique.

C'est d'ailleurs dans la foulée des entreprises japonaises qu'ont souvent été expérimentées des philosophies de gestion qui visent à développer de nouvelles formes d'identification à l'entreprise, particulièrement dans le contexte de l'amenuisement de l'identification traditionnelle aux métiers. Elles favorisent le passage d'une gestion par le conflit à une gestion par le consensus, d'une gestion par la structure à une gestion par la culture (Saint-Pierre, 1990). D'où la vogue pour la culture d'entreprise.

Au Québec, une étude réalisée au printemps de 1991 par le ministère du Travail révèle qu'une proportion importante des entreprises québécoises ont apporté des modifications à l'organisation du travail dans le but d'améliorer la productivité et la qualité de la production. Tout indique que ces changements sont récents et qu'ils sont surtout le fait d'entreprises exposées aux pressions de la concurrence internationale (Maschino, 1992).

Mais les jeux sont loin d'être faits. Certaines approches visent, sous des dehors démocratiques, un contrôle plus serré du travail. D'autres, dans le but souvent affirmé de se débarrasser d'un syndicat, ne constituent que des formules superficielles d'implication des salariés qui incitent ces derniers à s'identifier sur une base individuelle aux objectifs de l'entreprise. D'autres expériences de participation, enfin, sont carrément schizophréniques, s'accompagnant d'une taylorisation du travail concret.

Face au modèle démocratique d'organisation du travail, s'affirme donc un néo-taylorisme diversifié. Les nouvelles technologies rendent même possible une nouvelle forme de « taylorisation assistée par ordinateur », conduisant à une déqualification et à une intensification du travail. Bref, l'organisation du travail demeure l'objet de luttes syndicales et sociales déterminantes.

En effet, la récupération par les travailleuses et travailleurs d'une plus grande maîtrise de leur activité créatrice marque un pas important vers une société plus démocratique, nous rappelle Lipietz (1989). Développer ses capacités au travail, y exercer son jugement, y exprimer sa créativité représentent une humanisation d'une des activités importantes de l'existence.

L'éducation peut jouer un rôle important dans ce contexte et contribuer au développement des nouvelles habiletés et des nouvelles attitudes qu'une organisation démocratique du travail exige. Parmi celles-ci, mentionnons le travail en équipe, l'esprit d'initiative, la capacité de dialoguer et de résoudre des problèmes. Il s'agit en fait de compétences sociales beaucoup plus que proprement techniques. Finalement, c'est dans les institutions d'enseignement même qu'il faudra revoir l'organisation du travail afin de renforcer l'autonomie professionnelle et la responsabilité collective.

ASSUMER LES NOUVELLES FAÇONS DE VIVRE

Les changements culturels et économiques qui ont transformé la société québécoise ont conduit à des bouleversements majeurs des façons de vivre ensemble. Ainsi, l'entrée massive des femmes sur le marché du travail, les possibilités de contrôle de la fécondité et les luttes contre les diverses formes de domination sexiste ont largement contribué à la naissance d'une famille plurielle.

Les jeunes ne se définissent plus en conformité avec les modèles traditionnels. Leur place sur le marché du travail et de la consommation, le rôle accru que jouent les médias dans leur socialisation ainsi que leur accès précoce aux « activités adultes » ont transformé le mode de vie rattaché à la jeunesse. Ces changements risquent, à l'avenir, de s'accentuer.

Par ailleurs, on prévoit un important vieillissement démographique qui viendra transformer radicalement la pyramide des âges. Finalement, l'immigration va continuer d'accroître la diversité ethnoculturelle de la société québécoise avec toutes les exigences d'adaptation qui en découlent.

Ces changements ont eu - et auront encore - des conséquences majeures pour l'éducation. L'école a même parfois l'impression de perdre pied dans un monde si mouvant. Mais elle peut, tout comme elle l'a fait dans le cas de la transformation des rapports femmes-hommes, jouer un rôle important dans l'ouverture et le soutien à ces réalités nouvelles.

Une famille plurielle

Traditionnellement, la famille nucléaire était constituée d'un père pourvoyeur et d'une mère ménagère. Les sexes étaient séparés entre la sphère publique et la sphère domestique. Le père tenait l'autorité directement d'une délégation divine. Le modèle avait de l'âge. En grec, le mot « despotês » désignait le chef de famille et l'autorité absolue qui lui était conférée (Godard, 1992).

Au Québec, le divorce était interdit et la séparation à peine tolérée. Les couples désunis au sein de la maisonnée devaient paraître unis aux yeux de la société. L'orthodoxie matrimoniale ne souffrait guère d'exception. Les familles étaient nombreuses. Les filles-mères, quant à elles, étaient souvent isolées pendant leur grossesse et les enfants illégitimes confiés à l'adoption (Dandurand, 1991).

Progressivement, les femmes échappèrent aux mariages arrangés, aux grossesses obligatoires, au statut de mineures et à la dépendance économique. Les contraintes juridiques, religieuses et économiques qui maintenaient cet état de fait furent peu à peu levées. Le divorce fut rendu possible à compter de 1968 et les motifs le justifiant furent assouplis par la suite. Les femmes cessèrent d'être considérées comme des mineures avec la disparition de l'autorité maritale en 1964. L'autorité paternelle, quant à elle, devint parentale en 1977. Finalement, l'égalité juridique de l'homme et de la femme au sein du ménage fut consacrée en 1980 par l'adoption d'un nouveau code de la famille.

L'accès des femmes au marché du travail a par ailleurs transformé le modèle familial traditionnel. En 1990, les couples canadiens où les deux conjoints avaient un emploi comptaient pour 62 % de l'ensemble contre 32 % en 1967. Le taux d'activité des femmes, soit la proportion de femmes au travail par rapport à celles en âge de travailler, n'a cessé de croître, atteignant plus de 75 % chez le groupe des 25 à 44 ans. Les femmes constituent désormais plus de 45 % de la main-d'oeuvre totale, contre 30 % en 1966 (Zukewich-Ghalan, 1993).

Même si les femmes ne sont plus assignées à leurs seuls rôles d'épouse et de mère, l'égalité n'est pas encore atteinte. Elles ne gagnent toujours que 70 % du revenu moyen des hommes, une proportion en hausse toutefois par rapport au 64 % de 1981. Malgré l'incitation au partage du travail domestique, les femmes y consacrent en moyenne quotidiennement une heure et demie de plus que leur conjoint. Les mesures visant à permettre de concilier travail et maternité demeurent de loin insuffisantes, qu'il s'agisse des services de garde ou des congés parentaux.

La révolution contraceptive a permis aux femmes de dissocier sexualité et procréation et aux couples de dissocier rapports amoureux et projet d'enfant (Dandurand, 1992). Cela n'a pas empêché le recours à l'avortement de décupler après sa légalisation, passant de 1,4 cas pour 100 naissances en 1971 à 22,3 cas en 1990. Le désir d'enfant dépend de plus en plus d'un acte de volonté et de moins en moins de la soumission à une norme.

Tous ces changements n'ont pas tardé à transformer les comportements familiaux. On se marie moins, on divorce davantage et plus tôt. Le mariage n'est plus le seul cadre de la vie en couple et de la procréation. Le nombre d'enfants diminue alors que le nombre de conjoints s'accroît. Les structures de parenté sont devenues complexes. Bref, le majuscule singulier, la Famille, a fait place au minuscule pluriel, les familles (Godard, 1992).

Quelques chiffres illustrent l'ampleur de cette transformation. Le taux de fécondité des Québécoises a connu une chute vertigineuse, passant de près de 4 en 1960 à 1,35 en 1987, pour remonter légèrement par la suite. Les familles québécoises ne comptent en très grande majorité (plus de 80 %) qu'un ou deux enfants. L'union libre est sortie de la clandestinité; elle était le fait d'un couple sur huit en 1986 et était en forte croissance. Depuis, elle a progressé de près de 60 % selon les données du recensement de 1991, particulièrement chez les plus jeunes[28]. D'ailleurs près de 40 % des enfants québécois naissent hors mariage, ce qui n'est pas exceptionnel en Occident, loin s'en faut (Roussel, 1989).

Quant au divorce, il n'a cessé de croître depuis son autorisation. On estime qu'un enfant canadien sur deux né au milieu des années soixante-dix connaîtra le divorce de ses parents avant d'avoir

---

28. Chez les 65 ans et plus, on comptait, en 1986, 1,7 % de personnes divorcées et 1,3 % vivant en union libre. C'est dire l'ampleur du changement.

atteint l'âge de 20 ans (Dandurand et Morin, 1990). Un enfant québécois sur cinq vit aujourd'hui dans une famille monoparentale, généralement dirigée par une femme.

Mais les changements familiaux ne sont pas que structurels. Ils sous-tendent également une transformation des rapports entre adultes et enfants. L'enfant soumis est devenu l'enfant-citoyen. Des lois et des chartes assurent désormais la protection de ses droits et de son intégrité physique et morale contre les abus, y compris ceux de ses propres parents.

La *Loi de la protection de la jeunesse,* adoptée en 1977, et la *Charte des droits et libertés de la personne* affirment le droit de tout enfant à la protection, à la sécurité et à l'attention de la part de ses parents. Lors d'un divorce, le droit de l'enfant de maintenir des relations avec ses deux parents est reconnu. Au plan international, la *Convention des droits de l'enfant,* adoptée par l'ONU le 20 novembre 1989, va dans le même sens.

Le modèle traditionnel des relations parents-enfants, fondé sur l'autorité paternelle absolue, est devenu anachronique. La redéfinition n'est pas facile. L'enfant occupe désormais un espace central, étant donné sa rareté; mais les changements sociaux le relèguent parfois à la périphérie. Il est à la fois enfant-roi et enfant-problème (Gauthier et Bujold, 1992).

On se plaint souvent des dérives qui en découlent, de l'autoritarisme dépassé de certains parents ou, au contraire, de leur désengagement et de leur permissivité qui évacuent alors toute relation d'autorité. Le juste milieu démocratique, fondé sur la communication et la reconnaissance de la place réciproque des générations, ne va pas de soi.

Si certains conservateurs se font les apôtres d'une régénération morale de la famille traditionnelle, les spécialistes s'entendent en général pour reconnaître qu'il s'agit là de changements irréversibles (Dandurand, R., 1990) même si cela n'implique pas que l'évolution observée se poursuivra forcément à un rythme aussi accéléré (Roussel, 1989). Tout se passe comme si un régime familial nouveau s'était installé. Comme l'écrit Roussel, « nous sommes passés d'une famille toute réglée par l'institution à une famille dont la solidarité est surtout fondée sur la convergence des désirs, convergence définie par un pacte explicite ou non » (1989, p. 1253).

La famille n'en demeure pas moins une institution fondamentale. Ce n'est pas la famille comme valeur centrale qui est remise
en cause, mais sa structure et la nature des relations entre ses membres. On attend toujours d'elle qu'elle inculque un ensemble de
valeurs fondamentales, qu'elle transmette certains apprentissages de
base et qu'elle accompagne les enfants dans leur construction comme
sujets humains. On lui demande même de consacrer plus d'efforts et
de ressources à ces missions. Les jeunes placent d'ailleurs une
famille unie au premier rang de leurs aspirations (MEQ, 1991a).
Mais ce vague espoir du toujours devra désormais se conjuguer avec
la conscience lucide du provisoire (Lipovetsky, 1992).

Car la famille ne sera plus cette institution définie par des liens
sacrés et éternels. Elle devra se contenter d'offrir une maison à
l'amour, pour reprendre la belle formule de Roussel (1989). Elle se
fondera de plus en plus sur un pacte négociable et résiliable entre deux
personnes soucieuses de leur propre épanouissement. Il n'est pas dit
que cette famille sera toujours formée de personnes de sexes différents.

Mais la filiation, elle, imposera toujours des obligations pour
les mères comme pour les pères. Or, ces derniers sont loin d'assumer
leurs responsabilités, que ce soit en famille ou après une rupture. Le
divorce conduit souvent à un appauvrissement des femmes et des
enfants, parfois jusqu'à la misère, alors que les hommes, qui se
refusent majoritairement à remplir leurs obligations, voient leur
situation économique s'améliorer. Si la découverte du père fut historiquement un grand pas, il lui reste maintenant à assumer pleinement son nouveau rôle.

Tous ces changements créent des situations nouvelles avec
lesquelles l'école n'a d'autre choix que de composer. Certains
enfants vivent plus difficilement la période de stress familial qui suit
le divorce; ces difficultés d'adaptation peuvent se traduire par une
démotivation à l'école, des difficultés de concentration ou des problèmes de comportement. Ce n'est pas le cas de tous les enfants, loin
s'en faut, surtout lorsque le divorce met fin à des relations familiales
dégradées (Dandurand et Morin, 1990). Le plus traumatisant
demeure sans doute le divorce qui accentue ou crée la pauvreté.

Or, selon une étude exploratoire du MEQ (Dandurand, Dulac
et Violette, 1990), les ressources dont dispose l'école ne sont pas
toujours adéquates pour faire face à ces nouvelles réalités qu'il

s'agisse de services professionnels, de garde en milieu scolaire, etc. On demande aussi de plus en plus à l'école de suppléer à l'incapacité de nombreuses familles de bien nourrir leurs enfants et de soutenir adéquatement leur éducation.

Sur le plan de sa mission éducative, l'école devra assumer la transformation des rapports d'autorité, en encourageant une gestion et une pédagogie démocratiques. Elle devra préparer les élèves aux nouvelles réalités familiales, éduquer les garçons à assumer leurs responsabilités de pères et poursuivre dans la voie d'une éducation non sexiste. Un partenariat plus étroit est à rechercher entre l'école, les familles et la communauté afin de pouvoir répondre adéquatement aux besoins nouveaux.

Une jeunesse prolongée

La jeunesse n'est plus la brève phase de transition entre l'enfance et l'âge adulte qu'elle était naguère. Avec la prolongation des études, le report du mariage et une insertion plus difficile sur le marché du travail, le temps de la jeunesse s'est étiré. Si leur entrée dans la vie active se fait plus tardive, les jeunes accèdent paradoxalement beaucoup plus précocement aux activités caractéristiques de l'âge adulte. On demande souvent à l'école d'élargir sa mission éducative et de prendre en compte un ensemble de réalités nouvelles liées aux transformations du mode de vie des jeunes. Les pressions en ce sens risquent de se maintenir dans les années qui viennent.

Selon une étude menée par le MEQ (1991a) auprès de plus de 5 000 jeunes québécois de 12 à 18 ans, ceux-ci s'affirment plutôt satisfaits de leur situation. Ils se disent très majoritairement bien adaptés à l'école, bien dans leur peau et affirment entretenir des relations positives avec leurs parents. Bref, ils se disent heureux à plus de 90 %.

Pourtant, une minorité significative exprime un mal-être inquiétant. Désorientés par des repères brouillés, une famille incertaine et la perspective d'un emploi précaire, plusieurs consomment démesurément alcool et drogue[29]. Près d'un jeune sur cinq a déjà

---

29. La majorité des jeunes qui consomment drogue et alcool le font occasionnellement et se limitent généralement aux drogues légères (MEQ, 1991a).

pensé à se suicider et 5,3 % sont passés à l'acte. Les suicides arrivent désormais nez à nez avec les accidents de la circulation au premier rang des causes de mortalité chez les jeunes.

Par ailleurs, si l'on en juge par leur activité sexuelle, la précocité des jeunes ne fait pas de doute. L'âge moyen de la première relation sexuelle est passé de 16,4 ans en 1978 à 15,7 ans en 1989. La proportion de jeunes sexuellement actifs serait passée de 13 % à 49,5 % pendant la même période (Forget et al., 1992). Un jeune de 14 ans sur cinq a déjà eu une relation sexuelle complète.

Malgré l'accès plus facile à la contraception, le taux de grossesses précoces est passé de 12,5 à 17,3 pour 1 000 adolescentes au cours des années quatre-vingt (Rapport du groupe de travail pour les jeunes, 1991). Chaque année, près de 1 000 adolescentes abandonnent l'école pour donner naissance à un enfant.

Qu'il s'agisse du suicide, des problèmes liés à la drogue ou à la sexualité, on demande, bien sûr, à l'école d'intervenir. Dans une société où les modes de vie se sont diversifiés, ce n'est pas par la répression, mais par l'éducation et la prévention que l'école doit le faire. Ces réalités plaident aussi en faveur d'une meilleure intégration des services sociaux et des services de santé à l'école.

Quoi qu'en disent ses critiques de toutes les époques, une sensibilité aux grandes causes et des sentiments généreux caractérisent l'âme de la jeunesse, même si cela peut aujourd'hui s'exprimer par des engagements plus modestes et plus concrets. Selon un sondage réalisé par Léger et Léger (1992), auprès de jeunes de 12 à 17 ans, l'altruisme marque leurs convictions. Ils s'engageraient volontiers dans des organisations visant à aider des personnes dans le besoin. Ils se disent en grande majorité préoccupés par la pollution, la violence, le racisme et le SIDA. L'amitié, l'honnêteté, la famille, l'entraide et l'amour viennent aux premiers rangs des aspects importants de la vie, bien avant la réussite en affaires et l'argent. La justice et l'intégrité priment sur le respect de l'autorité (MEQ, 1991a).

Cela ne les empêche pas d'être fortement attirés par la société de consommation qu'on leur propose, comme l'indique la proportion en hausse des jeunes qui cumulent travail et études. Il s'agit désormais d'un phénomène massif. Le taux d'activité des jeunes de 15 à 24 ans fréquentant l'école à temps plein a plus que doublé entre 1975 et 1988 pour atteindre 38,5 %. Au deuxième cycle du secondaire, près d'un jeune sur deux serait dans cette situation, et la moitié de ces jeunes actifs travaillerait plus de 15 heures par semaine (CSE, 1992c)[30].

Ce phénomène s'explique tant par la restructuration du marché de l'emploi que par la domination de valeurs centrées sur l'avoir. La tertiarisation de l'économie a conduit à une hausse des emplois précaires et mal rémunérés, principalement dans les secteurs de l'hébergement, de la restauration et de la vente au détail. Les jeunes répondent aussi à l'appel d'une société qui les incite à consommer, notamment par la mode et la publicité. D'ailleurs, une grande majorité d'entre eux travaille pour se payer des biens de consommation ou des sorties. Dans certains cas toutefois, les conditions économiques familiales ne laissent guère de choix aux jeunes.

On s'interroge bien sûr sur les conséquences éducatives du travail rémunéré des jeunes. On reconnaît que le travail peut être source de socialisation et de valorisation, qu'il peut contribuer à développer un sentiment d'autonomie et de responsabilité, qu'il peut faciliter l'insertion sociale et professionnelle. Mais on constate aussi que, au-delà d'un certain seuil (environ 15 heures par semaine), le travail à temps partiel comporte des risques potentiels pour les études. On observe alors plus d'absentéisme, une réduction du temps consacré aux études et une proportion plus élevée d'abandons[31].

Certains proposent de rendre l'école plus exigeante et de remettre aux familles le soin de contenir le travail des jeunes (Conseil de la famille, 1992; CSE, 1992c). Mais c'est là oublier que l'État a aussi la responsabilité de protéger les jeunes contre les abus et l'exploitation dans le contexte d'une résurgence du travail des enfants comme phénomène économique et social. De nouvelles balises législatives s'imposent, inspirées des grandes conventions internationales et de ce qui existe ailleurs.

---

30. Selon une étude de la Fédération des cégeps, au collégial, 44 % des jeunes consacrent entre 5 et 15 heures par semaine au travail rémunéré et 16 % plus de 15 heures. Ces derniers abandonnent davantage que ceux qui travaillent 5 heures et moins (*Le Devoir,* 18 mai 1994).

31. Pour le Québec, voir notamment une étude réalisée auprès des élèves de la Commission scolaire des Découvreurs (Tard et Boiteau, 1991).

Dans certaines provinces canadiennes, par exemple, le travail de nuit entre 21 heures et 6 heures est balisé ou carrément interdit et une limite de 2 ou 3 heures est fixée à la durée du travail les soirs de semaine. De telles mesures se situent dans l'esprit de la recommandation 46 de l'Organisation internationale du travail et de la *Convention des Nations unies sur les droits de l'enfant* (article 32) qui invitent les États à fixer un âge minimum d'admission à l'emploi et une réglementation appropriée des horaires de travail (Beauregard, 1992)[32].

Quant aux activités de loisir des jeunes, le visionnement de la télévision en occupe une partie importante. Au terme de leurs études secondaires, ils y auront consacré, à un rythme d'environ vingt heures par semaine, plus de temps qu'ils n'en auront consacré à l'école et à leurs travaux scolaires (Pichette, 1991). La télévision se marie désormais au câblosélecteur, au magnétoscope et aux jeux vidéos. Elle ouvre sur l'univers, mais aussi sur la publicité, les vidéo-clips, les Mario Bros et Ninja Turtle avec tout le sexisme et la violence qui s'en dégagent.

Cela n'est pas sans affecter les façons d'être et de faire à l'école. Selon un sondage CROP-CEQ réalisé en mars 1991, 86 % du personnel enseignant estimait que la télévision, par les valeurs nouvelles qu'elle véhicule et par les modèles sociaux qu'elle propose, avait une influence plus grande que l'école sur les jeunes (Pichette, 1991). Ils y apprennent autre chose, autrement, au point où l'on parle même d'une « école parallèle ». L'image et le spectacle constituent les modes d'accès à des connaissances nouvelles. Comme le fait remarquer l'Institut canadien d'éducation des adultes, « le rapport à la connaissance et le mode d'appréhension du réel sont... davantage centrés sur l'émotion et sur une logique d'association d'images éclatées, que sur un mode de pensée plus analytique et rationnel » (ICEA, 1992, p. 23).

---

32. La Commission des Communautés Européennes a également adopté un projet de directive concernant le travail des enfants (13-15 ans) et des adolescents (16-18 ans). La durée maximale de travail est fixée à 15 heures par semaine et à 3 heures par jour d'école, pour les jeunes scolarisés. Des raisons socio-éducatives et d'autres liées à la protection de la santé sont invoquées à l'appui de ces mesures. Voir *La Lettre de l'IDEF*, no 68, octobre 1992.

Par ailleurs, la logique commerciale pousse chaque jour plus loin les limites de l'acceptable, notamment au chapitre de la violence. Résumant les études les plus récentes, le président de la Régie du cinéma, notait, lors d'un colloque organisé par la CEQ, que la majorité conclut « à une relation entre une exposition intensive à des contenus télévisés violents et des comportements agressifs et antisociaux et ce, quel que soit l'âge des sujets observés » (Benjamin, 1993, p. 54). D'autres études sont toutefois beaucoup plus nuancées. En tout état de cause, on peut au moins affirmer que plus les enfants consomment d'émissions violentes, plus la violence paraît acceptable.

Devenue un véhicule culturel dominant, la télévision est de plus en plus l'objet de sévères critiques. On l'accuse d'abêtir plutôt que d'éduquer, de divertir plutôt que d'informer, d'asservir plutôt que de cultiver. Au Québec, la proportion des émissions d'information dans l'ensemble de la programmation des grands réseaux francophones a chuté de 40 % à 29 % au cours de la décennie quatre-vingts. Comme le font remarquer deux spécialistes de la question, « les médias sont devenus la place publique, mais se conçoivent surtout comme des entreprises de divertissement; et plus ils prennent de l'importance dans la sphère publique, moins l'État les considère comme un service public » (Lacroix et Tremblay, 1992, p. 552).

Les médias audiovisuels ont donc profondément modifié les conditions de socialisation. Les frontières d'âge se font plus floues. L'imaginaire des jeunes se forme à travers les téléromans, les séries dramatiques, les jeux-questionnaires. Même les tout-petits sont initiés aux soucis politiques de la planète, aux horreurs de la guerre, aux passions adultes. L'enfance n'est plus cette période protégée de jadis; ses rapports au monde adulte ont changé.

Pour certains, les médias seraient incapables d'apporter une contribution positive à l'éducation; le médium déterminerait le message et le message de la télévision inviterait à la passivité. Pourtant, les expériences sont nombreuses à démontrer que le contraire est possible, qu'il suffise de mentionner le rôle qu'a joué la série télévisée *Passe-Partout* dans la formation d'une génération d'enfants, ou, plus près de nous, le succès d'une série comme *Zap* auprès des adolescentes, des adolescents et de leurs parents.

Comme le prouvent ces quelques exemples, une télévision intelligente ne s'oppose pas à une télévision divertissante, mais elle ne saurait se développer en étant laissée aux seules forces du marché. Elle exige, au contraire, une intervention soutenue des pouvoirs publics.

La télévision et les médias en général devront mieux s'acquitter de leur mission éducative, non seulement en contribuant directement à l'éducation, mais en soutenant une culture qui lui soit favorable. Il y a là un vaste potentiel éducatif sous-exploité, en particulier dans une perspective d'éducation permanente. Car, il n'y aura pas de société éducative dans une société où les médias abrutissent. La démocratie exige que les citoyennes et les citoyens puissent comprendre les changements sociaux et participer aux choix de société qui les concernent.

L'école, pour sa part, n'a d'autre choix que de rechercher un partenariat constructif avec les médias. Elle devra former les élèves à l'analyse, à la sélection et à la hiérarchisation des informations auxquelles ils ont accès, préparer des téléspectateurs actifs et critiques. Il importe, comme le suggère le CSE, que l'école apprenne aux élèves « à se prémunir contre la mésinformation, à structurer les informations et à les accueillir dans un système mental qui leur donne sens » (1990, p. 11). C'est le rôle de ce qu'il est de plus en plus convenu d'appeler « l'éducation aux médias » (Piette, 1994).

Un vieillissement prévisible

Dans les années qui viennent, le nombre de personnes âgées augmentera beaucoup plus rapidement que la population totale du Québec. Ce phénomène n'est pas exceptionnel; il touche l'ensemble des pays industrialisés. Le Québec d'aujourd'hui paraît même comme démographiquement jeune en comparaison de plusieurs pays européens. Mais le vieillissement démographique prévu s'annonce extrêmement rapide. Il ne sera pas sans conséquences sur les rapports humains et sur l'organisation sociale.

D'ici 2031, le groupe des 65 ans et plus passera d'un peu plus de 700 000 personnes à près de 2 millions. Son importance par rapport à la population totale doublera, passant de 10,9 % en 1990 à 24 % ou 30 % en 2031, selon l'un ou l'autre des scénarios envisagés par les analystes du Bureau de la statistique du Québec (Gauthier et Duchesne, 1991).

Ce changement s'explique par la chute radicale de la natalité, dont nous avons déjà mesuré l'ampleur, et par l'allongement graduel de l'espérance de vie. En 1989, cette dernière était de 72,8 ans pour les hommes et de 80,3 ans pour les femmes; on estime qu'elle devrait être de 77 ans pour les premiers et de 83,3 pour les secondes en 2011.

Quelques indicateurs supplémentaires éclaireront l'importance du phénomène. En 1990, on comptait près de deux jeunes de 0 à 14 ans pour chaque personne âgée; en 2031, ce rapport sera inversé : il y aura deux personnes âgées pour un jeune. Leur importance croîtra également en comparaison du groupe des 15 à 64 ans et de la population active. Ainsi on passera de cinq personnes actives pour une personne âgée en 1986, à 1,6 pour une en 2031.

Ces changements démographiques s'accompagnent de changements sociaux qui pourraient perdurer. Le taux d'activité des personnes de 65 ans et plus est en chute libre; chez les hommes, il est passé de 36,4 % en 1951 à 10,8 % en 1986 puis à 8,1 % en 1990[33]. On observe par ailleurs une forte augmentation de l'autonomie, notamment sur le plan du logement; la proportion des personnes âgées habitant chez leur descendance diminue constamment.

Comme le soulignent les auteurs de l'étude d'où ces données sont tirées, « il est difficile de croire que la société tout entière ne sera pas bouleversée par une telle transformation » (Gauthier et Duchesne, 1991, p. 15). Il en découlera de nouvelles exigences pour le système d'éducation, tant dans sa mission auprès des jeunes qu'au chapitre des services à offrir aux personnes âgées.

Les personnes âgées de demain seront beaucoup plus instruites et exprimeront sans doute la volonté de poursuivre des activités utiles et des activités de formation. Tout indique d'ailleurs que l'éducation est un facteur d'autonomie pour les aînés. Voilà qui plaide pour une remise en cause d'une conception de l'éducation qui situe l'apprentissage presque exclusivement au début de l'existence. L'école, quant à elle, devra prendre en compte cette nouvelle réalité des âges dans ses objectifs de socialisation.

---

33. Cela, malgré la levée du caractère obligatoire de la retraite à 65 ans et la possibilité nouvelle d'améliorer ses prestations de retraite en cotisant au régime des rentes jusqu'à 70 ans, plutôt que jusqu'à 65 comme antérieurement.

Une diversité croissante

Nous l'avons vu, la capacité accrue des personnes à décider de leur propre existence entraîne une diversification des modes de vie, tendance à laquelle contribuent aussi largement les phénomènes migratoires.

L'immigration n'est pas un phénomène récent; plus d'un million d'immigrantes et d'immigrants ont contribué à tisser l'étoffe du Québec moderne. D'abord française, puis britannique, l'immigration s'est élargie progressivement aux personnes originaires de l'Europe de l'Ouest, de l'Est et du Sud. Depuis le début des années soixante, elle est caractérisée par une diversité ethnoculturelle croissante, en conséquence notamment de l'adoption de règles universelles de sélection qui mettaient fin aux pratiques discriminatoires antérieures (Berthelot, J., 1991). Les personnes immigrant au Québec proviennent désormais très majoritairement de pays du tiers monde.

Tout au long de son histoire, la société québécoise a oscillé entre la peur et l'ouverture. La crainte de disparaître a, pendant longtemps, inspiré une politique de repli et une vision « ethniciste » de la part de la communauté francophone. Cette perception a profondément évolué depuis la Révolution tranquille, même si elle est loin d'avoir disparu. La promulgation de la *Charte de la langue française,* en 1977, et les pouvoirs nouveaux du Québec en matière d'immigration y ont contribué largement.

Néanmoins, le climat d'ambiguïté politique et la fragilité de l'équilibre démolinguistique demeurent. Des efforts s'imposent toujours en vue de mieux assurer la francisation et l'intégration des nouveaux venus. Tout comme s'imposent des mesures pour combattre la discrimination ethnique et raciale qui, non seulement bafoue l'égalité, mais entrave l'intégration et porte les germes d'importants conflits sociaux.

Aucun domaine de la vie n'est à l'abri de la discrimination, qu'il s'agisse du travail, des médias, de l'école. Les attitudes discriminatoires ne sont pas le propre du groupe majoritaire mais de personnes de tous horizons ethniques. Elles s'insèrent dans les rapports interpersonnels tout autant que dans les institutions. Elles se nourrissent non seulement des différences ethnoculturelles, mais aussi des inégalités économiques.

Si l'identité personnelle - et l'identité ethnique en est une composante - est une des faces de la démocratie, l'intégration sociale en est une autre (Touraine, 1994). Celle-ci se définit autour d'un territoire, d'une nation, d'une langue commune, d'un ensemble d'institutions et de droits. C'est le Québec qui constitue cette nation et le français, cette langue commune. Tout cela rend d'autant plus nécessaire l'adhésion de toutes et tous à cette culture publique commune qui, comme toute culture, évolue constamment.

Dans les années qui viennent, on peut prévoir que les niveaux d'immigration vont continuer de fluctuer au rythme des crises et des guerres que connaîtra le monde et des besoins en main-d'oeuvre de la société québécoise. Mais, dans un contexte de décroissance et de vieillissement démographiques, le Québec n'aura d'autre choix que de compter sur l'immigration pour assurer la relève et maintenir son développement économique. Il y va aussi d'une solidarité à exprimer avec les millions de personnes contraintes de fuir les régions où sévissent la guerre, la dictature et l'oppression.

C'est la région de Montréal qui continuera probablement d'accueillir la très grande majorité des immigrantes et des immigrants; cette situation n'a guère évolué ces dernières années, malgré les tentatives d'une certaine régionalisation de l'immigration. Cela risque d'accentuer les difficultés que connaissent les écoles montréalaises, particulièrement celles qui accueillent déjà une forte proportion d'élèves allophones.

Mais les défis qui découlent de cette diversification de la population québécoise ne concernent pas seulement l'école montréalaise, même si cette dernière requiert des moyens particuliers en ce qui a trait à l'accueil, à la francisation et à l'intégration. C'est, plus largement, l'ensemble des jeunes qui devra adhérer à la culture publique commune et qu'il faudra préparer à composer avec cette diversité ethnoculturelle. C'est dans toutes les écoles qu'il faudra améliorer l'éducation aux droits et contribuer à combattre le racisme. Le personnel de l'éducation devra accueillir cette diversité, et même la refléter.

Chapitre 3
Démocratie et éducation

*« C'est que l'éducation des hommes, à la différence
de l'apprentissage des animaux, est une boîte de
Pandore qui s'ouvre elle-même, hiérarchie
enchevêtrée par excellence où chacun
façonne et est façonné. »*

Henri Atlan. *Tout, non, peut-être. Éducation et vérité.*

Des changements culturels, économiques et sociaux que nous venons de survoler, certains sont inéluctables. D'autres sont toujours l'objet d'enjeux fondamentaux dans une lutte où s'opposent des groupes sociaux, des nations, des projets divergents pour l'avenir de ce que nous sommes comme société et même comme humanité.

Nous avons tenté de tracer rapidement la voie à emprunter. L'ouverture au monde et à la diversité, la reconnaissance de sujets autonomes et d'une identité individuelle multiforme, le partage d'une culture commune, la préservation du fragile équilibre écologique de la planète, l'élargissement de l'espace démocratique, notamment au travail, la réduction des inégalités et la prise en compte des nouvelles façons de vivre sont autant d'éléments fondant un projet démocratique renouvelé.

Nous avons, au passage, identifié les nouvelles exigences éducatives qui en découlaient. Les connaissances à transmettre, les compétences à acquérir, les valeurs à privilégier, la place à faire aux élèves sont autant de facettes de l'école qu'il faudrait revoir. Le sens que nous avons donné à ces changements n'allait pas de soi, on l'aura compris. Il s'ancre dans une vision du monde et de la société québécoise, dans une conception de la personne humaine et dans des valeurs qui puisent à l'essence même du projet démocratique.

Cette toile de fond esquissée, nous approfondirons, dans ce chapitre, les principaux fondements d'un projet d'école qui, non seulement résonne en harmonie avec ce projet social, mais puisse aussi contribuer à son avènement. Après un coup d'oeil critique sur les différents modèles qui sous-tendent les débats éducatifs contemporains, nous élaborerons plus précisément ce projet d'école. Il est fondé sur un nouvel équilibre entre les missions de développement individuel et de développement social de l'éducation; l'élève comme sujet démocratique en est le principe organisateur. Nous nous attarderons aux valeurs qui inspirent ce projet, aux objectifs de formation qui en découlent, à la pédagogie qu'il suppose et au soutien que d'autres institutions devront lui apporter. Ce n'est qu'une fois ces éléments précisés que nous traiterons des moyens à mettre en oeuvre; ce sera l'objet du chapitre 4.

Sur ces questions, il n'est pas UNE vérité. Au royaume des finalités et de la recherche de sens, les convictions et les croyances sont reines. N'empêche qu'elles doivent être débattues, y compris avec soi-même... L'utilitarisme contemporain a malheureusement relégué les finalités aux oubliettes. On se contente de viser la performance dans un cadre technocratique bien défini.

Bien sûr, il n'est pas de texte officiel qui ne mentionne que l'école vise à « développer l'enfant dans sa totalité »; même le préambule de la loi créant le ministère de l'Éducation n'y a pas échappé. Mais, comme le souligne Gauthier (1993), on est beaucoup moins bavard lorsqu'il s'agit de cerner cette totalité.

Pourtant, des projets éducatifs aux fondements divergents s'affrontent dans l'arène éducative. Leurs défenseurs ne manquent pas d'ailleurs de polémiquer entre eux, s'inventant même parfois les moulins à vent qu'ils s'empresseront de combattre afin de se parer des vertus d'un Quichotte. C'est par exemple l'attitude des traditionalistes face à ce qu'on qualifie toujours de pédagogie nouvelle.

Il ne s'agit pas seulement de nous interroger comme collectivité sur le modèle éducatif à mettre en place. Il appartient aussi à toute personne engagée dans l'action éducative de s'interroger sur le futur qui lui semble souhaitable, désirable, en fonction de ses valeurs et de ses convictions. Souhaite-t-on, par exemple, que l'école soit une réplique ou une anticipation d'une société duale, ou porte-t-on plutôt « l'espérance d'une société fraternelle », d'une société plus humaine, comme nous le demandent Meirieu et Develay (1992) ?

Même au niveau de la classe, où se vit quotidiennement l'activité éducative, on ne peut éviter les questions fondamentales. Dans *École et sociétés,* Bertrand et Valois ont bien mis en lumière à quel point les choix pédagogiques engagent, implicitement ou explicitement, l'adhésion à un projet de société que l'on tente d'actualiser. Bref, le choix des moyens ne saurait échapper à une nécessaire réflexion préalable sur les fins.

Selon le CSE (1993), la tâche essentielle pour les années à venir consisterait à « assumer toute la portée et toutes les conséquences du projet de démocratisation de l'éducation » (p. 11). Nous en sommes, mais on ne peut rêver de le « parachever enfin ». La démocratisation demeure « une utopie de référence », un projet à construire en permanence et sur tous les plans, un idéal toujours en devenir. L'être humain n'aurait jamais volé si, dès avant Icare, il n'en avait rêvé et n'y avait consacré ses énergies.

Éduquer est une mission essentielle de l'humanité. Avant d'être producteur ou consommateur, l'être humain est d'abord un maillon de cette longue chaîne dont l'origine et la fin demeurent un mystère mais dont l'essence est de se construire, de s'auto-organiser diraient les théoriciens de la complexité. C'est cette personne humaine que l'éducation se donne comme finalité, dans une société et un contexte donnés.

On comprendra qu'il n'est pas aujourd'hui de réponse simple à la question de l'éducation. L'éducation se construit autour de paradoxes, de dualités vieilles comme le monde ou comme les philosophes (Sirotnik, 1990). Liberté-égalité, individu-société, autonomie-contrôle, unité-diversité, reproduction-transformation forment de vieux couples. C'est dans un nouvel équilibre entre ces pôles et non dans leur divorce qu'il faut chercher à redéfinir le projet éducatif démocratique.

UN NOUVEL ÉQUILIBRE À TROUVER

Depuis des millénaires, chaque génération s'efforce de transmettre à la suivante un ensemble de valeurs, de savoirs, de savoir-faire, dont la maîtrise assure la conservation et le développement des sociétés (Audigier, 1991). L'étymologie du verbe éduquer résume bien ce double mouvement de conservation et de développement. Il signifie à la fois nourrir (de *educare*) et élever, conduire hors de soi (de *educere*) (Hadji, 1992).

Dans les sociétés traditionnelles, l'identité individuelle était définie de l'extérieur par un ensemble d'appartenances - tels le clan, le sexe, la position sociale - qui déterminaient l'horizon individuel. Les sociétés démocratiques, nous l'avons vu, représentent une rupture à ce chapitre. On y reconnaît, en principe, l'originalité de chaque personne. L'identité moderne est construction. D'où le concept de sujet sur lequel nous avons insisté au chapitre précédent.

Bien sûr, l'être humain est aussi être social. Il ne saurait exister ni se développer de façon isolée. Sa construction exige la présence de l'autre et le partage d'un héritage commun, d'une identité collective fondée sur la communauté, la nation et qui a l'humanité comme horizon. Il n'est pas que le produit de son environnement; il agit en retour sur ce dernier qu'il contribue à redéfinir. Ainsi, l'autonomie se conjugue avec la responsabilité, la liberté avec des normes communes.

Dans les sociétés démocratiques, l'école occupe une place très particulière, « au point d'articulation par excellence problématique entre droits individuels et contraintes collectives » (Gauchet, 1985, p. 56). La difficulté de trouver ce compromis par essence instable entre l'ordre des individus et celui de la société se révélerait tout particulièrement, selon Gauchet, dans un contexte de crise de l'école, comme celui que nous connaissons.

Meirieu (1991) souligne la même difficulté lorsqu'il décrit la double mission d'adaptation et d'émancipation de l'école. Éduquer c'est toujours, écrit-il, « une opération qui consiste à adapter des individus à un environnement donné, à les préparer à l'exercice de rôles sociaux dont les contenus sont toujours plus ou moins déterminés (...) » (p. 61). C'est aussi, ajoute-t-il, émanciper « car la finalité dernière est bien l'émergence d'un sujet libre, d'une volonté capable de se donner ses propres fins, d'effectuer le plus lucidement possible ses propres choix, de décider en toute indépendance de ses propres valeurs » (p. 62).

Tout projet d'éduquer s'inspire donc inévitablement d'une certaine conception de l'être humain et de la société, ce que l'on reconnaît généralement à gauche comme à droite. « Tout système d'éducation, écrit le très conservateur Allan Bloom, comporte une fin morale qu'il essaie d'atteindre et qui inspire son programme. Il tend à produire un certain type d'être humain » (1987, p. 24). Ce sujet humain, on peut même l'imaginer « idéalement développé » afin d'en favoriser l'émergence (Hadji, 1992, p. 129).

De cette conception du sujet moral, politique et social, émane la mission première de l'éducation; il en découle un ensemble de valeurs, de connaissances, de compétences à acquérir. On peut affirmer, avec Giroux (1991), que pour retrouver le fondamental en éducation, il faut retrouver « l'essence de l'humain à éduquer » (p. 407). Là s'arrêtent toutefois les consensus. Les divergences s'affirment dès lors que l'on s'attarde à préciser cette « essence » et les façons de la construire.

Les réponses apportées

En s'inspirant des typologies proposées par Derouet (1992) ainsi que par Bertrand et Valois (1992), on peut identifier quatre modèles qui alimentent les débats qui ont cours sur la scène éducative québécoise. Chacun se veut une solution globale à la crise de l'école. L'industrie, le marché, la tradition ou la communauté leur servent de référence. Toutefois, la réalité éducative se réduit rarement à un seul de ces modèles. Chacun influence à des degrés divers l'école actuelle et les personnes qui y travaillent.

Une école industrielle

Un premier modèle a tendance à réduire l'être humain à son rôle de producteur et de consommateur, à un rouage dans la chaîne de production économique. L'éducation est d'abord perçue comme une question technique, et ses finalités sont déterminées de l'extérieur, principalement par le marché du travail. Ce modèle, dit industriel, exerce actuellement une forte influence sur l'éducation québécoise.

L'école s'affiche alors comme instrumentale, comme simple productrice de compétences que l'individu cherche à accumuler en vue de les faire fructifier. Les rapports entre l'école et le marché du travail sont carrément inversés; on blâme même la première pour un chômage dont les causes s'ancrent pourtant profondément dans une économie en crise (Easton & Klee, 1990). L'économie se fait reine et l'éducation lui est subordonnée (Legrand, 1990). La mondialisation des marchés vient encore accentuer cette tendance. Caouette (1992) considère qu'en se mettant ainsi à la remorque du marché du travail, l'école « a cessé de faire véritablement de l'éducation » (p. 27).

On a souvent recours à l'image de l'usine taylorisée pour critiquer le fonctionnement de ce modèle. L'enseignement est réduit à une chaîne de montage et les élèves sont traités, selon le cas, comme une matière première, des produits finis, voire des rejets (Shanker, 1990). Comme l'écrit Darling-Hammond (1993) à propos des États-Unis, « les élèves constituent une matière première qui doit être transformée par l'école selon des procédures précises (...) Lorsque les résultats ne sont pas satisfaisants, la solution consiste à introduire des procédures encore plus détaillées encadrant la pratique » (p. 757).

Une structure fortement hiérarchisée et une multitude de directives et de contrôles font même en sorte que l'enseignement est mis à l'épreuve des enseignantes et des enseignants *(teacher-proof schooling)*. Une perspective utilitariste domine tant chez les élèves, chez les parents que chez le personnel. L'école doit rendre des comptes et pour cela, on mesure et on compare, laissant dans l'ombre les objectifs non directement mesurables de l'éducation.

Les réformes introduites au Québec depuis le début des années quatre-vingt s'inspirent en partie de ce modèle. Les contrôles, les examens centralisés et les exigences ont été accrus avec les conséquences que l'on sait : l'abandon des études a fait un bond prodigieux[34]; le personnel enseignant dénonce le peu d'autonomie dont il dispose et se plaint des palmarès et des comparaisons injustes.

---

34. Entre juin 1986 et juin 1987, l'abandon des études est passé de 28 % à 34 % pour se maintenir à ce niveau par la suite. À ce sujet, voir Berthelot (1992).

Ce modèle industriel n'est plus adapté ni à l'école, ni à l'entreprise de demain, surtout dans un contexte où l'éducation est au coeur des stratégies économiques. Les sujets, qu'ils soient élèves ou membres du personnel, doivent retrouver leur place.

Tout indique, par ailleurs, que l'approche technocratique de l'amélioration de la qualité a été un échec. Cela explique que la deuxième vague de la réforme éducative américaine se détourne d'un modèle normatif pour privilégier la restructuration des écoles *(school restructuring)* à partir des initiatives locales et de la coopération (Wirth, 1993). Si les normes et les règles ont leur pertinence, elles ne sauraient servir d'inspiration à une véritable action éducative.

Une école marchande

La montée de l'idéologie néo-libérale a aussi vu se développer un modèle marchand dont l'emprise ne cesse de s'élargir. Ses promoteurs dénoncent le monopole de l'État en éducation, son inefficacité et la rigidité de la structure bureaucratique. Ils plaident en faveur d'une autonomie accrue des écoles et d'une concurrence fondée sur les choix des parents-consommateurs. Ainsi, comme toute entreprise, l'école devrait chercher à améliorer ses coûts et sa production pour répondre aux exigences de ses clients. La qualité s'en trouverait, dit-on, améliorée.

C'est la thèse défendue au Québec par Migué et Marceau (1989) - qui sont tous deux professeurs à l'École nationale d'administration publique - et par différentes organisations liées à l'enseignement privé. Certains revendiquent la création d'un bon d'éducation que les « consommateurs » pourraient remettre à l'école de leur choix.

Les conséquences de ce supermarché éducatif sont déjà présentes au Québec, nous l'avons vu. La concurrence d'écoles privées sélectives a conduit à la multiplication d'écoles tout aussi sélectives dans le réseau public. La qualité de l'ensemble ne s'est pas améliorée pour autant et les inégalités se sont accrues.

Avec Louis Legrand (1990), on peut affirmer que « tout cela correspond à cette revendication des classes moyennes pour un système éducatif rentable, c'est-à-dire capable de protéger une promotion sociale récente (...) » (p. 24). Elles souhaitent en conséquence pouvoir choisir l'école de leurs enfants, peu importe alors le caractère public ou privé de celle-ci. On veut encore éviter à ses enfants « une promiscuité sociale jugée néfaste (...). L'idéologie de l'unification et de la convivialité disparaît peu à peu au seul bénéfice d'un consumérisme pragmatique » (p. 83).

Un dernier élément vient renforcer ce modèle. Selon une psychologie déterministe, la distribution inégale des dons et des talents exigerait une école plus sélective, voire des écoles particulières pour répondre à la diversité des talents existants. On a même inventé un néologisme québécois, la douance, pour décrire ce processus de hiérarchisation.

Il ne fait pas de doute qu'un tel modèle vient consolider la société duale. La nécessité de deux écoles distinctes, pour le peuple et pour l'élite, comme avant la réforme Parent, n'est pas défendue ou promue explicitement, mais elle est bien sous-entendue par ce modèle, comme le démontre Legrand (1990) dans le cas français. L'école n'est plus alors ce bien public, ce lieu de justice où doit s'exprimer l'intérêt général. Quant à l'autonomie plus grande et à la réduction des contrôles bureaucratiques souhaitées par les défenseurs de ce modèle, elles peuvent fort bien se réaliser dans un cadre plus démocratique.

Une école traditionnelle

Une troisième réponse s'inspire d'un modèle traditionnel. L'être humain y est d'abord perçu comme héritier d'un passé détenteur de vérités transhistoriques dont il faudrait accepter la tradition.

Le philosophe américain Allan Bloom a largement contribué à relancer ce modèle avec son essai sur le déclin de la culture générale. Le déclin du rôle traditionnel de la famille tout comme la décadence des humanités auraient la même origine : « Personne ne croit plus que les livres anciens fondent la vérité ou puissent la contenir » (1987, p. 60). Tout autant que les livres anciens, c'est un ensemble de valeurs, une vison du monde qu'il regrette. Critiquant avec justesse l'acceptation béate de la nouveauté et du relativisme, il finit toutefois par rêver d'un universalisme dépassé et par se fermer à toute nouveauté.

Selon Feinberg (1990), « sa vision des fondements moraux de l'éducation nous présente une culture préfabriquée (...) Les lois de la nature auraient été découvertes il y a des siècles, et il faudrait les suivre de notre mieux » (p. 175). Pour Aronowitz et Giroux (1988), Bloom propose une conception fixiste de la culture occidentale centrée sur la reproduction des élites dans le sens de la tradition. Bref, le passé détiendrait les clés du futur.

Au Québec, Balthazar et Bélanger (1989) se sont emparés de cet étendard passéiste en y ajoutant quelques fleurs de lys et un peu de modération. Nostalgiques du cours classique même s'ils en reconnaissent les failles, ils affirment tenir « à ce que l'école québécoise véhicule des attitudes et des valeurs qui étaient de rigueur hier. C'est [paraît-il] que certaines de ces réalités ne vieillissent pas (...) » (p. 12).

Aussi privilégient-ils l'étude des langues mortes, ce « terreau fécond » (p. 88), l'enseignement de l'histoire et des auteurs anciens, « non pas en fonction d'un culte borné du passé mais bien dans le but d'éclairer nos situations présentes et à venir » (p. 64). Cela permettrait de rejoindre ce qui est universellement humain. Car « (...) avec ces auteurs anciens, nous misons bien plus sûrement sur l'avenir qu'avec la masse des auteurs contemporains » (p.67).

L'école actuelle aurait été détournée (c'est d'ailleurs le titre de leur ouvrage) de sa mission fondamentale, elle aurait été trahie. L'enseignement de base y serait « noyé par les autres préoccupations de l'école » (p. 52). L'éducation sexuelle, l'initiation à la protection de l'environnement, l'intégration des immigrants, la formation de bons citoyens sont autant d'éléments qui auraient contribué à ce détournement. L'école devrait donc revenir à sa mission traditionnelle, s'appliquer à l'essentiel, aux tâches qu'elle seule peut accomplir de façon valable.

Sur le plan pédagogique, ils dénoncent l'immédiateté d'un enseignement axé sur le vécu et regrettent les méthodes d'autrefois. « Méprisant les vieilles techniques axées sur la mémorisation (...) on veut amener l'enfant à découvrir par lui-même » (p. 81). Ils affirment néanmoins vouloir une jeunesse à l'esprit critique, une école qui libère. Ils s'en prennent aussi au caractère utilitariste du modèle dominant. « L'éducation (...) c'est bon parce que ça aide à trouver des jobs, des bons jobs, des jobs payants ». Sans s'étendre sur le sujet, ils affirment finalement que les différences individuelles sont naturelles, ce que l'on reconnaîtrait depuis « des siècles et des siècles »... AMEN.

D'autres voix plus ou moins nuancées ajoutent à ce concert de critiques. Ainsi, un quatuor ancien, comptant notamment

Jean-Paul Desbiens et Arthur Tremblay, entonne-t-il le même credo. « C'est parce qu'on a voulu que l'école devienne l'alibi et la panacée des tares sociales qu'elle est devenue littéralement intenable ». C'est aussi, ajoutent-ils à propos de la fréquentation scolaire obligatoire, parce qu'on a « transformé un droit en une obligation »; celle-ci devrait être abolie afin de permettre à l'école de « refuser ceux qui la refusent » (Caron et al., 1993).

Giroux (1991), pour sa part, invite l'école à se délester de ses « objectifs exubérants », à mettre les élèves en contact avec les choses de l'esprit et les grands esprits. Paquot (1992), enfin, voit dans la suppression des collèges classiques et de l'enseignement du latin des causes de la dégradation éducative.

La philosophe Hannah Arendt est souvent citée à l'appui de ces critiques (Giroux, 1992; Ricard, 1992). Dans un texte écrit au début des années soixante, la pédagogie nouvelle est présentée comme une des causes majeures de la décadence de l'école américaine. « Il faudrait bien comprendre, écrit-elle, que le rôle de l'école est d'apprendre aux enfants ce qu'est le monde, et non pas leur inculquer l'art de vivre » (1972, p. 250). Cette présentation du monde se devrait d'être tournée vers le passé afin de préserver ce qui est neuf en chaque enfant. Vouloir « former une génération nouvelle pour un monde nouveau traduit en fait le désir de refuser aux nouveaux arrivants leurs chances d'innover » (p. 228). Bref, le savoir devrait être coupé de toute pratique sociale jusqu'à ce que son accumulation confère le droit d'en faire quelque chose.

Au début du siècle, Dewey formulait une critique du modèle traditionnel qui vaut toujours. « Et si c'est une erreur de faire des archives et des dépôts du passé le matériel principal de l'éducation, c'est parce que, ce faisant, on coupe le lien vital qui unit le présent au passé, et que l'on tend à faire du passé un rival du présent, et du présent une imitation plus ou moins futile du passé » (1975, p. 102).

Avec Gauchet (1985), on peut affirmer qu'il n'y aura pas de retour à l'autorité de la tradition, à la foi dans l'exemplarité du passé. On ne renouera pas avec une « tradition chargée de tous les prestiges et supposée détenir en sa magique antécédence les clés de l'accès même à l'humanité » (p. 84). L'accumulation de connaissances pour accéder à une vision encyclopédiste du monde, ajoutent Meirieu et Develay (1992), est un leurre.

Dans l'ensemble, ce modèle ne répond ni aux besoins de l'école de demain ni aux objectifs de démocratisation que nous avons affirmés. La démocratisation y apparaît même parfois comme un fléau qu'il faudrait endiguer. On pourrait par ailleurs, avec Baby (1990), se demander comment l'école pourrait ne pas jouer auprès des jeunes un rôle de soutien en suppléant, dans la mesure du possible, aux institutions sociales en panne.

Mais certaines questions, certaines critiques valent qu'on s'y arrête. L'horizon humaniste de ce modèle, sa critique de l'utilitarisme dominant, sa dénonciation de l'anti-intellectualisme ambiant, sa réhabilitation des sciences humaines et d'une langue de qualité sont autant d'éléments qui méritent considération. On ne saurait, par ailleurs, éviter de chercher réponse aux deux questions suivantes : quelles sont les bornes à fixer à la mission de l'école ? et qu'est-ce aujourd'hui que transmettre le monde et y préparer ?

Soulignons que ce modèle fait, au Québec, généralement bon ménage avec le modèle marchand. Ainsi, Jean-Paul Desbiens, fortement identifié au modèle traditionnel, signe-t-il la préface du réquisitoire de Migué et Marceau (1989) en faveur d'un libre marché éducatif. Cela tient sans doute aux relations étroites que les défenseurs des deux modèles entretiennent avec l'école privée. Son histoire s'ancre dans la tradition alors que le marché lui ouvre l'avenir.

Une école nouvelle

Une dernière réponse provient de la pédagogie nouvelle, d'un modèle dit communautaire. En fait, elle n'est pas vraiment nouvelle : John Dewey en était un propagandiste au début de ce siècle. Après avoir connu une certaine popularité au Québec dans le secteur protestant durant les années trente, elle a repris un second souffle dans la foulée de la réforme des années soixante. Aujourd'hui, elle est durement malmenée, ses valeurs et pratiques trouvant difficilement à s'exprimer dans le tintamarre de l'excellence et de l'utilitarisme. Ses adeptes n'en demeurent pas moins actifs dans la pratique quotidienne de la classe.

La pédagogie nouvelle conçoit les êtres humains comme les acteurs de leur propre devenir (Houssaye, 1992). Elle est si centrée sur l'enfant que la société semble même y être totalement subordonnée. « L'enfant vient à l'école pour élargir son univers d'enfant, et non avant tout pour s'initier et se conformer à l'univers de l'adulte », écrit Charles Caouette (1992, p. 47), l'un des théoriciens québécois de ce modèle et fondateur de l'école « alternative » Jonathan.

L'école devient un milieu d'exploitation et d'actualisation des ressources de l'enfant. Ce qui importe, « ce n'est pas d'acquérir d'abord des connaissances précises, mais c'est plutôt d'apprendre à vivre, d'apprendre à être » (p. 53). Le « s'éduquant » dispose ainsi d'une large autonomie dans la détermination de ses activités, à partir de ses besoins et de ses intérêts. Le développement des qualités personnelles et sociales prime alors sur l'acquisition de telle ou telle connaissance. Dewey l'affirmait déjà il y a trois quarts de siècle, toutes les énergies doivent être mobilisées pour rendre l'expérience présente significative et non pour préparer à des besoins futurs.

Les rapports d'autorité adultes-enfants, la rigidité de l'organisation de la classe et de l'emploi du temps, le poids des programmes et des contrôles sont l'objet de sévères critiques. On comprendra alors que la pédagogie nouvelle trouve surtout sa place à l'école primaire. L'autonomie, la créativité, le sens critique, la tolérance aux différences individuelles, la coopération et la responsabilisation sont autant de valeurs qui fondent ce projet. Le travail de groupe et une planification individuelle des activités sont privilégiés. Le personnel enseignant se fait conseiller pédagogique, tuteur, guide. La gestion se veut communautaire, impliquant l'ensemble des partenaires éducatifs.

Ce modèle ne propose toutefois pas une pédagogie unique. Ainsi, même si elle s'inspire des mêmes valeurs, la pédagogie ouverte se distingue de la pédagogie dite libre. Elle s'affirme plus interventionniste, nous dit Claude Paquette (1992) son principal concepteur québécois. Ce n'est pas une pédagogie du laisser-faire, écrit-il; elle se fonde sur la cogestion plutôt que sur l'autogestion. Cela ne la met toutefois pas à l'abri des critiques.

Celles-ci ont pris récemment une ampleur inégalée. Tout comme les partisans de la pédagogie nouvelle l'avaient fait, aux États-Unis au début du siècle, en prêtant à la pédagogie traditionnelle, dans une visée polémiste, tous les péchés du monde, cette dernière retourne aujourd'hui la stratégie contre les premiers (Gauthier, 1992b). On se gausse de « l'école du bonheur ».

« Mesdames, messieurs, nous n'avons rien à vous apprendre (...) »,
ironisent Balthazar et Bélanger (1989, p. 169).

Tant les contenus que la pédagogie sont pris à partie.
« L'éducation dite libérée et toute centrée sur le prétendu "respect de
l'enfant" équivaut en réalité à séquestrer l'enfant ou l'adolescent
dans un univers à part, une sorte de camp de concentration ludique,
d'où l'accès au monde commun lui est interdit » (Ricard, 1992,
p. 278). Le monde des significations, des normes et des traditions
préexistantes n'est nullement tenu pour essentiel (Raynauld et
Thibault, 1990). « On forme non plus des citoyens du monde mais
des individus bien ajustés à leur environnement, quand ce n'est pas
simplement bien dans leur peau » (Giroux, 1991, p. 400).

Pour sa part, Gauchet (1985), tout en reconnaissant la pertinence d'une stratégie pédagogique fondée sur le primat de l'activité
dans l'apprentissage, s'en prend à la mystification d'une genèse des
savoirs à partir des individus. « L'enseignement ne peut pas ne pas
être aussi décentrement, mise en relation avec un au-delà des possibilités du sujet (...) Au bout de la pédagogie sans violence, il y a
l'école de l'inégalité » (p. 77). Un univers préexiste à l'enfant et la
rencontre avec la culture ne saurait être laissée au hasard.

Le modèle communautaire comporte un intérêt certain sur le
plan des valeurs et d'une démarche pédagogique active centrée sur le
sujet. L'autonomie, chère à la démocratie, y occupe une place centrale. Mais on ne peut laisser au hasard la définition d'une culture
commune qui exige l'apprentissage d'un ensemble de savoirs et
d'habiletés définis par la société et par l'école. La dimension sociale
de l'éducation n'occupe pas suffisamment d'espace dans ce modèle,
et c'est là sa grande faiblesse[35].

---

35. Nous aurions pu faire état d'autres modèles, tels celui de la créativité (Derouet,
    1992), ou encore celui de la dialectique sociale (Bertrand et Valois, 1992).
    Ceux-ci n'ont toutefois guère d'influence dans les débats qui traversent au-
    jourd'hui l'éducation.

Construire la démocratie

Il n'est guère de réconciliation possible entre les principes qui fondent chacun des modèles qui précèdent, certainement pas entre le marché et la démocratie communautaire, par exemple. Nous ne croyons pas pour autant qu'il faille choisir « entre le Nintendo ou Cicéron, entre un présent sans passé et un passé sans présent », pour reprendre l'image de Gauthier (1992a, p. 28). Nous savons bien que ce serait errer que d'opter pour un modèle où l'être humain n'est rien ou pour un autre où la société est peu, de choisir entre le règne du présent ou celui du passé.

Une nouvelle synthèse est à construire. Un nouvel équilibre est à rechercher entre les deux pôles de la mission éducative, entre l'émancipation des personnes et l'adaptation à la société, afin que l'école soit en mesure d'affronter les réalités qui la bouleversent et la tournent vers l'avenir.

Reboul (1992) invite même à dépasser la double nature de l'éducation en introduisant un troisième terme qui dépasse le paradoxe, l'humanité. Non pas tant comme la somme des humains que ce qu'ils ont de commun, une certaine égalité d'essence, une égalité dont la science n'apporte guère de preuve, mais à laquelle il faut croire et qu'il faut vouloir avant toutes les preuves. C'est, d'ajouter Meirieu (1991), vouloir construire « l'humanité en chacun de nous comme accession à ce que l'homme a élaboré de plus humain et l'humanité entre nous tous comme communauté où se partage l'ensemble de ce qui nous rend plus humain » (p. 30).

L'avenir est création, avons-nous dit, oeuvre de sujets agissants. Il n'y a plus de finalisme : ni Dieu, ni l'histoire, ni le progrès. Nous sommes vaccinés contre tous les projets totalitaires. Cela ne veut pas dire qu'il ne faille pas formuler de projet sur le monde, parier sur l'avenir. Au contraire. L'éducation se nourrit toujours d'un idéal et la démocratie est de ceux-là. Il s'agit de choisir une voie où il nous sera possible d'éduquer à propos de ce qui est, tout en aidant à préparer ce qui devrait être.

Car si l'on ne peut prétendre résoudre les problèmes de la société par l'école, celle-ci peut néanmoins contribuer significativement à la création d'un monde meilleur et plus juste (Purpel, 1989). Petitat (1982) a bien montré comment l'école, reproductrice à un niveau, contribuait, à un autre, au changement social, à la production de la société. La contribution de l'école québécoise à la transformation des rapports femmes-hommes, ou à la préservation de l'environnement, en est une bonne illustration.

Dans le dernier tome de son rapport, la Commission Parent rappelait les exigences éducatives de la démocratie. « Pour se réaliser aussi pleinement et porter tous ses fruits, la démocratie suppose des citoyens éclairés sur les exigences du bien commun, aptes à comprendre et à juger des situations pour participer ensuite au processus de décision, capables d'agir librement, doués du sens des responsabilités » (Tome IV, 1966, p. 5).

Le projet d'école démocratique est aujourd'hui à réactualiser. C'est parce que l'espace de chacun ne cesse de s'élargir et le temps de se contracter, c'est parce que demain pourrait bien ne pas être, que l'éducation doit s'ouvrir à un horizon et à un univers qui jusqu'à maintenant n'ont guère été les siens. Les changements qui sont en cours ou qui s'annoncent plaident en faveur d'une mission renouvelée de l'éducation.

Les connaissances, les habiletés et les valeurs qui sont désormais nécessaires à des sujets démocratiques sont à redéfinir. Il faut préparer tous les jeunes à des rôles et des responsabilités beaucoup plus exigeants, former des sujets libres et critiques, capables de juger par eux-mêmes et d'agir face à des situations de plus en plus complexes.

UN SENS À DONNER

L'école québécoise n'a jamais eu pour seule mission d'instruire. Le petit catéchisme et les visées religieuses ont suffisamment marqué l'école du passé pour que l'on s'en souvienne[36]. Aussi centrale que soit la transmission des connaissances, l'école a une mission qui la dépasse. C'est d'ailleurs une opinion majoritairement partagée par les enseignantes et les enseignants, si on se fie aux résultats d'une enquête menée par le Conseil supérieur de l'éducation (Berthelot, M., 1991).

---

36. Gauthier (1993) nous rappelle que, dès ses débuts, l'école n'était pas préoccupée que de savoirs à transmettre. Les méthodes d'enseignement, le contrôle du temps et de l'espace, la surveillance des enfants (postures, déplacements...) traduisaient autant de visées éducatives.

Quoi qu'il en soit de ce débat entre les tenants de l'instruction et ceux d'une vision plus large de l'éducation, l'interrogation sur
les fins et la recherche de sens demeurent, qu'on le reconnaisse ou
non, au cœur de tout projet d'école. Les modèles que nous venons de
décrire sont éloquents à ce chapitre.

Il n'est pas surprenant alors que la question des valeurs occupe
une telle place dans les débats éducatifs. On affirme l'importance de
les identifier, de les nommer, de les placer au cœur du projet éducatif
car elles donneraient un sens aux orientations et aux pratiques.

On peut définir la notion de valeur[37] « comme une référence
déterminante pour la conduite d'une vie » (Paquette, 1991b, p. 47).
Une référence, car la valeur n'est jamais totalement; elle est exigence, utopie. « Elle exprime, comme l'écrit Hadji (1992), un maximum qui sert de fondement à tout progrès vers la perfection »
(p. 111). Elle se présente aussi comme exigence de reconnaître son
contraire et de le refuser; il est d'ailleurs souvent plus facile d'observer qu'elle n'est pas. Cela conduit par exemple le philosophe
Michel Serres à proposer comme première maxime morale : « Avant
de faire le bien, évite le mal (...) » (1991, p. 184). Toute valeur est
donc projet, horizon, mais aussi combat.

Pour certains, les valeurs sont présentes partout en
éducation : dans les idéologies, les structures, les contenus... Elles se
révèlent « à l'occasion de choix qui traduisent un jugement des
acteurs, des structures et des institutions sur ce qui est préférable ou
désirable » (Houssaye, 1992, p. 13). Pour d'autres, elles signifient
« plus précisément tout ce qui permet à chaque enfant humain de
devenir homme » (Reboul, 1992, p. 5). Les deux affirmations ne sont
pas contradictoires; elles recouvrent simplement des espaces différents.

Identifier les valeurs comme ce qui donne du sens n'est pas
entreprise facile. Paquette (1993) regrette qu'elles ne soient souvent
que « du vent », une simple énumération qui sert à étayer les discours
sans jamais rejoindre la pratique. On peut aussi se perdre dans la
multitude au point d'en être désorienté. Ainsi, l'énoncé de politique

---

37. Étymologiquement, le mot signifie la qualité de ce qui prime absolument
    (Domenach, 1989).

L'école québécoise (MEQ, 1979) identifie-t-il 25 valeurs qu'il regroupe en 6 catégories. Malgré l'intérêt de la démarche, ces valeurs n'étant pas hiérarchisées, elles finissent malheureusement par ne plus être ces « références déterminantes » qu'elles devaient être.

L'entreprise est d'autant périlleuse que l'époque actuelle est caractérisée par la diversité des modes de vie et par le pluralisme des valeurs, comme nous l'avons vu au chapitre précédent. Ce sont justement ces difficultés qui rendent plus que jamais nécessaire l'identification des valeurs fondamentales qui devraient fonder la conception de la personne à former et donner un sens à la mission d'éduquer.

La trilogie des valeurs démocratiques

Quelles sont donc ces quelques valeurs qui pourraient inspirer un projet éducatif démocratique ? On s'éloigne ici d'une reproduction étroite des valeurs sociales dominantes pour rechercher celles qui devraient prévaloir dans l'espace scolaire et auxquelles il convient d'éduquer.

On pourrait chercher une réponse dans une référence religieuse, transcendante qui, au-delà des Églises, inspirerait le projet d'éduquer. Mais la démocratie moderne se fonde dans l'espace public; elle ne reconnaît pas de dogmes absolus, mais le pluralisme des croyances; celles-ci relèvent alors du domaine privé. C'est là une différence fondamentale. La réponse religieuse, aussi pertinente puisse-t-elle être pour certaines personnes, ne saurait tenir lieu de réponse valable pour tous.

Dans une démarche fort originale, Todorov (1991) a plutôt voulu identifier quelques valeurs garantes de « l'humanité en l'homme ». Les camps de concentration lui ont servi de « véritables miroirs grossissants ». À partir de plusieurs écrits, il s'est attaché à l'analyse des vertus et des vices quotidiens présents dans les camps. La leçon venue des situations extrêmes, pensait-il, devrait servir à éclairer notre condition humaine.

Il a identifié trois vertus quotidiennes, trois valeurs fondamentales qui ont permis à l'humanité de survivre même dans ces enceintes du mal. La première a le sujet lui-même comme destinataire; c'est la dignité. C'est l'ultime liberté de choisir son attitude et d'agir en conséquence devant des situations qui sont imposées. La deuxième est tournée vers d'autres personnes connues et vient en quelque sorte limiter la liberté; il l'appelle le souci; elle rejoint ce que d'autres désignent par sollicitude. Quant à la troisième, elle s'adresse aussi à d'autres, mais l'identité des destinataires importe peu, c'est l'activité de l'esprit, ce qui appartient à l'héritage. Voici donc trois vertus qui renvoient aux trois personnes grammaticales : je, tu, il.

Les vices quotidiens, comme il les appelle, sont en quelque sorte une inversion des vertus qui précèdent, sauf pour l'activité de l'esprit qui n'a pas d'équivalent. Le « je » n'a plus de cohérence, il est fragmenté, endoctriné. L'autre, le « tu », est dépersonnalisé, il n'est plus que moyen au service d'une immense machine. Hoess, le commandant d'Auschwitz, l'exprime clairement : seules l'intéressent les performances de son usine. La pensée instrumentale domine : s'il y a une tâche à accomplir, il faut la faire le mieux possible.

Dans ces camps de la mort, le souci est, selon Todorov, moralement supérieur. Car la dignité seule peut s'accomoder du mal des autres et l'activité de l'esprit peut n'être que recherche du succès. Cette dernière n'apparaît pas véritablement comme une valeur; tout dépend du sens qu'on lui donne. Il tire aussi de son étude un autre enseignement : même dans les situations extrêmes, « les hommes ne sont jamais *entièrement* privés de la possibilité de choisir » (p. 218).

Revenons maintenant à notre projet, l'école démocratique. La démocratie s'articule autour de deux valeurs fondamentales : l'égalité et la liberté. Ces deux valeurs vivent en tension permanente et le défi démocratique consiste à en étendre l'horizon, sans les séparer (Mouffe, 1992). L'égalité sans la liberté, c'est le totalitarisme; la liberté sans l'égalité, le libéralisme sauvage. C'est la fraternité qui permet de les lier ensemble (Touraine, 1994); cette dernière est exigence de l'espace qui donne à la communauté tout son sens, elle est recherche de l'universalité.

Voici retrouvées les trois personnes de la conjugaison verbale. La liberté, c'est la reconnaissance de la possibilité pour chacun de nous de dire « je ». L'égalité c'est la reconnaissance de cette même possibilité chez l'autre; c'est la reconnaissance du « tu » comme un autre moi, différent certes, mais égal en valeur. Quant à la fraternité, elle est impersonnelle; elle est troisième personne.

C'est sur ces trois piliers de la démocratie que sont l'égalité, la liberté et la fraternité, sur cette trilogie de la devise républicaine française, qu'il faut chercher à fonder l'éducation. Nous rejoignons ainsi Houssaye (1992) qui, dans son chapitre sur les valeurs qu'affichent les pédagogues contemporains, identifie chacun à l'une des valeurs de la triade républicaine. C'est justement cette univocité qu'il faut dépasser, car aucune de ces valeurs ne va sans ses partenaires.

Liberté et autonomie

La liberté c'est le droit d'adhérer à des valeurs, à des croyances, à des opinions, de les exprimer et de se gouverner en conséquence. Elle est productrice d'une société diversifiée, traversée de conflits et de compromis. Elle est une des finalités de toute institution démocratique.

En éducation, la liberté a un synonyme : l'autonomie. Elle est liée au libre arbitre. Comme le souligne Giroux (1992), elle n'est ni un fait, ni une donnée de départ, mais une possibilité, un projet. Une personne autonome « tire d'elle-même la règle de sa vie ou la loi qu'elle se donne » (p. 96). Elle choisit ses valeurs et ses buts plutôt que de se les laisser imposer par la tradition, la religion ou d'autres références externes. Elle élabore ses propres projets pour l'avenir. Elle construit sa propre identité, une identité aux facettes multiples qui se nourrit à une société, une langue, une éducation.

Dans un avenir marqué de changements accélérés, où de plus en plus de choix seront laissés aux personnes, où celles-ci seront confrontées régulièrement à des situations où seules leurs propres valeurs serviront de référents, on comprend la lourde responsabilité qui pèse sur l'éducation. Il y a beaucoup à faire pour élever le potentiel d'autonomie des personnes à la hauteur du monde qui les attend, pour faciliter l'émergence de véritables sujets.

L'autonomie exige une distance à l'égard des conventions et de son entourage, un solide esprit critique, une confiance en soi. Sans cette distance, l'individu risque d'être à la merci de tous ceux qui cherchent à le manipuler à leur profit, d'être confiné au conformisme, à la reproduction du même, à l'image de la société de consommation (White, 1991). Bien sûr, l'autonomie, comme la liberté, ne saurait exister seule. Elle s'élabore en dialogue constant avec autrui; elle est bornée par la liberté de l'autre. Elle se conjugue alors avec une éthique de la responsabilité, envers soi-même et envers les autres. Elle implique le respect, l'ouverture à la diversité des valeurs, des cultures et des projets. Le pluralisme a aussi ses limites, imposées par la vie en commun; nous y reviendrons.

À l'école, l'acquisition de l'autonomie est un long processus; elle est « apprentissage de la capacité de se conduire soi-même » (Meirieu, 1993b, p. 153). Giroux (1992) met en garde contre l'enfant-roi : « nommer "autonomie" la débrouillardise, l'esprit inventif, les revendications d'indépendance et les déclarations d'autosuffisance d'un enfant, c'est, pourrait-on dire, puériliser le concept d'autonomie » (p. 199). Cela ne devrait pas, en revanche, nous conduire à affirmer, comme elle le fait, que l'école est seulement un moment « de l'hétéronomie et de la dépendance préparatoire à l'exercice de l'autonomie responsable » (p. 205).

Non seulement l'autonomie s'apprend-elle, mais elle s'éduque. Elle plaide pour une redéfinition des rapports d'autorité, dans la reconnaissance explicite des contraintes non négociables du projet éducatif. La source des normes doit être identifiée et admise, l'autorité démocratique respectée, la réciprocité des droits et des devoirs, reconnue.

La liberté d'expression et d'organisation des élèves doit par ailleurs être encouragée. Ces derniers doivent pouvoir prendre des décisions et appliquer leurs propres règles (Gutman, 1987), disposer d'une marge d'autonomie dans la régulation de leur vie sociale (Pagé, 1993). La reconnaissance de cette autonomie responsable doit se prolonger jusque dans les stratégies d'apprentissage, où l'élève est à considérer également comme sujet en relation avec les autres.

On peut conclure, avec Houssaye, que, pour les élèves, l'autonomie « ne réalise sa cohérence que dans une interdépendance et une socialisation grandissantes, elle ne s'exprime que dans les sentiments d'interdépendance, de liberté, de responsabilité et de convivialité » (1992, p. 123).

Pour l'enseignante ou l'enseignant, comme l'écrit Paquette (1993), l'autonomie c'est la possibilité de pratiquer une pédagogie cohérente avec ses valeurs et ses convictions. Elle appelle l'interdépendance, soit la nécessité d'interagir avec les autres, de situer sa pratique dans le cadre de l'ensemble. C'est au prochain chapitre que nous en préciserons le sens et les exigences.

Une double égalité

L'égalité comme valeur éducative a un double sens que Gauchet (1985) a très bien résumé. « L'exigence d'égalité, écrit-il, n'est pas univoque; elle se dédouble en deux ordres d'exigences non moins concurrentes que solidaires. Elle se partage entre postulation de valeur *a priori* de tous les êtres et ratification *a posteriori* de leur oeuvre d'auto-constitution » (p. 72). Comme le précise Walzer (1983), la recherche de l'égalité ne suppose nullement une négation des différences, ni une réduction de la diversité, pas plus qu'elle ne prétend rendre les gens égaux à tous égards.

Ainsi, l'égalité s'affirme d'abord comme égalité ontologique des êtres, indépendamment de leur sexe, de leur origine ethnique ou sociale, de leur condition[38]. Elle traque tout ce qui lui est contraire; elle combat le sexisme, le racisme et la discrimination sous toutes ses formes. Elle s'oppose aux thèses qui postulent une inégalité naturelle entre les humains et qui s'affichent, sous diverses variantes, avec « l'idéologie du don »[39].

Le concept de don appartient, à l'origine, au vocabulaire moral et religieux, signifiant un cadeau, un avantage naturel reçu de Dieu. En se laïcisant, la notion a pris le sens d'une disposition innée pour une activité particulière (Hadji, 1992).

Depuis sa laïcisation, le concept de don s'est conjugué étroitement avec la mesure de l'être humain. L'objectif est demeuré le même, de la craniométrie du XIXe siècle jusqu'aux tests de quotient intellectuel : on toise ses semblables, on hiérarchise, on sélectionne et, forcément, on exclut. Les rapports de domination ainsi

---

38. Le préambule de la *Déclaration universelle des droits de l'Homme* affirme que la « reconnaissance de la dignité inhérente à tous les membres de la famille humaine et de leurs droits égaux et inaliénables constitue le fondement de la liberté, de la justice et de la paix dans le monde ».

39. Le sociologue français Pierre Bourdieu (1966, p. 342) a introduit ce concept dans lequel il voyait la clef de voûte du système scolaire.

justifiés n'ont pas manqué d'être remis en cause. Des inégalités que l'on affirmait biologiques sont finalement apparues pour ce qu'elles étaient, des constructions sociales. Un coup d'oeil sur cette histoire fait parfois frémir (Gould, 1983; Berthelot, 1987).

Mais le projet déterministe se renouvelle sans cesse. Prétendre neutraliser la composante sociale du développement d'un enfant pour atteindre sa véritable nature biologique relève d'une dangereuse illusion et d'un projet profondément antidémocratique. On voit poindre le mythe peu rassurant de la race des Seigneurs destinée à mener l'humble troupeau des humains. La démocratie en prend pour son peuple !

Lorsqu'il arrive à l'école, l'enfant a déjà une longue expérience. Il est né garçon ou fille, porte des traits physiques hérités de ses parents, a connu un milieu social et des expériences qui ont profondément marqué ses manières d'être et d'apprendre. Certains événements lui échappent même, enfouis dans son inconscient, ce qui ne les empêche pas de marquer sa vie.

Voilà pourquoi nous affirmons avec Gauchet (1985) le « refus de toute procédure de commensuration des êtres (...) laquelle revient fatalement à piétiner ce qui fait l'intérêt unique de chacun ». La confiance dans les possibilités de l'enfant, le postulat de l'éducabilité, comme le dit Meirieu (1991), est au coeur de la démarche éducative et tout ce qui contribue à nous en éloigner doit être écarté.

Ce premier sens de l'égalité a des conséquences importantes sur les contenus d'enseignement, sur la nature de l'évaluation des élèves, sur les règlements internes de l'établissement. Bref, l'école doit, dans l'ensemble de ses pratiques, éduquer sur la base de l'égalité et à la recherche de l'égalité.

Dans son deuxième sens, l'égalité découle du rôle de l'école dans la reproduction de la division du travail. Elle a le sens plus large de la recherche de l'égalité des chances. Ce n'est pas là un leurre comme certains voudraient nous le faire croire. C'est ici aussi par la négative qu'il faut viser l'égalité, en combattant les inégalités.

En effet, « l'égalité des droits serait une idée vague si elle ne se traduisait pas en pressions vers l'égalité de fait (...) » (Touraine, 1994, p. 93). Si l'école ne peut neutraliser des inégalités qui s'ancrent dans la société, elle peut chercher à les réduire en son sein et par son action. En principe, la sélection et la distribution des titres et des avantages scolaires doivent répondre à des critères d'égalité et de justice.

Il faut néanmoins reconnaître que les antécédents sociaux pèsent lourdement dans la balance scolaire, la sociologie de l'éducation l'a démontré à l'évidence. Il faudra en tenir compte dans la distribution des ressources. Mais, il n'y a pas là fatalité, de nombreux destins personnels en témoignent. Aussi faut-il dénoncer tout déterminisme qui fait des élèves le simple reflet de leurs conditions d'existence.

Une fraternité moderne

Quant à la fraternité, elle est cette valeur qui exprime la nécessaire coopération dans l'espace social. Elle est, écrit Touraine, « presque synonyme de citoyenneté, parce que celle-ci est définie comme l'appartenance à une société politique organisée et contrôlée par elle-même (...) » (1994, p. 109). Elle implique l'entraide, le partage et la solidarité[40]. Une solidarité qui se poursuit à travers l'histoire, qui s'ancre dans le passé et se préoccupe de l'avenir[41].

Elle rejoint le sens que lui donnaient les révolutionnaires de 1789, ce sentiment profond du lien unissant tous les êtres humains, cette reconnaissance de l'humanité en chacune et chacun. Cette ouverture à l'universel s'ancre toutefois dans le particulier : dans la famille, dans la communauté, la nation. Sans l'universel, le risque de repli n'est pas sans danger. Mais cette universalité n'est plus donnée comme autrefois, par Dieu ou par la raison; elle est elle-même en construction.

C'est d'abord dans l'espace national que s'exprime cette coopération sociale. Mais avec la mondialisation accélérée qui est en cours, la fraternité invite à une ouverture sur le monde, à la

---

40. La solidarité est plus restreinte que la fraternité. Elle s'exprime à l'intérieur d'un groupe particulier et naît d'une communauté d'intérêts. Elle est une médiation concrète de la fraternité, mais peut aussi la miner, si elle se replie sur des intérêts particuliers. Voir *Relations,* no 586 (1993), « Le pari de la fraternité ».

41. Selon Rawls (1971), c'est cette valeur qui justifie une distribution inégale des ressources envers les plus démunis.

reconnaissance de l'interdépendance entre les nations, à une solidarité qui se fasse internationale. Dans la perspective planétaire que nous avons esquissée au chapitre précédent, elle prend même une signification encore plus large. La rationalité technicienne a tellement étendu son empire que la survie de l'humanité s'en trouve menacée. Ainsi, la fraternité doit-elle désormais non seulement s'ouvrir au monde, mais à l'environnement humain.

La fraternité se fonde finalement sur une éthique de la communication qui, comme l'écrit Meirieu (1993a), vise à « préparer une société où les hommes soient capables de s'entendre sans pour autant toujours s'approuver » (p. 9), où le « convaincre » ne soit pas un « vaincre ». La fraternité suppose la recherche d'une résolution pacifique des conflits, elle invite à la paix et au désir de paix. C'est l'espace du débat et de la confrontation démocratiques, au-delà des intérêts particuliers.

L'école devrait être un lieu où s'apprennent la vie démocratique, la participation, le respect des autres et de leurs opinions. Elle devrait permettre la résolution des conflits sur un autre registre que celui de la violence qu'elle condamne, valoriser des activités où la coopération, l'entraide et le partage soient à l'honneur. Elle devrait être un lieu d'éducation à la citoyenneté, avec toute l'ampleur que recouvre désormais ce concept.

De valeurs et de morale

Liberté, égalité et fraternité forment donc la trilogie des valeurs démocratiques. Ce qui implique un sujet autonome qui ne saurait se concevoir sans l'existence et l'exigence de son semblable pour conduire à une communauté politique fondée sur la coopération et la discussion.

Ces valeurs fondamentales ne se décrètent pas. Elles se construisent par la pratique concrète, dans l'ensemble de l'expérience éducative. Comme le rappelle Audigier (1991), « l'école doit accepter de soumettre à la critique ses pratiques, son fonctionnement, au nom même des valeurs qu'elle prétend transmettre et de les orienter vers un respect toujours plus grand de ces valeurs » (p. 45). La classe, l'établissement doivent être des lieux de formation aux valeurs démocratiques.

Ces valeurs premières et celles qui en découlent ne sont pas seules présentes en éducation, mais ce sont, pour rejoindre la classification de Reboul (1992), les valeurs qui représentent les buts de l'éducation, celles auxquelles elle devrait préparer. Il en est d'autres qui sont indispensables à l'éducation elle-même, qui donnent corps à sa démarche. On peut, par exemple, mentionner ici la curiosité intellectuelle, la recherche de la vérité, l'effort, l'esprit d'initiative et bien d'autres. Cette question sera traitée avec la formation fondamentale.

Les valeurs ouvrent plus largement sur toute la question de la morale. Pour certains, c'est par le seul apprentissage intellectuel des différentes disciplines que se développeraient les dispositions morales. On peut douter que les seules connaissances répondent aux besoins modernes de l'éducation morale; elles fondent le vrai mais ne disent rien du juste. La science moderne soulève même un ensemble de questions éthiques qui transcendent le domaine de la vérité.

D'autres, sur la base des théories de Kohlberg, insistent justement sur la nécessité de soutenir et d'accélérer le développement moral de l'enfant, « en faisant réfléchir les élèves sur des dilemmes moraux, des conflits moraux authentiques et pour lesquels il n'y a pas de réponse adulte toute faite » (Forquin, 1993, p. 88). Cette approche dite de clarification des valeurs a soulevé de nombreuses critiques. On lui reproche son relativisme, toutes les opinions morales se valant (Gutman, 1987).

L'éducation morale implique beaucoup plus que la seule capacité de choisir. Le développement de personnalités démocratiques devrait être en soi un objectif. Avec Legrand (1991), on doit reconnaître que « l'apprentissage de la démocratie avec le respect de l'autre, son écoute, le parti de la coopération sont des liens puissants pour une formation à la morale personnelle » (p. 57). La vie scolaire elle-même est aussi une leçon de morale; ne serait-ce que par l'exemple, tout éducateur éduque moralement.

La liberté exige aussi l'acceptation de la diversité. La morale scolaire et l'éducation morale n'ont aujourd'hui d'autre choix que de s'adapter au pluralisme des codes et des valeurs. Au « crépuscule du devoir », il faut mettre l'accent sur la conscience morale plutôt que sur l'intégration des normes, comme l'écrit Legrand (1991), car « la responsabilité personnelle et la liberté de choix sont fondamentales en la matière » (p. 16). Celle-ci ne saurait plus se prêcher, ni s'inculquer. Elle est quête plutôt que soumission, elle implique l'incertitude, le doute. Les injonctions morales d'autrefois n'ont plus l'autorité qu'elles avaient; les élèves ne sont plus ce qu'ils étaient; l'éducation démocratique devra en tenir compte.

UN BIEN COMMUN À DÉFINIR

La démocratie exige donc un espace public où puissent s'exprimer les tensions inévitables entre les principes de liberté et d'égalité. Un espace où les personnes se reconnaissent comme citoyennes et citoyens, membres d'une « cité », avec les droits et obligations qui en découlent. Un espace où elles peuvent agir démocratiquement pour définir ce qui constitue le « bien commun », au-delà de leur conception particulière de la « vie bonne ».

Aussi, un cadre général est-il nécessaire pour réguler la diversité et la pluralité des demandes et des intérêts des groupes qui forment la communauté politique. Il faut donc élaborer un ensemble de règles et de normes qui visent à faire en sorte que les valeurs qui inspirent la démocratie fondent également ses institutions.

Malgré la méfiance de la pensée démocratique envers la bureaucratie, on s'entend généralement pour que l'État adopte des lois et utilise même la contrainte pour amener les membres des diverses associations à ne pas prendre en compte leurs seuls intérêts mais aussi ceux du bien commun. Cela explique que les relations commerciales et les relations de travail, le champ d'action des associations professionnelles ou syndicales et un ensemble d'autres activités soient encadrés par l'État et qu'existent des politiques de redistribution de la richesse. C'est le prix de la civilisation.

L'institution de l'école publique et de la fréquentation scolaire obligatoire est le fruit d'une telle démarche. L'éducation de base pour tous s'est avérée historiquement essentielle à la continuité culturelle et à la démocratie, au-delà des intérêts particuliers des familles ou des Églises. Avec le temps, l'éducation est aussi apparue comme un pilier de la justice sociale en contribuant à vaincre les différents déterminismes sociaux. Aujourd'hui, c'est particulièrement autour des questions de justice et de pluralisme que porte le débat sur le bien commun éducatif.

Une question d'équité et de justice

Pour certains, « la seule justice possible pour l'école, c'est de promouvoir l'égal accès de tous à la culture scolaire » (Cornu et al., 1990, p. 44). C'est bien mince, même si l'on peut admettre avec eux que l'école doive être « exonérée de la tâche de sauver la société (...) » (p. 60).

Derouet (1992) va dans le même sens lorsqu'il affirme que « si l'école peut effectivement être plus juste, c'est en étant d'abord l'école » (p. 281). Constatant la multiplicité des principes de justice qui traversent l'univers scolaire, il ne croit plus à la possibilité d'un compromis national et propose, dans le cas de la France, de « faire fonctionner le système à partir de compromis locaux » (p. 32). Mais une telle décentralisation ne saurait pourtant disposer de questions qui ne peuvent être résolues qu'à l'échelon national.

Ces enjeux sont importants. « La justice, écrit Rawls (1971), est la première vertu des institutions sociales, comme la vérité l'est des systèmes de pensée » (p. 3). Elle exige un consensus sur les principes qui la fondent et que tant les individus que les institutions s'engagent à respecter. Ces principes sont eux-mêmes objet du débat démocratique et sont ainsi remis en cause constamment. « Ils procurent, poursuit-il, une façon d'assigner les droits et les devoirs (...) et ils définissent une distribution adéquate des fardeaux et des bénéfices de la coopération sociale » (p. 4).

Dans sa théorie de la justice, Rawls suggère, qu'en principe, aucune distinction arbitraire ne devrait être établie entre les personnes dans l'assignation des droits et des devoirs fondamentaux. Procurer certains avantages ou imposer un fardeau plus lourd à des individus ou à des groupes particuliers ne peut être considéré juste qu'en autant que cela profite aux moins avantagés.

Pour sa part, Walzer (1992) prône l'adoption de principes propres aux différents domaines de l'activité sociale, chacun correspondant à une « sphère de justice ». Il s'en prend aux « impérialistes » qui veulent imposer une même règle indifféremment à toutes les institutions, sans égard à leur mission propre. C'est le cas, notamment, des tenants du marché qui proposent que la poursuite de l'intérêt personnel serve de règle, en éducation comme en consommation.

Dans une réflexion sur la distribution de l'éducation publique en démocratie, Gutman (1988), s'inspirant des réflexions de Walzer (1983), suggère de distinguer les principes de justice qui s'appliquent à la formation de base de ceux qui s'appliquent par la suite. Selon elle, l'État doit tout mettre en oeuvre pour combattre les inégalités qui empêchent certains jeunes d'atteindre le seuil minimal de formation nécessaire pour qu'ils soient en mesure non seulement de mener une vie décente, mais aussi de participer activement à la vie démocratique.

Meirieu (1993b) établit la même distinction; il ajoute qu'il est inadmissible d'exclure certains élèves des savoirs qui permettent d'accéder à la maturité politique, sociale et professionnelle. Ce faisant, il ne s'agit pas, précise Walzer (1983), de réprimer les différences, mais de reporter la différenciation. C'est la réussite de chacune et de chacun qui doit alors primer.

Selon Gutman, l'atteinte de ce seuil minimal par le plus grand nombre devrait non seulement fonder la distribution des ressources entre les établissements, mais aussi celle des élèves, de façon à maximiser les chances de tous, surtout de ceux que l'on sait désavantagés. Si la distribution des élèves entre les établissements est aussi une question de justice, précise-t-elle, c'est parce qu'elle influence l'environnement éducatif; les élèves sont des ressources les uns pour les autres et leur distribution affecte la qualité de l'éducation.

Walzer (1983) ajoute à ce sujet que les écoles devraient anticiper le plus possible, dans le respect des autres principes démocratiques, les formes d'association que l'on souhaite entre les adultes dans une démocratie, c'est-à-dire une association sans distinction de sexe, d'origine ethnique, d'habiletés. C'est à l'intérieur d'une telle école commune que devraient s'exprimer le pluralisme et la diversité. Le défi est d'assurer cette « communauté » dans le respect des particularités de chacun. Agir autrement, ce serait anticiper non pas une société démocratique, mais une société duale.

Trois éléments de justice distributive sont donc à considérer en ce qui a trait à la formation de base, dans le but d'assurer la réussite du plus grand nombre; il s'agit de la distribution des ressources, des élèves et du « fardeau scolaire ». Ce n'est qu'au prochain chapitre, lorsqu'il sera question de la démocratisation de la réussite, que nous en verrons les conséquences sur l'organisation scolaire et que nous nous attarderons à la définition de ce seuil minimum.

Qu'il suffise pour le moment de mentionner que ces principes inspirent déjà en partie, mais en partie seulement, les actions des pouvoirs scolaires. Vont dans le sens de ces principes, les politiques qui prévoient une distribution inégale des ressources éducatives afin de combattre les conséquences de certaines inégalités qui entachent le principe de justice; c'est notamment le cas des interventions en milieu socio-économiquement faible. S'y opposent les politiques qui font supporter à l'école publique ordinaire plus que sa part du fardeau scolaire. Par exemple, l'intégration des enfants handicapés ou en difficulté et l'obligation de la fréquentation scolaire sont exclusivement supportées par l'école ordinaire; les écoles sélectives de toutes sortes, qu'elles soient publiques ou privées, des ordres primaire ou secondaire, ne partagent pas actuellement le poids de ces décisions collectives. Finalement, la distribution des élèves n'anticipe pas toujours, loin s'en faut, la démocratie souhaitée.

En conséquence, il est nécessaire qu'un ensemble de principes généraux, adoptés par l'État, viennent encadrer les pratiques institutionnelles et la distribution des ressources éducatives, afin d'assurer une juste répartition des avantages et du fardeau de la coopération sociale. On ne saurait demeurer coi face à la montée du « consumérisme » scolaire. La prise en compte de la demande dans le champ de l'éducation exige en contrepartie un encadrement national si l'on veut garder l'école dans l'espace de la justice. Si l'on se plaint d'encadrements trop précis en certaines matières, il est des principes de justice qui ne font l'objet d'aucune règle. Il faudrait alléger les premiers et préciser les seconds.

Tout élève a droit non seulement à une formation de base, mais aussi à une qualification professionnelle qui lui permette d'intégrer le marché du travail; l'école doit y pourvoir. Mais les principes qui devraient régir la justice éducative au-delà du seuil jugé nécessaire pour toutes et tous sont à distinguer de ceux qui précèdent, avons-nous dit.

L'égalité des chances doit néanmoins continuer de prévaloir. Tous doivent avoir un accès égal à l'enseignement postsecondaire et à des possibilités d'éducation permanente. L'intérêt personnel, la motivation, les besoins de la société et de l'économie doivent alors

être davantage pris en compte et une diversification progressive de
l'enseignement mise en place.

Un pluralisme ambigu

La notion de pluralisme est en elle-même porteuse d'ambiguïté. En démocratie, le pluralisme ne saurait être absolu. Sa reconnaissance même aux chapitres de la culture, de la religion et de la
morale découle de l'adhésion à des principes supérieurs qui permettent justement son existence. C'est dire que l'existence même du pluralisme implique *a priori* l'allégeance aux principes et aux institutions qui fondent la démocratie. Le pluralisme à ce dernier niveau
pourrait conduire à la négation même de la possibilité démocratique
(Marcil-Lacoste, 1992). Bref, la liberté ne saurait impliquer la valorisation sociale de toutes les différences.

La citoyenneté démocratique exige l'adhésion aux deux
fondements de l'État démocratique moderne : des institutions
publiques communes d'une part et les chartes des droits d'autre part.
Ce sont ces deux références qui fondent les critères permettant de
distinguer ce qui est admissible de ce qui ne saurait l'être.

Ainsi, dans une société pluraliste, l'école démocratique
devrait-elle penser le bien commun au-delà des diverses conceptions
particulières de la « vie bonne ». Elle devrait s'affirmer indépendante
de toute croyance religieuse; elle n'a pas à se faire l'apôtre de religions particulières. Si tel était le cas, chaque croyance ou religion
devrait pouvoir profiter des mêmes avantages et privilèges. Une telle
solution serait carrément impraticable et, de plus, serait loin de
favoriser la coopération nécessaire à la vie démocratique.

De la même façon, l'école publique ne saurait préparer des
types de personnes et de sociétés fondamentalement différents concernant leurs rapports à la démocratie. Le pluralisme des identités doit
s'insérer à l'intérieur du cadre qui définit la citoyenneté. Cette dernière confère des droits, mais aussi des devoirs envers la collectivité; elle
implique une loyauté envers les institutions communes et un intérêt
dans les affaires publiques. Car tous participent d'une même société.

C'est ici qu'intervient la culture publique commune, ce
noyau de valeurs, de règles, de conventions qui servent de référence

commune et qui assurent l'indispensable cohésion sociale. Cette culture commune n'est pas définie une fois pour toutes. Elle est à la fois héritage et projet, enracinement et évolution. Elle est ce qui vise en même temps à développer le sentiment d'appartenance à une société pluraliste et ce qui ouvre à une commune humanité. Elle prend une importance toute particulière dans le contexte que nous avons décrit au chapitre précédent.

Le pluralisme doit donc se construire dans le cadre d'une école commune qui soit respectueuse de la pluralité des croyances et des religions. Reconnaître l'authenticité des croyances de l'autre c'est, du même souffle, reconnaître les particularités de ses propres croyances (Touraine, 1994). Mais cette école est aussi l'école d'une société particulière, avec une langue, une histoire et des institutions communes. C'est là une autre facette du bien commun éducatif qui devra marquer tant le curriculum et les pratiques éducatives que les règles de vie à l'école.

UN SUJET DÉMOCRATIQUE À FORMER

L'école est d'abord un lieu d'enseignement et d'apprentissage. Les connaissances et les compétences à acquérir, les habiletés à développer sont au coeur de sa mission et soulèvent des questions fondamentales. La réponse à ces questions était relativement simple dans une société québécoise traditionnelle où les savoirs semblaient réduits et immuables. Mais, dans un monde où les changements se succèdent à un rythme accéléré, où les connaissances s'accumulent à une vitesse vertigineuse, où les sources de savoir se multiplient, la réponse ne va pas de soi. Cela explique, en partie, les critiques nombreuses et sévères adressées à l'école actuelle de même que les incertitudes qui pèsent sur sa mission.

La définition des objectifs de cette formation s'appuie sur une conception de la personne et suppose un jugement sur ce qu'est la société et sur ce qu'elle doit être. Or, bien souvent, ces jugements éthiques et politiques ne sont pas explicites; on se refuse même à les reconnaître (White, 1991). C'est pourquoi nous avons d'abord esquissé ce projet social et précisé les valeurs démocratiques qui doivent fonder le projet d'éduquer, avant de nous attarder aux objectifs de formation.

C'est à partir du concept de sujet démocratique - avec toute l'étendue que nous lui avons donnée - que nous proposons maintenant de rechercher ce sens qui permettrait de donner toute sa cohérence au curriculum[42] commun. C'est également avec l'objectif de former un tel sujet démocratique que nous invitons à scruter et choisir les contenus de formation. On ne pourra éviter d'aborder la pédagogie sans laquelle cette formation « ne peut avoir de chance d'aboutir » (Meirieu, 1991, p. 155); ce sont précisément des sujets qui apprennent. Avant de nous y attarder, nous ferons état des efforts déployés depuis quelques années pour définir le contenu ce ce qu'il est convenu d'appeler une formation fondamentale.

Une formation fondamentale

À l'image de nombreuses notions éducatives, la formation fondamentale n'est pas univoque. Angers (1990) note qu'elle manque de netteté, que ses objectifs conservent quelque chose de flou et de nébuleux. On le comprend à son évolution. Née pour définir la mission propre de l'enseignement collégial, au milieu des années soixante-dix, la formation fondamentale s'est peu à peu élargie à l'ensemble des ordres d'enseignement.

Aujourd'hui, on retient généralement la définition que lui a donnée initialement le Conseil supérieur de l'éducation. La formation fondamentale serait « l'ensemble des apprentissages essentiels (dans le savoir et les connaissances organisés, dans les habiletés et les capacités, dans les attitudes et le champ des valeurs) à un développement personnel et continu et à une intégration dynamique dans la société » (1984a, p. 7)[43]. Pour l'enseignement supérieur, on a

---

42. La notion de curriculum est utilisée ici dans le sens restreint habituel des contenus d'enseignement et non pas dans le sens élargi que lui a donné le ministère de l'Éducation, soit l'ensemble des normes et règles régissant l'école (MEQ, 1992b).

43. Le Conseil pédagogique interdisciplinaire (CPIQ, 1992) ajoute qu'elle doit aussi représenter :
    « • la synthèse d'une tradition et d'un patrimoine avec une vision et une image de l'avenir;
    • l'appropriation d'une identité québécoise avec une ouverture aux autres cultures; » (p. 26).

toutefois précisé depuis que cet « essentiel » devait être défini « dans un champ de savoir ou de savoir-faire » (CSE, 1992e, p. 41).

Outre le Conseil, de nombreux chercheurs et organismes ont depuis fait de la formation fondamentale une priorité. Le Centre d'animation, de développement et de recherche en éducation (CADRE), le Conseil pédagogique interdisciplinaire (CPIQ), qui regroupe les diverses associations par discipline, le Conseil des collèges et le ministère de l'Éducation ont largement élaboré sur ce sujet. Des colloques ont été tenus (CPIQ, 1992; Gohier, 1990) et les discussions sont loin d'être terminées.

Cette recherche du « fondamental » répond à des critiques nombreuses et variées. Ainsi les programmes d'études ne présenteraient pas une vision cohérente et globale de la formation des jeunes; chacun serait construit selon une logique propre, ce qui conduirait à un enseignement cloisonné, axé sur une multitude d'objectifs disparates (CPIQ, 1992). Les disciplines apparaissent alors comme des fins plutôt que comme ce qu'elles devraient être, des moyens (CSE, 1984a). On ajoute encore la pauvre qualité de l'enseignement, l'inconscience de l'héritage culturel, la faiblesse de la formation logique et critique (Gadbois, 1990). Le système d'éducation ne produisant pas ce qu'il serait censé produire, on se demande, en conséquence, « c'est quoi l'essentiel ? » (CADRE, 1990).

On peut déceler dans certaines critiques un brin de nostalgie. Gadbois (1990) parle d'un « retour » à la formation fondamentale que certains affirment avoir déjà connue puisqu'elle aurait existé chez nous entre 1635 et 1965 (Savard, 1990). Elle ne serait d'ailleurs pas sans évoquer spontanément les humanités (Turcotte, 1990). Ajoutons que Balthazar et Bélanger, que nous avons associés au courant traditionnel avec *L'école détournée,* étaient respectivement président et membre du comité chargé de superviser le rapport du CSE sur la formation fondamentale.

Les objectifs visés par cette réflexion méritent néanmoins qu'on s'y attarde. La formation fondamentale désignerait, dit-on, « l'idée-force d'un vaste mouvement québécois voué à l'amélioration de l'éducation » (Gadbois, 1990, p. 119). Elle fournirait une plateforme et des références pour établir le curriculum, le régime pédagogique et les programmes (CPIQ, 1992). Elle mènerait à s'interroger sur la façon de se centrer de nouveau sur l'élève (CADRE, 1990) et

situerait les disciplines dans une cohérence constamment mise à jour
(CSE, 1984a). Elle aurait plus précisément pour objectifs, affirme le
MEQ (1993a) dans une perspective qui rejoint la nôtre, de former des
personnes capables de prendre en charge leur croissance personnelle,
d'agir en citoyennes ou citoyens responsables et d'interagir positivement avec leur environnement.

On s'attarde d'abord, en général, à identifier un ensemble
d'habiletés ou d'apprentissages génériques, c'est-à-dire applicables à
de nombreuses situations. Ces apprentissages transdisciplinaires et
transférables font référence à la capacité d'apprendre à apprendre, à
des capacités d'analyse, de synthèse, de résolution de problèmes, à
des attitudes telles que l'autonomie, la créativité, la rigueur, l'effort
soutenu, l'esprit critique et la responsabilité[44]. L'énumération peut
être plus ou moins longue. Le MEQ (1993a), par exemple, regroupe
cet ensemble sous trois habiletés génériques : apprendre à apprendre,
poser et résoudre des problèmes et communiquer. Des degrés de
maîtrise de chacune devraient être précisés, par cycle au primaire et
par classe au secondaire.

On voit mal comment l'école pourrait remplir sa mission de
formation sans chercher à développer de telles habiletés. Il faut
également reconnaître que la démarche visant à identifier un ensemble d'habiletés nécessaires en toutes circonstances est particulièrement opportune dans un contexte marqué par la multiplication des
connaissances et des sources permettant d'y accéder. Que l'on amène
chacune et chacun à s'en préoccuper est louable. Mais, dans la perspective démocratique qui nous inspire, il faut malheureusement constater, dans bien des cas, la faible place occupée par des valeurs pourtant fondamentales telles l'égalité entre les sexes et les groupes
ethniques, la reconnaissance du pluralisme, l'ouverture sur le monde,
la solidarité[45].

---

44. Voir par exemple : Conseil des collèges (1992, p. 85), Conseil supérieur de
    l'éducation (1992e, p. 41), MEQ (1993a, p. 7-10), CADRE (1990, p. 39),
    Henchey (1991, 6-7).

45. Notons la perspective plus large adoptée par le Conseil des collèges (1992) qui
    inclut l'ouverture au monde, la capacité de réfléchir sur des questions morales et
    éthiques, la conscience des problèmes sociaux.

Dans une deuxième étape, on se préoccupe de définir des apprentissages essentiels. Ainsi le CPIQ (1992) propose un « curriculum optimal » qui devrait « refléter » les sous-systèmes culturels de la société qui ont une influence sur l'éducation : sous-systèmes économique, social, esthétique, éthique, etc. On n'en dit guère plus; dans le contexte actuel, le « reflet » pourrait n'être qu'étroite reproduction.

Le document de travail du MEQ est beaucoup plus explicite. Les apprentissages essentiels sont regroupés autour de quatre grands thèmes : la connaissance de soi comme individu et comme membre d'une société, les principaux langages (langue, arts et mathématique), les sciences humaines, ainsi que les sciences de la nature et la technologie. Ce regroupement n'est pas sans intérêt; mais les apprentissages que l'on retrouve sous chaque thème soulèvent des problèmes sérieux.

On garde d'abord la désagréable impression d'un cadre-alibi dans lequel on s'est ingénié à distribuer le contenu du régime pédagogique actuel, y compris ses amendements les plus récents. C'est toutefois l'absence d'un référent plus large, d'une réflexion et d'un projet tournés vers l'avenir qui constitue la principale faiblesse de ce cadre qui devrait rien de moins que présider à la révision des régimes pédagogiques et des programmes d'études.

Les objectifs de formation semblent oublier les objectifs sociaux préalablement définis pour se centrer sur un projet individualiste, à l'image d'une société équivalente à la somme de ses membres. Par exemple, l'élève doit « se situer » à l'égard des manifestations religieuses présentes dans son milieu; faut-il rappeler que l'intolérance et l'intégrisme sont aussi des façons de se situer. L'élève devra encore « appréhender la société en tant que réalité composée d'un groupe de personnes qui évolue sur un territoire donné, à une époque donnée et dont les membres *partagent des traits communs* » (p. 8, nous soulignons). La perspective historique semble réduite à l'histoire du Québec et du Canada. Les enjeux éthiques nouveaux posés par les technosciences, les grands problèmes contemporains, les exigences de la diversité ethnoculturelle ne retiennent guère l'attention.

C'est cette démarche qui a conduit à la volonté de définir des profils de formation qui indiqueraient « les savoirs, les savoir-faire et les savoir-être caractéristiques d'un élève à la fin du primaire et du secondaire » (MEQ, 1993c, p. 20). Il s'agirait d'établir un fil conducteur permettant de réaliser la mission de l'école. On voit mal comment ce fil pourrait naître sans réflexion d'ensemble.

On note les mêmes faiblesses dans le cas des orientations adoptées pour l'enseignement collégial. Il n'y est guère question de la tolérance, de la justice sociale, de la coopération, de la solidarité et des autres valeurs fondamentales de la démocratie à laquelle le cégep devrait éduquer dans le cadre d'une formation générale renouvelée (CEQ, 1993b).

Malgré l'intérêt de la réflexion sur la formation fondamentale, il reste encore beaucoup à faire pour définir ce « fondamental » en éducation. Une telle réflexion mérite d'être poursuivie mais elle exigera d'être elle-même fondée.

Une cohérence nouvelle

L'école, et c'est là son rôle spécifique, doit assurer la transmission et l'appropriation des contenus d'enseignement. Le choix de ces contenus soulève plus fondamentalement, comme l'écrivent Cornu et ses collègues (1992), « une interrogation sur les manières dont le savoir peut produire du sens » (p. 110). Car le savoir n'est pas en lui-même source de sens. Il prend au contraire toute sa valeur selon le sens qu'on lui donne.

Dans cette perspective, les savoirs ne sont pas que transmission du monde et cette dernière ne saurait, nous dit Fourez (1990), se faire sans interprétation. Ils sont plus globalement porteurs d'un projet; car l'école n'est pas que reproductrice, elle est aussi productrice d'une vision de l'être humain et de la société. On connaît bien sûr les dangers des modèles préétablis auxquels tous doivent se conformer. La formation de « bons chrétiens » donnait certes sens et conférait une unité aux programmes d'études des années cinquante, mais ce sens étouffait et stérilisait. Ce projet devra donc être débarrassé de toute velléité totalisante.

Affirmer la nécessité d'une cohérence nouvelle, répondant aux exigences de la formation d'un sujet démocratique et à laquelle les diverses disciplines devront contribuer ne signifie nullement qu'il faille faire table rase du curriculum actuel. Il s'agit plutôt d'examiner les contenus de formation et de les réorganiser au besoin afin qu'ils contribuent plus adéquatement à ce projet.

Ce sujet démocratique, nous avons déjà entrepris de l'esquisser. Les mutations sociales que nous avons décrites au chapitre précédent et les valeurs que nous avons identifiées plus haut comme fondatrices de la démocratie nous en tracent le contour. Ainsi le curriculum commun devrait-il, selon les objectifs propres à chaque ordre d'enseignement, contribuer à développer chez l'élève (tout en sachant que c'est là l'objectif de toute une vie) des attitudes et capacités liées à sa personne, à la société et plus largement à l'humanité[46].

La notion de sujet implique l'autonomie et la responsabilité dans l'orientation de sa propre vie; la recherche de relations personnelles étroites et de la coopération avec d'autres dans la poursuite de buts communs; la capacité de fournir des réponses originales à ses besoins; la poursuite de son développement personnel; et finalement, la capacité d'effectuer des choix professionnels de façon lucide et répétée.

En ce qui a trait à la vie sociale, la démocratie exige le sens partagé d'une communauté politique (précisons qu'il s'agit pour nous de la communauté québécoise) et d'une culture commune fondée sur la maîtrise de la langue et de l'histoire nationales, la défense et le respect des droits et libertés et de la diversité ethnoculturelle; un souci pour la justice sociale et le refus de l'injustice et de l'oppression; une capacité de juger des grands enjeux politiques, éthiques et sociaux contemporains.

Finalement l'avenir exigera de plus en plus une ouverture sur le monde qui soit fondée sur la conviction d'une commune humanité et qui soit préoccupée par la paix et le développement viable; il exigera encore une conscience de l'importance de l'environnement naturel et du fragile équilibre planétaire et un engagement personnel à les protéger.

Une telle perspective, on l'aura compris, s'oppose à un « retour » à l'essentiel, au sens conservateur du terme. L'essentiel dont il est ici question implique plutôt une perspective d'ouverture,

---

46. Certains des éléments qui suivent sont empruntés au Conseil des collèges (1992), au CSE (1993), à Purpel (1989) et à White (1991).

un regard tourné vers l'avenir. Il ne saurait être restauré. Les savoirs doivent plutôt renforcer leur pouvoir libérateur en permettant d'échapper aux pouvoirs de ceux qui cherchent à utiliser les êtres humains à leur profit (Meirieu, 1993b).

La formation de tels sujets démocratiques exige la maîtrise d'une somme de connaissances à propos de soi-même, des autres, de la société, du monde, de la nature. C'est le rôle de l'école de permettre à tous d'y avoir accès, mais elle ne devra pas être seule à y contribuer.

La connaissance n'est toutefois pas synonyme d'une simple accumulation de faits. C'est ce qu'on apprend grâce à l'explication, l'interprétation et la compréhension (Sirotnik, 1990). L'information nouvelle, on peut, au besoin, la retrouver dans les bibliothèques, les médias et les banques de données, à condition qu'on y ait été préparé par une solide formation générale.

Cette formation devra tenter de trouver une solution à certaines critiques que l'on formule au sujet des programmes d'études actuels. On leur reproche notamment d'être morcelés, émiettés, taylorisés, ce qui rendrait difficile une approche plus globale de la réalité. Au secondaire, une approche disciplinaire fermée sur soi « donne l'image de corridors qui ne communiquent pas entre eux » (CSE, 1993, p. 28). Pour reprendre l'image d'Albertini (1992), si, pour se développer « une discipline, comme un bon chien, a besoin de marquer son territoire » (p. 102), ce découpage n'a pas de correspondance directe avec la réalité et peut parfois masquer l'ensemble. Au collégial, la trop grande spécialisation est prise à partie.

On critique également la domination qu'exercent les sciences et les mathématiques sur l'ensemble du curriculum, leur rôle de sélection et d'exclusion et le peu de place faite aux arts et aux humanités. On dénonce la coupure existant entre culture littéraire et culture scientifique ou, selon la formule de Michel Serres (1991), le « partage qui distingue les cultivés ignorants des instruits incultes » (p. 92). On s'en prend finalement, nous l'avons vu, aux tâches multiples qui sont confiées à l'école avec, il faut bien le dire, une certaine nostalgie de l'école d'autrefois.

Un nouvel équilibre est donc à trouver entre formation générale et spécialisation[47], entre les aspects cognitifs et le

---

47. Domenach (1989) nous rappelle que l'on appelait *idiôtes,* en grec, la personne qui, s'enfermant dans un savoir unique, devenait stupide, idiote.

développement de qualités non cognitives, morales, affectives, esthétiques et sociales (OCDE, 1992), entre le proche et le lointain, entre l'identité nationale et l'ouverture sur le monde. Une nouvelle alliance s'impose entre sciences et sciences humaines, entre sciences et éthique dans une perspective « où l'univers physique ne s'opposera plus à l'univers social comme l'inhumain à l'humain (...), le solide au mou, le rationnel au délirant » (Domenach, 1989, p. 145). Nous retrouvons ici le concept de tiers-instruit, cher à Michel Serres, cette personne qui occupe une position tierce, unissant la science exacte, formelle, objective à la culture mouvante.

Ces critiques au sujet des programmes militent pour une coopération plus étroite dans l'enseignement des diverses disciplines, pour une interdisciplinarité qui collabore à un projet commun. Cette perspective ne concerne pas que les programmes d'études ou l'aménagement de l'enseignement; elle ouvre plus largement sur le sens produit par le savoir. C'est ce que nous rappellent les expériences liées à l'éducation relative à l'environnement, l'éducation internationale, l'éducation interculturelle. Il ne s'agit pas de nouvelles disciplines, mais d'une perspective à « infuser » dans les programmes d'études.

C'est en ce sens que Meirieu (1991) propose que les contenus permettent de mieux analyser les grands thèmes du moment grâce à une approche par projets. Il souhaite même que les programmes soient établis à partir des familles de problèmes qu'on souhaite qu'un sujet puisse résoudre pour maîtriser son existence.

L'interdisciplinarité apparaît aussi comme une solution à l'augmentation des connaissances que l'on demande à l'école de transmettre. Il n'y a pas de modèle unique à ce chapitre; on peut même affirmer qu'il reste encore beaucoup à découvrir et à expérimenter.

Cette approche ne dispose pas néanmoins de la nécessaire réflexion sur la contribution des divers champs de savoir à cette formation d'un sujet démocratique. Mais l'envergure d'un tel projet nous dépasse largement. Tout au plus proposerons-nous quelques remarques concernant les langues, l'histoire, les sciences et les arts.

Nous parlons des langues et non pas de la langue. La nuance est de taille. Langue maternelle, langue d'enseignement et langue nationale ne sont pas synonymes. Le français ayant, au Québec, le statut de langue nationale, l'école doit permettre à chaque élève d'en acquérir une maîtrise suffisante.

La langue est d'abord instrument d'expression et de communication. Elle obéit à des règles de base qui doivent être connues de tous et il faudra consentir tous les efforts nécessaires afin que l'ensemble des élèves les maîtrisent. Car, l'école va demeurer le seul lieu spécifique d'apprentissage de l'expression écrite, tout comme de la lecture.

Mais la langue est aussi véhicule de culture, source d'identité personnelle et nationale. Elle demeure un outil privilégié d'accès à un « univers de significations, à un imaginaire collectif que les hommes façonnent et qui les façonne » (Domenach, 1989, p. 91). Plus largement, la lecture ouvre tout un univers d'exploration de soi et du monde. C'est un outil de connaissance irremplaçable.

L'apprentissage d'une langue seconde devient un complément indispensable dans le contexte de la mondialisation en cours. Quant aux langues ethniques, de nombreux facteurs pédagogiques, psychosociaux et même économiques plaident en faveur d'un soutien public à leur apprentissage[48]. Pour leur part, les langues autochtones ont, pour chaque nation visée, le statut de langue nationale.

L'histoire est une autre source de l'identité. Mais elle n'est pas que cela. Elle est aussi relation avec l'humanité dans l'espace et dans le temps; elle nous aide à comprendre le présent. Elle est réflexion sur les origines et source de sagesse pour l'avenir. Si, pédagogiquement, l'enseignement de l'histoire doit partir du plus proche, du quartier, de la nation, il doit également s'ouvrir au plus lointain, au monde, aux grandes civilisations et religions. Elle doit encore faire une place au point de vue des premières nations et à la construction de la diversité ethnoculturelle.

Quant aux sciences, au-delà des critiques et des problèmes qu'elles soulèvent, leur enseignement demeurera un apprentissage de l'objectivité, une protection contre les charlatanismes de toute nature. Pourtant, malgré l'accent mis sur les sciences, l'irrationnel semble en pleine expansion, le savoir scientifique demeure peu accessible au commun des mortels et, dès que possible, nombre d'élèves s'en

---

48. Il est habituellement admis que cet enseignement se donne à l'extérieur de l'horaire scolaire régulier.

éloignent. Aussi l'enseignement des sciences devra-t-il s'ouvrir davantage au monde et à ses préoccupations. Il est temps de lui « donner sens dans une culture, au lieu d'en faire un culte » (Cornu et al., 1990, p. 98)[49].

Les avancées récentes des technosciences soulèvent par ailleurs des questions fondamentales. Les exploits de la biologie moléculaire, par exemple, en dévoilant les mécanismes de la vie, ont ouvert une crise éthique sans précédent. Un enseignement de la technologie s'impose aussi, non seulement comme apprentissage de savoir-faire, mais comme introduction à la réflexion et à l'action. Il n'est pas dit que cette réflexion relève exclusivement de l'enseignement des sciences et de la technologie. On pourrait ici s'inspirer de la perspective suggérée par Atlan (1991). Il s'agit, nous dit-il, « de tracer une voie étroite où la technoscience puisse continuer à nous faire bénéficier de ses fruits tout en nous laissant réprimer sa prétention à être la source unique de vérité et de pouvoir » (p. 206).

Nous consacrons quelques lignes à l'enseignement des arts, car, loin d'occuper la place qui lui revient, il est continuellement menacé par l'utilitarisme ambiant. Les arts touchent au domaine complexe des émotions; ils permettent à l'imagination de se développer. Ils aident à donner à certains élèves un image plus positive de l'école et d'eux-mêmes. L'enseignement des arts permet à l'élève d'apprendre à entendre, à voir, à exprimer et développer sa créativité. Il introduit à un aspect majeur de la culture de l'humanité.

On ne peut manquer certes de mentionner le rôle majeur de la mathématique comme langage et comme outil essentiel à la compréhension de l'univers qui nous entoure. Nous pourrions encore nous attarder à la philosophie, aux autres sciences humaines, à l'éducation physique, etc. Mais cela dépasserait largement l'objectif que nous visions de dégager des grands principes qui pourraient inspirer la révision du curriculum dans une perspective de la formation d'un sujet démocratique; nous avons seulement voulu illustrer ces principes de quelques exemples.

---

49. Wirth (1993) rappelle le projet de la National Science Teachers Association (États-Unis) axé sur le travail de groupe et la découverte personnelle.

Bien sûr, les habiletés génériques identifiées précédemment, lorsqu'il fut question de la formation fondamentale, demeurent centrales et devraient se retrouver au coeur du projet démocratique. Ce sont des habiletés que chaque discipline ou champ de savoir devrait viser à développer.

De l'enseignement à l'apprentissage

La diffusion d'un savoir est une chose, son acquisition en est une autre. Car le savoir ne s'impose jamais en soi; il a besoin de médiations, de mises en situation, d'outils appropriés, bref, de pédagogie. On peut, avec Meirieu (1992a), affirmer que « entre le savoir et la pédagogie il n'y a pas alternative, mais profonde solidarité » (p. 25).

L'apprentissage ne se décrète pas. Dans *Comme un roman*, Daniel Pennac nous relate ses efforts pour susciter l'intérêt et le goût de la lecture; lire, dit-il, ne se conjugue pas à l'impératif. On pourrait ajouter, en paraphrasant Reboul (1992), qu'il n'y a aussi que dans les grammaires que le verbe apprendre - tout comme le verbe aimer - comporte un impératif. Lis, aime, apprends, n'ont pas de sens. L'élève est le seul à décider de s'engager ou non dans ses apprentissages. Personne ne peut le faire à sa place; il faut l'en convaincre.

Aujourd'hui, le défi n'est pas mince. Il ne s'agit plus de rejoindre seulement les élèves qui sont avides d'apprendre, mais la presque totalité des enfants d'un groupe d'âge. Cela vaut également pour les collèges. C'est la réussite du plus grand nombre qu'il faut viser, y compris celle des élèves qui ne voient guère d'utilité ou d'intérêt à ce que l'on veut leur apprendre. Démocratie et pédagogie forment désormais un couple inséparable; sans moyens d'enseignement et d'apprentissage efficaces, l'école ne sera pas ce lieu d'égalité des chances que nous souhaitons.

Chez les Grecs, le pédagogue était la personne - généralement un esclave - qui accompagnait l'enfant chez ses différents maîtres; il jouait aussi le rôle de répétiteur de ses leçons et assurait son éducation morale (Gauthier, 1993). L'usage nous a éloignés de l'étymologie. La pédagogie est née au XIXe siècle de la nécessité d'affronter les difficultés rencontrées dans la généralisation de l'école. Avec le temps, elle est devenue « la réflexion sur l'acte d'enseigner et la recherche des voies et des moyens propres à rendre cet acte efficace » (Hadji, 1992, p. 133). Elle s'est même élargie à toute « réflexion sur l'éducation des personnes en tant que cette éducation s'effectue à travers des apprentissages » (Meirieu et Develay, 1992, p. 50).

Car l'enjeu est plus que le seul savoir, nous l'avons vu. La pédagogie, outil de l'éducation, vise la transformation de l'autre tout autant que l'appropriation d'un réel déjà connu; elle est oeuvre de persuasion; elle ne se fonde pas sur la science, mais sur le préférable; elle est une théorie pratique (Gauthier, 1993). Aussi les pédagogies sont-elles, comme l'écrit Houssaye (1992), « porteuses de valeurs propres » (p. 85).

Une approche constructiviste de la connaissance réintroduit l'élève comme sujet de ses apprentissages qu'il réalise non seulement à partir de ce qu'il sait déjà, mais aussi de ce qu'il est et de ce qu'il fait. Tout pédagogue cherche donc à construire des ponts entre les expériences de vie très diverses des élèves et les problèmes qu'ils se posent, d'une part, et les objectifs d'apprentissage, d'autre part. La caricature de la « pédagogie du vécu », si populaire en certains milieux, peut bien stigmatiser quelques outrances, mais elle oublie l'essentiel. S'en tenir au vécu des élèves, à une vision étroite de leurs intérêts, c'est, il est vrai, renier la pédagogie. Mais ne pas se fonder sur ce qu'ils sont, c'est se condamner à l'échec.

Chaque élève aborde les apprentissages avec son histoire affective, cognitive et sociale propre. Or, la diversité ne cesse de s'accroître à ce chapitre. Aussi, le défi pédagogique réside-t-il dans la prise en compte d'une diversité ethnoculturelle croissante et d'un écart grandissant dans « le capital culturel » des familles. Il faut ici chercher à transformer cette immense hétérogénéité en ressource, plutôt que de n'y voir qu'un problème.

Lorsqu'il est question de prendre en compte l'individualité des élèves, le « respect du rythme d'apprentissage » des élèves fait florès. Mais ce « respect », tout comme le « vécu », conçu étroitement, risque d'entretenir les inégalités. Car, comme l'écrit Meirieu (1992a), ceux qui « devraient apprendre à travailler plus vite, resteront, au nom du respect qui leur est dû, tributaires d'un lourd handicap » (p. 124). Il en va de même des styles d'apprentissage et de diverses typologies. Meirieu et Develay (1992) nous mettent en garde contre un « délire classificatoire » et nous invitent plutôt à concevoir de tels outils comme des « points d'appui ». L'enfermement des élèves dans une nature déterministe est à proscrire.

La pédagogie se fonde au contraire sur la confiance dans les capacités d'apprendre de chacune et chacun. Cette conviction, écrit Meirieu (1991) est « une provocation à penser, à imaginer, à agir, à exercer sa liberté » (p. 29). Plus je me sens responsable du succès de chacun, ajoute-t-il, plus j'invente des moyens pour le faire réussir. La diversité est ici gage de succès, car il s'agit de rejoindre tous les élèves, de faire en sorte qu'ils apprennent à penser de façon critique, à résoudre des problèmes, à analyser, etc.

« Aucun apprentissage n'évite le voyage (...) Le voyage des enfants, voilà le sens du mot grec pédagogie » (Serres, 1991, p. 28). Ce voyage a besoin d'un guide, le pédagogue, dont la mission est de tracer le parcours, d'accompagner dans ce long périple.

Si l'on se fie aux analyses du CSE, l'école québécoise a beaucoup à faire à ce chapitre. Selon un sondage mené auprès des jeunes de 15 à 24 ans, 34 % des élèves ont pointé la façon d'enseigner comme étant l'aspect de l'école ayant le plus grand besoin d'amélioration; le besoin d'apprendre à travailler par soi-même venait au deuxième rang avec 26 % de la faveur estudiantine. Ces préoccupations devançaient largement le contenu des cours, le climat de l'école, etc. (CSE, 1993).

Pour des raisons multiples liées aux contrôles exercés, à la pression des programmes et à la tradition, la nouveauté pédagogique n'est guère répandue, quoi qu'en disent les détracteurs de la pédagogie nouvelle. Le cours magistral domine toujours et il nourrit la représentation commune que l'on se fait de l'école tout comme l'image que les médias nous en rapportent. Son origine remonte au Moyen Âge, à une époque où les livres, encore manuscrits, étaient d'une extrême rareté. Seul le maître en possédait et le cours consistait alors à en faire une lecture commentée à ses élèves (Albertini, 1992).

La formule du « je parle donc tu suis » (Albertini, 1992) ne mérite plus autant d'honneur. L'écoute ne va plus de soi. On peut s'évertuer à discourir devant un groupe d'élèves assis - même sagement - en rangs d'oignons sans que le succès ne soit garanti. Mais le cours magistral ne mérite pas non plus l'opprobre généralisé que certains lui vouent. Comme tout choix pédagogique, il devrait être une réponse adaptée à un contexte particulier. Étant donné la diversité scolaire, c'est dans une variété des méthodes d'enseignement que réside le meilleur gage de réussite; cela vaut pour chaque enseignante ou enseignant, mais aussi pour l'ensemble d'un établissement (De Peretti, 1987).

Malgré une certaine uniformité des pratiques pédagogiques, il faut aussi reconnaître les nombreuses expériences et les innovations qui ont cours en divers milieux. Mais on ne sent pas une volonté réelle des autorités scolaires de soutenir les pédagogues créateurs. L'insistance renouvelée mise sur les contenus d'enseignement et leur évaluation détourne de la rénovation pédagogique pourtant nécessaire à leur appropriation.

Les valeurs que nous avons identifiées au début de ce chapitre pourraient certes inspirer cette rénovation. Autonomie, recherche de l'égalité, coopération, respect de la diversité sont autant de valeurs à prendre en compte dans le choix des pratiques pédagogiques. Cela implique, comme le suggère Paquette (1993), de miser davantage sur le processus d'apprentissage que sur le processus d'enseignement, sur la contribution de celles et ceux qui sont en situation d'apprentissage, sur la réussite de chacune et chacun.

Dans son rapport annuel 1992-1993, le CSE (1993) insiste sur cette nécessité de soutenir l'innovation pédagogique. Il retient particulièrement trois approches qui nous semblent rejoindre les principes qui précèdent : la pédagogie différenciée, l'apprentissage en coopération et les stratégies métacognitives.

La pédagogie différenciée vise à prendre en considération l'hétérogénéité des élèves dans le cadre de la poursuite d'objectifs d'apprentissage communs. Elle prend souvent appui sur un « contrat éducatif » entre l'enseignante ou l'enseignant et l'élève, un contrat parfois élargi à l'école et à la famille. Selon Meirieu (1992a), elle implique une « conception des rapports sociaux comme devant être, à la fois, reconnaissance de la diversité et recherche de solidarité, promotion de ce qui spécifie et quête de ce qui unit (...) » (p. 178). Elle s'est développée comme solution aux difficultés rencontrées dans la rénovation des collèges français (début du secondaire). Tout en maintenant des classes hétérogènes, elle favorise le recours périodique à des groupes de besoin adaptés à des problèmes particuliers, par exemple non pas en français, mais à tel type de problème en grammaire ou en orthographe. Cette approche suppose la constitution d'équipes pédagogiques - car elle peut impliquer plusieurs classes - afin d'assurer la cohérence des interventions.

Cette pédagogie de l'hétérogénéité permet de répondre aux exigences du droit de l'enfant à l'éducation, « sans distinction, exclusion ou préférence »[50]. Pour Perrenoud (1992a), elle implique de « rompre avec l'indifférence aux différences », elle exige de se confronter aux élèves moins gratifiants, de remettre en cause la loi du « chacun dans sa classe ». On pourrait ajouter qu'elle encourage à demander de chaque élève le maximum d'efforts qu'il est en mesure de fournir; c'est là la seule approche susceptible d'assurer un rehaussement efficace des exigences.

L'apprentissage en coopération est plus populaire au Québec, surtout du côté anglophone, sans doute influencé par la deuxième vague de la réforme américaine. Des sous-groupes hétérogènes, soigneusement constitués afin d'assurer la participation de toutes et tous, réalisent des tâches dont la réussite doit dépendre du succès de chaque membre du groupe. « Ces tâches ont un but commun auquel chaque élève contribue pour une part qui lui est propre, ce qui permet de ménager l'équilibre entre une production collective et une contribution individuelle » (CSE, 1993, p. 41).

Des études nombreuses ont démontré que l'apprentissage en coopération, sous ses diverses formes, permettait non seulement d'améliorer les apprentissages, mais aussi de contribuer grandement à l'amélioration des relations entre les élèves de diverses origines ethniques ou culturelles (Slavin et al., 1985).

Quant aux stratégies métacognitives, elles représentent la dernière mode éducative. L'élève est invité à faire un retour réflexif sur ses apprentissages et à s'interroger sur l'efficacité de sa démarche. Elles visent à permettre à l'élève de « superviser et de contrôler comme à distance (...) ce qu'il a fait, ce qu'il fait ou ce qu'il doit faire » (CSE, 1993, p. 40). Ici aussi, une diversité d'approches existe; l'acquisition d'une bonne méthode de travail en est souvent l'objectif (CEQ, 1990).

---

50. *Charte des droits et libertés de la personne*, article 10.

Meirieu (1993a) établit une relation étroite entre la méta-cognition, la pédagogie différenciée et l'émergence d'un sujet. La métacognition, écrit-il, « n'est pas seulement un ensemble de procédures techniques pour interroger les élèves sur la manière dont ils travaillent, c'est bien, tout à la fois, un outil de régulation permanent d'une pédagogie différenciée qui prend en compte les spécificités de chacun sans pour autant l'enfermer dans une hypothétique "personnalité" qu'on le condamnerait à reproduire, et l'expression d'une conviction pédagogique fondamentale : l'émergence d'un sujet est possible... » (p. 11).

On pourrait mentionner encore d'autres innovations, telles que la pédagogie du contrat, la recherche autonome, les pairs aidants. Mais notre objectif était, plus étroitement, de dégager quelques grands principes susceptibles d'éclairer les choix pédagogiques. Il s'agit désormais de penser en termes de propositions pédagogiques adaptées et diversifiées plutôt qu'en termes de classement et de sélection. La prise en compte de l'hétérogénéité par la pédagogie est une condition de l'égalité.

UNE MISSION À PARTAGER

La formation d'un sujet démocratique devrait donc être au centre de la mission de l'école. C'est cette finalité qui devrait inspirer les valeurs à promouvoir, les principes de justice à instaurer, les connaissances à transmettre, les approches pédagogiques à privilégier. C'est sur cette base que nous proposerons, au prochain chapitre, un projet concret pour l'école et le collège.

Mais pour remplir cette mission, l'école aura besoin d'aide. Elle devra s'ouvrir à l'extérieur, sur la communauté. Les autres institutions qui ont une mission éducative devront aussi contribuer à la formation de ce sujet démocratique. Toute la société doit se faire éducative.

L'école peut bien faire de son mieux pendant les quelque 10 000 heures que les jeunes y passent, mais elle n'est pas seule en cause. Au-delà du rôle particulier et privilégié qu'assument les familles, l'éducation des jeunes, à l'extérieur de l'école, dépend de l'accès à un ensemble de ressources; elle dépend également des attitudes envers l'éducation qu'affichent d'autres institutions.

On a observé, note Gutman (1987), que les écarts entre enfants favorisés et défavorisés avaient tendance à s'accroître durant l'été alors qu'ils étaient renvoyés aux ressources éducatives de leurs familles respectives. Les ressources collectives ont alors une grande importance pour l'éducation démocratique. La proximité d'une bibliothèque a même un rapport direct avec le nombre de livres que les enfants lisent durant l'été. Et que dire des camps de vacances dont seuls les plus fortunés peuvent profiter.

Nous avons déjà souligné la place particulière qu'occupent les médias dans la vie des jeunes et les responsabilités éducatives qui en découlaient, tant pour l'école que pour les médias. Ces derniers n'ont pas pour autant à copier l'école; ils ont néanmoins un rôle déterminant à jouer dans la transmission d'une culture démocratique commune.

Par ailleurs, l'école démocratique n'aura d'autre choix que de s'ouvrir à sa communauté, de s'adapter aux changements sociaux, d'intégrer les nouvelles technologies.

L'école devra prendre en compte les réalités sociales nouvelles qui pèsent sur sa mission. Les transformations familiales, par exemple, plaident en faveur de services de gardiennage, d'aide aux devoirs, etc. L'école ne peut non plus faire fi de l'augmentation dramatique des problèmes sociaux chez les élèves. Elle ne peut ignorer les enfants qui ont faim, qui souffrent, qui sont victimes de violence ou qui sont aux portes de la délinquance ou du suicide. On peut enseigner dans un tel contexte, mais les enfants touchés, eux, n'apprendront pas.

Dans le contexte actuel, l'école doit même suppléer à des institutions en panne, se faire omnibus, comme le dit Baby (1990), cela pour mieux assurer sa mission première. Il faudra toutefois distinguer ce qui relève de l'enseignement proprement dit de ce qui relève de services divers que l'établissement scolaire et la communauté devraient être en mesure d'offrir. C'est le territoire respectif de ces deux fonctions qu'il faudra baliser.

En effet, à force de trop charger la barque scolaire, pour reprendre l'image d'Albertini (1992), on risque de la faire couler, ou de la rendre ingouvernable. Il y a des limites aux problèmes de société que l'on peut aborder en classe et aux visiteurs que l'on peut accueillir. La situation actuelle plaide en faveur d'une école qui devienne un carrefour où les jeunes pourraient avoir accès aux différents services que leur condition exige, selon des modalités qui n'affecteraient pas les activités d'enseignement et viendraient soutenir l'apprentissage.

Sur un autre plan, le quasi-monopole que l'école détenait sur la diffusion du savoir s'est largement effrité et le processus ne fait que s'accentuer. L'élève est désormais au coeur de sources multiples d'information. L'école ne peut faire comme si ces autres sources n'existaient pas. Elle pourrait profiter davantage d'activités qui, tout en lui étant extérieures, n'en sont pas moins éducatives. Pensons seulement aux expositions de toutes sortes, aux musées, aux diverses activités culturelles.

Elle devra également chercher à tirer le meilleur parti des nouvelles technologies de l'information et de la communication dont le développement accéléré présage des changements d'envergure. Ces nouvelles technologies seront de plus en plus en mesure de transmettre et de traiter des connaissances, non seulement des données; elles permettent déjà d'avoir accès à des sources d'information qui ne cessent de se multiplier et dont l'horizon ne cesse de s'étendre.

Leur avenir à l'école demeure néanmoins incertain. Cuban (1993) a retracé les espoirs successifs qu'ont suscités, en leur temps, la radio, le cinéma, la télévision et, plus récemment, l'ordinateur. Un cycle où se succèdent l'emballement, le désenchantement et la critique se reproduit à chaque fois. On a observé le même phénomène au Québec avec l'audiovisuel et l'informatique.

L'implantation des nouvelles technologies n'est pas qu'une question technique. Les technologies s'insèrent dans une organisation pédagogique qui peut en faciliter ou non l'utilisation; elles peuvent favoriser ou non une plus grande égalité et une plus grande liberté. Une organisation scolaire et un curriculum plus souples sont favorables à leur utilisation, ce qui amène Cuban (1993) à prévoir que, dans les dix prochaines années, c'est surtout au primaire qu'elles devraient se développer. Le projet élaboré au prochain chapitre fournit toutefois un cadre beaucoup plus favorable aux nouvelles technologies, tout en fixant des objectifs qui pourraient inspirer leur utilisation.

Chapitre 4
Un projet démocratique pour l'école et le collège

« Mais je suis convaincu aussi, et plus que jamais,
que la réalité éducative s'éprouve au ras du sol,
non dans les grandes déclarations d'intention
ni dans les systèmes élaborés, mais dans la
confrontation avec des situations précises
et dans la position que l'on y prend. »

Philippe Meirieu. *L'envers du tableau.*

L a réalité éducative s'éprouve au ras du sol, nous dit Meirieu. C'est à ce niveau que les grands principes qui inspirent un modèle éducatif sont soumis au tribunal de la pratique. Les propositions concrètes sont finalement plus révélatrices que les théories. L'affirmer ne vise pas à discréditer la réflexion; ce serait là renier notre propre démarche. Il s'agit simplement de reconnaître l'importance névralgique de cette dernière étape comme aboutissement de ce long périple dans la recherche d'un projet démocratique pour l'école et le collège.

Un changement de modèle éducatif s'impose, avons-nous démontré. Les mutations sociales en cours et les transformations encore plus importantes qu'elles annoncent sont lourdes de conséquences éducatives dont la société québécoise est loin d'avoir mesuré toute l'ampleur. La demande sociale d'éducation ne cesse de croître, tant pour ce qui est des niveaux à atteindre et des compétences à acquérir que des taux de scolarisation à viser. Tout cela alors qu'un ensemble de facteurs économiques et sociaux rendent la tâche de l'école beaucoup plus lourde.

L'excellence imposée d'en haut, centrée sur l'augmentation technocratique des exigences et des contrôles a donné des résultats pitoyables, au Québec tout comme aux États-Unis[51]. Penser que tout ira mieux parce que l'on aura déterminé précisément ce que chacun doit faire et que l'on se sera assuré que chacun le fasse relève d'une conception bureaucratique dépassée que, en maints endroits, on s'entête malheureusement toujours à propager. Le modèle éducatif libéral et le modèle industriel de gestion qui l'a accompagné ne sont pas en mesure de répondre aux nouvelles exigences éducatives.

Au chapitre précédent, nous avons esquissé les principes et les valeurs pouvant fonder un modèle éducatif démocratique. La liberté, l'égalité, la fraternité, la coopération et la justice sont autant de valeurs qui ont inspiré la définition des fondements du profil de formation d'un sujet démocratique. Une approche centrée sur l'apprentissage et sur la diversité pédagogique est alors apparue comme la condition d'une formation plus exigeante et plus accessible.

Dans ce dernier chapitre, nous nous attarderons aux changements nécessaires à la réalisation de ce projet pour l'école et le collège. Les propositions que nous avançons visent, d'une part, à démocratiser la réussite et, d'autre part, à faire de chaque établissement une véritable cité éducative. Ce sont les deux thèmes qui retiendront principalement notre attention. Les résultats de nombreuses recherches seront invoqués à l'appui de ces propositions et, lorsque possible, nous ferons mention de milieux ou de pays qui procèdent à leur application.

La question de la réussite sera traitée en premier lieu, car elle est au coeur de ce projet. Une nouvelle culture éducative s'impose verrons-nous; il faut en finir avec cette conception vétuste selon laquelle la réussite des uns n'a de sens que si elle se conjugue avec l'échec des autres. Mais la réussite du plus grand nombre ne saurait non plus, démocratiquement, se construire sur la base d'exigences réduites. Le défi est justement de faire progresser conjointement

---

51. Dans le cas des États-Unis, Midgley et Wood (1993) signalent que « aujourd'hui, de nombreux observateurs sont convaincus que ces efforts furent mal dirigés et qu'ils n'ont pas affecté - ou affecté négativement - l'enseignement et l'apprentissage » (p. 246).

réussite et qualité. Cet objectif nous conduira à proposer, pour chacun des ordres d'enseignement, des changements pédagogiques et organisationnels d'importance.

Nous nous attarderons ensuite à l'esprit d'autonomie et de responsabilité qu'il faudrait insuffler au niveau de chaque établissement. Un fonctionnement et une gestion plus conformes aux valeurs démocratiques pourraient soutenir la création d'une communauté d'adultes et d'élèves engagés envers la réussite. S'il appartient à l'État de définir démocratiquement les grands paramètres assurant la qualité de la formation et la justice distributive, un plus grand espace de créativité et d'autonomie devrait être laissé aux personnes et aux institutions. L'école coopérative souhaitée par les réformateurs des années soixante est toujours à créer; il y a là des idéaux à réactualiser en vue de construire des environnements de travail et d'apprentissage plus enrichissants et plus stimulants.

On ne retrouvera pas les refrains courants sur le gigantisme des écoles secondaires et l'incongruité du niveau collégial. Ce sont là des éléments structurels qu'il serait bien inutile de remettre en question. La question des structures ne sera d'ailleurs abordée que lorsque des principes démocratiques fondamentaux sont en cause; c'est ainsi que nous ne pourrons éviter de discuter brièvement, en terminant, du caractère confessionnel des commissions scolaires et des écoles et du rôle de l'enseignement privé.

Finalement, tout cela exigera des changements à l'importance que la société québécoise accorde à l'éducation. La crise de l'école est aussi une crise de financement, une crise de confiance et une crise de culture. Un redressement et une revalorisation s'imposent. Tout comme s'impose un soutien plus large des autres institutions car, laissée à elle-même, l'école ne sera pas en mesure de faire face à la musique.

DÉMOCRATISER LA RÉUSSITE

Personne ne peut mettre en doute l'hétérogénéité de la population scolaire. « Que les élèves de même âge ne soient pas également disposés et préparés à assimiler le curriculum dans le même temps et dans les mêmes conditions, écrit Perrenoud, cela crève les

yeux, depuis qu'on a réuni des élèves dans une salle de classe »
(1992b, p. 97). On pourrait ajouter que cette diversité n'a cessé de
s'accroître, en raison d'abord de la démocratisation, puis de la diversification des modes de vie et des cultures, d'une société qui se fait mo-
saïque. Les modalités organisationnelles mises en place pour assurer
la prise en compte de ces différences individuelles ont dû évoluer.

La solution à l'hétérogénéité accrue découlant d'une éducation plus largement accessible fut d'abord de chercher à recréer une
certaine homogénéité. Sans doute avec les meilleures intentions du
monde, on regroupa, par exemple, les élèves en difficulté dans des
classes ou des écoles particulières. On était généralement convaincu
que la « nature humaine » l'exigeait ainsi, une bonne proportion des
élèves n'étant pas « doués » pour les apprentissages scolaires.

Mais ce que plusieurs croyaient si « naturel », nous l'avons
vu à la fin du premier chapitre, se révéla assez rapidement être une
construction sociale. Les microscopes sociologiques ont mis en
lumière les relations étroites existant entre les caractéristiques
sociales des familles et la position scolaire des élèves. Les classes
spéciales, les voies allégées, les formations professionnelles courtes
se révélaient être des culs-de-sac fréquentés en très grande proportion par des élèves d'origine modeste. Des phénomènes éducatifs,
relationnels et sociaux complexes produisaient l'étiquetage et l'exclusion. Comme Tardif (1992) l'a fort bien montré, beaucoup de jeunes adultes considérés aujourd'hui comme analphabètes ne sont pas
les produits de l'école, au sens où ils auraient été soumis au processus de scolarisation prévu; ils sont plutôt le résultat de ces exclusions
« en les murs », de ces relégations intérieures qu'on appela aussi
voies d'évitement.

Cette prise de conscience a contribué à créer une nouvelle
dynamique éducative, plus démocratique, mais dans un contexte où
s'exprimait également une volonté sélective accrue. Ces deux mouvements contradictoires ont conduit à une organisation scolaire dont
on peut chercher, en vain, la logique. Par exemple, alors que l'on
procédait, au début des années quatre-vingt, à l'intégration des élèves
en difficulté ou handicapés dans les classes ordinaires, en vertu du
principe fort louable de la fréquentation du milieu le plus normal
possible, on voyait naître un peu partout, parfois dès le primaire, des
classes spéciales pour les élèves dits doués et talentueux.

Une nouvelle cohérence organisationnelle s'impose donc tant pour résoudre les contradictions actuelles que pour répondre aux exigences d'une scolarisation accrue. Cette cohérence est à construire selon un axe qui voit progresser logiquement les diverses formes de différenciation (pédagogique, organisationnelle, institutionnelle) et qui fait globalement correspondre chacune aux trois grandes étapes que sont la scolarité obligatoire, la formation de base et la formation postsecondaire. Les exigences de la convivialité démocratique, de la justice distributive et d'une éducation qui se fait de plus en plus permanente invitent à une telle différenciation progressive.

La gestion de l'hétérogénéité croissante des élèves est au coeur de la crise de l'école et les façons d'y faire face, au coeur du projet démocratique. On ne peut plus ignorer le rôle de l'organisation scolaire dans la reproduction sociale. Un des défis à relever est précisément, comme l'écrit Gutman (1987), d'assurer consciemment cette reproduction dans une perspective démocratique et non de justifier, en le masquant, un ordre social inégalitaire.

Il demeure néanmoins qu'il n'est pas simple d'imaginer, comme le propose Meirieu, « des solutions nouvelles qui échappent à la fois au danger de l'enfermement et à celui du traitement égal, (...) de traiter la différence sans organiser des ghettos et de faire travailler ensemble des élèves hétérogènes sans céder à la facilité du chemin unique » (1988, p. 32). Mais le jeu n'en vaut-il pas la chandelle ?

Des objectifs à atteindre

Cette cohérence renouvelée ne saurait toutefois être définie précisément sans que les objectifs de scolarisation visés ne soient pris en compte. Car il n'y a pas en cette matière de vérité absolue; il suffit d'observer la diversité des systèmes éducatifs des pays occidentaux pour s'en convaincre.

Au Québec, l'obtention du diplôme d'études secondaires devient, de plus en plus, une nécessité pour accéder à la citoyenneté démocratique et au marché du travail. Le plan d'action ministériel sur la réussite scolaire (plan Pagé) proposait d'amener au moins 80 % d'un groupe d'âge jusqu'à la fin du secondaire, avant 1997 (MEQ, 1991e). À mi-parcours, il faut malheureusement constater que la progression a été plutôt mince, voire presque nulle; un écart de plus de 15 points nous sépare toujours du but.

L'objectif ne semble pourtant pas irréaliste quand on le compare, par exemple, aux objectifs français et américains. Dans le premier cas, on se propose d'amener 80 % d'un groupe d'âge au niveau du baccalauréat en l'an 2000; les Américains sont encore plus ambitieux visant un taux de diplomation secondaire d'au moins 90 %; dans les deux cas, il s'agit d'une formation d'une durée de douze ans. La proposition de la CEQ de porter à 72 % le taux d'accessibilité au cégep se situe dans cette perspective; il a d'ailleurs été établi en tenant compte du fait que cet objectif était déjà atteint par les femmes et par les non francophones (CEQ, 1992).

Certes, on pourrait envisager de reporter à 17 ans ou à 18 ans l'âge de la fréquentation scolaire obligatoire comme moyen d'encourager cette plus grande scolarisation. Même si nous reconnaissons, contrairement à certains, que l'obligation scolaire est un acquis et qu'elle doit demeurer une norme sociale, son prolongement ne nous semble pas une mesure souhaitable; on ne saurait faire de l'école une forme de prison pour certains jeunes. Nous croyons plutôt que c'est en adaptant l'école, en faisant en sorte que l'on ait davantage envie d'y rester que l'on améliorera la réussite.

De l'abandon des études, on sait qu'il s'agit de l'aboutissement d'un processus qui débute souvent dès les premières années de scolarisation. Une enquête menée par le MEQ auprès des jeunes décrocheurs confirme que la majorité d'entre eux ont connu des difficultés tout au long de leur scolarité et que, « au fil des ans, ces difficultés ont contribué à leur démotivation et à leur abandon » (1991d, p. 21). Au moment de quitter l'école, la très grande majorité connaissait d'ailleurs des difficultés importantes sur le plan du rendement scolaire.

C'est en fonction de ces réalités et des objectifs fixés qu'il faut évaluer les investissements qui s'imposent en éducation, après une période de disette qui a duré plus d'une décennie. Selon les propres estimés ministériels, l'investissement visant à accroître le taux de diplomation secondaire serait des plus rentables puisqu'il procurerait à la société québécoise un taux de rendement réel de 8 % (Demers, 1991). Mais l'investissement seul ne saurait suffire.

Il faut encore que les pratiques s'ancrent dans la conviction profonde que les enfants qui ne sont pas atteints de désordres neurologiques sérieux sont en mesure d'atteindre les objectifs de la formation de base. Nous reconnaissons, avec Oakes et Lipton, que le fait que « certains enfants performent si bien alors que d'autres n'atteignent jamais ce dont ils sont capables nous en dit autant à propos du fonctionnement de l'école qu'à propos des capacités des enfants (1990, p. 54). Les meilleures écoles, affirment ces mêmes auteurs, sont celles où l'on croit en la capacité de **tous** les enfants, où **tous** se voient offrir des occasions variées d'apprendre, où l'on manifeste envers **tous** des exigences à la fois élevées et raisonnables [52].

Cette conviction doit se prolonger dans une culture scolaire qui valorise le travail, l'effort et le progrès de chacun plutôt que le succès comparé et la compétition. Certains spécialistes voient dans la présence d'une telle culture, l'explication de la meilleure performance du système éducatif japonais comparativement au système américain. En effet, les jeunes japonais attribuent surtout leur succès à l'effort et à la persévérance alors que leurs homologues américains l'attribuent plutôt à une capacité intrinsèque, l'effort étant même considéré comme l'expression d'une capacité inférieure (Holloway, 1988).

Cela exige que le succès soit encouragé et rendu pédagogiquement accessible. Pourquoi l'élève travaillerait-il s'il est convaincu que, de toute façon, il va échouer. Affirmer que le succès est la voie de la réussite est beaucoup plus qu'une lapalissade. La réussite se construit, peu à peu, à partir de mini-réussites (Inizan, 1992). De nombreux élèves en situation d'échec dissocient travail et réussite, se contentant d'obéir aux consignes, révèle une étude conduite sous la direction de Bernard Charlot (1992).

S'il faut tout faire pour éviter l'échec avec ce qu'il en coûte de souffrances pour les personnes et d'argent pour la société, celui-ci ne peut être exclu. Car, même en croyant que la réussite est possible et en déployant tous les efforts pédagogiques pour l'atteindre, il appartient toujours à l'élève de décider d'apprendre ou non et l'école

---

52. Les attentes des enseignantes et des enseignants ont d'importantes conséquences sur la réussite des élèves. On a donné à cette « prophétie autoréalisatrice » le nom « d'effet Pygmalion », du titre de l'ouvrage célèbre de Rosenthal et Jacobson (1971) inspiré du mythe grec de Pygmalion et Galatée.

est parfois impuissante face à son refus (Meirieu, 1991). Il faut alors prévoir des mesures pour éviter l'exclusion sociale et permettre un retour ultérieur.

Une égalité à poursuivre

La réussite du plus grand nombre exigera que l'on accorde une attention particulière à la situation scolaire de certains groupes. La poursuite de l'égalité des chances demeure un axe majeur d'un projet d'éducation démocratique. Or, que l'on en juge par le taux de redoublement, par l'abandon des études secondaires ou par l'accès aux études collégiales, les inégalités de classe et de genre persistent; par ailleurs, certains allophones trébuchent à cause d'une langue d'enseignement qu'ils maîtrisent mal alors que la situation des jeunes autochtones est catastrophique.

La prise de conscience de la situation scolaire difficile des jeunes de milieu pauvre a conduit à des interventions particulières dès les années soixante-dix, avec la mise sur pied de l'Opération Renouveau, à Montréal. Au début, les interventions étaient axées sur ce qui était perçu comme des déficiences, des carences de la part des élèves; la situation était traitée comme s'il s'agissait de handicaps sociaux. On avait donc tendance à mettre l'accent sur des activités socioculturelles et sur des interactions affectives plutôt que sur des activités cognitives.

Aujourd'hui, la perspective a changé, au Québec comme ailleurs. On ne parle plus de handicaps, mais de différences; il s'agit d'une altérité à prendre en compte. Il s'agit de faciliter l'accès à l'univers intellectuel que propose l'école en ajustant les démarches et les stratégies d'enseignement aux besoins plus spécifiques des élèves. Mais le souci de la spécificité peut conduire à l'éloignement de la culture scolaire; c'est là le sens de la mise en garde de Rogavas-Chauveau : « il s'agit de veiller avec soin au dosage de ces "procédures particulières" et à leur articulation avec les objectifs cognitifs » (1993, p. 52).

En conclusion d'une importante étude conduite en France, Charlot et ses collègues observent que « si l'école apprend à ces jeunes à s'exprimer, à réfléchir, à se forger leur propre opinion (...) elle semble échouer le plus souvent à faire accéder ces jeunes à un univers intellectuel dans lequel les savoirs ont sens et valeurs en eux-mêmes » (1992, p. 181). La référence à la vie de tous les jours, au rapport particulier des élèves au savoir peut se révéler un piège s'il conduit à perdre de vue l'objectif. Mais, en revanche, les enfants ne sauraient laisser leur réalité culturelle et les problèmes qu'ils vivent au vestiaire de l'école.

Drolet (1992) a identifié cinq caractéristiques de la culture des jeunes de milieu pauvre qui exigent des adaptations péda-gogiques. Ils arrivent à l'école avec un plus faible bagage de connais-sances; leur culture fait davantage référence à l'oral et à un registre de langue différent de celui de l'école; elle est centrée sur l'action et valorise les productions concrètes; elle est surtout préoccupée du temps présent et la coopération y occupe une place centrale. Mais, au-delà de ces caractéristiques culturelles, il importe de reconnaître, comme ailleurs, la grande hétérogénéité des élèves et le fait que ce « ne sont pas seulement des enfants appartenant à telle classe sociale... mais aussi des sujets » (Charlot et al., 1992, p. 230)... qu'il faut aider à grandir, pourrions-nous ajouter.

À partir d'observations similaires, Henry M. Levin (1993) a mis sur pied un projet fort original d'écoles dites accélérées. Les pra-tiques éducatives dominantes dans les écoles de milieu pauvre, a-t-il noté, ont souvent pour effets de ralentir le progrès des élèves et de miner leur succès ultérieur. Il propose de recourir plutôt aux straté-gies d'enrichissement élaborées pour les élèves dits doués et talen-tueux afin d'accélérer le progrès des élèves « à risque ».

Levin et son équipe proposent aux quelques centaines d'éco-les américaines de milieu pauvre qui participent à ce projet des moyens de développer chez les élèves un rythme plus rapide d'ap-prentissage. On suggère un enseignement thématique et des activités de créativité qui s'appuient sur les forces et la collaboration de la communauté ainsi que sur une large autonomie de l'équipe-école. Cette approche a permis une amélioration substantielle de la réussite[53].

---

53. Le projet de Slavin et de ses collègues (1994) visant le « succès pour tous » va dans le même sens. Il insiste sur une prévention précoce, sur la nécessité d'offrir aux élèves défavorisés les meilleurs programmes disponibles et sur l'importance d'une participation des parents.

Au Québec, la situation est particulièrement difficile sur l'île de Montréal où l'indice de pauvreté est deux fois plus élevé que pour le reste de la région (31,5 % contre 16,3 %). Une étude du Conseil scolaire de l'île de Montréal révèle que, dans certaines zones défavorisées, le taux d'abandon est cinq fois plus élevé que dans les zones les mieux nanties (CSIM, 1993). Outre le développement de l'éducation préscolaire et un nécessaire soutien alimentaire, le Conseil a identifié un ensemble de ressources à assurer dès l'école primaire (orthophonistes, spécialistes du comportement, enseignantes et enseignants ressources, etc.) pour permettre une meilleure réussite en milieu pauvre. Sans de tels investissements, l'école duale n'est pas loin.

Dans le cas des garçons, la préoccupation est toute récente et on en est encore au stade de la réflexion et de la recherche. C'est sans doute dans une approche qui tienne compte de la socialisation et de la situation scolaire tant des garçons que des filles que réside une juste perspective. Les premiers représentent grosso modo 60 % de la clientèle en difficulté; les deuxièmes ont une avance scolaire indéniable mais ces acquis scolaires ne se traduisent pas toujours en acquis sociaux. Le marché du travail fait toujours la vie dure aux femmes, le sexisme continue d'entraver leur vie, mais ces transformations qui restent à faire ne doivent pas nous empêcher de prendre en compte la difficile situation scolaire des garçons.

Nombre d'études ont confirmé ce que tout éducatrice ou éducateur savait déjà : les garçons et les filles ont des attitudes très différentes face à l'école. Les garçons sont plus indisciplinés; ils affirment plus souvent ne pas aimer l'école, consacrent moins de temps à leurs travaux scolaires mais plus de temps au travail rémunéré; alors que les garçons blâment d'abord l'école lorsqu'ils abandonnent, les filles ont plutôt tendance à en assumer la responsabilité (Bédard-Hô, 1992; MEQ, 1991d).

Dans une recherche en cours au CRIRES[54], Bouchard et St-Amant (1994) avancent l'hypothèse que la socialisation différenciée

---

54. Le Centre de recherche et d'intervention sur la réussite scolaire (CRIRES) a été créé conjointement par la Faculté des sciences de l'éducation de l'Université Laval et la CEQ. Il s'intéresse, dans une perspective multidisciplinaire, tant à la recherche fondamentale qu'à ses applications pratiques.

selon le genre et les stéréotypes sexistes et sexuels pourraient expliquer ces écarts entre garçons et filles. En effet, la socialisation des filles est plus conforme aux exigences scolaires mais les prépare davantage à des carrières reliées à l'univers dit féminin; les modèles de masculinité, par contre, valorisent des activités et des attitudes dites viriles (sports, défiance face à l'autorité, etc.) et ne favorisent pas l'acquisition des valeurs nécessaires à la réussite scolaire telle que définie. Les stéréotypes sexuels archaïques qui découlent de la domination historique des hommes dans l'espace social ont des conséquences plus que négatives pour certains dans l'espace scolaire actuel. Encore faut-il préciser que les garçons de milieu aisé échappent bien davantage à ces stéréotypes que ceux de milieu pauvre.

Il n'existe pas encore de consensus clair sur les mesures à prendre. Faut-il changer la socialisation des garçons, adapter l'école ou agir sur les deux ? Si certains mettent en évidence l'incompatibilité de certains stéréotypes masculins avec la réussite scolaire, d'autres suggèrent de rendre l'école plus tolérante à certains comportements masculins, de revoir le « caractère féminin » de l'école primaire, de proposer aux garçons plus de modèles scolaires positifs. La recherche est à poursuivre, mais on peut voir dans la situation scolaire difficile des garçons une expression des bouleversements que connaît l'identité masculine. La recherche d'une plus grande égalité entre les femmes et les hommes est à poursuivre en se préoccupant à la fois des stéréotypes masculins et féminins, tout en reconnaissant une différence entre les sexes, dont les limites demeurent toujours imprécises. L'école a ici un rôle à jouer et des adaptations seront nécessaires, mais son action seule ne saurait suffire.

Quant aux élèves des communautés culturelles, les données disponibles révèlent, en moyenne, une réussite comparable voire même légèrement supérieure à celle des francophones, quoique des problèmes subsistent pour certains groupes. C'est surtout la francisation qui inquiète, étant donné son influence déterminante sur le cheminement scolaire. Dans une perspective d'égalité, la lutte aux diverses manifestations d'intolérance et de racisme est également au coeur des préoccupations. Les mesures à prendre font l'objet d'un large consensus : amélioration de l'accueil et de la francisation, présence de conseillères et de conseillers en éducation interculturelle, politiques antiracistes, etc. (Berthelot, J., 1991).

Finalement, c'est sans nul doute la situation des jeunes autochtones qui est la plus préoccupante. Moins d'un jeune sur quatre obtient son diplôme d'études secondaires. Cette réalité scolaire est à mettre en relation avec la pauvreté et la dépendance des familles autochtones. Les solutions ici doivent nécessairement s'accompagner d'une réflexion sur la reconnaissance des droits nationaux des peuples autochtones et sur la prise en charge de leur propre développement et de leur éducation.

L'éducation est un des instruments majeurs dont disposent les peuples pour transmettre leur culture nationale et renforcer leur identité. Les jeunes autochtones ne retrouvent guère à l'école les signes de leur identité culturelle. L'engagement des communautés autochtones dans l'orientation et la gestion de leur système scolaire est relativement récent et semble avoir déjà donné des résultats heureux concernant l'école primaire (CEQ, 1993c).

Cette autonomie éducative est à renforcer. L'école doit se rapprocher des besoins et des intérêts des communautés. Une présence accrue d'éducatrices et d'éducateurs autochtones s'impose et, d'ici là, une meilleure préparation du personnel de l'éducation aux réalités culturelles autochtones est nécessaire. L'école devra également adapter son curriculum, ses pratiques et même son calendrier à ces réalités différentes.

C'est dans la perspective de cette égalité à poursuivre et des objectifs à atteindre que nous aborderons maintenant les changements à apporter à la mission et à l'organisation de chacun des ordres d'enseignement.

Partir du bon pied

Lorsqu'ils entrent à l'école, tous les enfants ne disposent pas des préalables nécessaires à leur scolarisation. Dès la maternelle, de nombreux enfants éprouvent des difficultés d'ordre psychomoteur ainsi que des problèmes liés au langage. Le CSE (1989) parle même de graves lacunes qui seraient attribuables à l'absence d'interventions correctives adéquates au moment opportun. Rendre chaque enfant apte à entreprendre sa scolarisation devient ainsi le premier objectif à viser.

Comme le reconnaît le Groupe de travail pour les jeunes, dans son rapport remis au Ministre de la Santé et des Services sociaux, c'est surtout la pauvreté des parents qui est « fortement associée à l'ensemble des problèmes graves vécus par les enfants » (Rapport, 1991, p. 42). On pourrait pourtant, ajoute-t-il, en réduire radicalement l'ampleur. Des mesures préventives bien ciblées peuvent d'ailleurs, à plus long terme, être source d'économies. En effet, toujours selon ce rapport, « un dollar investi en prévention peut en faire épargner de trois à sept plus tard; cependant, il faut d'abord se résoudre à investir ce dollar » (p. 21).

Avant d'aborder plus précisément l'éducation préscolaire, mentionnons que ces mesures préventives sont nécessaires dès la naissance. On recense deux fois plus de bébés de petit poids dans les familles pauvres que dans les familles aisées. Les enfants pauvres sont plus souvent malades et se retrouvent plus souvent à l'hôpital. Aussi le Groupe de travail pour les jeunes recommande-t-il, en plus d'un programme de lutte à la pauvreté, des interventions très précoces visant à développer les services de périnatalité et de santé maternelle offerts par les centres locaux de services communautaires (CLSC). Il propose également de créer « un programme national de stimulation infantile dans les milieux où les besoins des enfants de 2 à 4 ans et de leurs familles le commandent » (p. 95). Le CSE (1989) souligne que, entre l'âge de 2 ans et le moment de leur entrée à la maternelle, les enfants ne sont systématiquement soumis à aucune forme d'évaluation de leur fonctionnement.

L'éducation préscolaire a, elle aussi, un rôle de prévention et de dépistage. Encore faut-il que ces services rejoignent l'ensemble des enfants susceptibles de connaître des difficultés. Or, au Québec, ces services sont dramatiquement sous-développés. Seule la maternelle à demi-temps est accessible à tous les enfants de cinq ans. Moins de 10 % des enfants ont accès à la maternelle cinq ans à temps plein et à la maternelle quatre ans à demi-temps. Ces services ont été durement touchés par les compressions budgétaires du début des années quatre-vingt. Le plan Pagé a bien permis l'ouverture de quelques nouvelles classes en milieu pauvre, mais elles sont trop peu nombreuses et la restriction réservant la maternelle d'accueil à temps plein aux seuls enfants nés à l'étranger est maintenue, malgré les protestations unanimes selon lesquelles la francisation à demi-temps d'enfants allophones nés au Québec est nettement insuffisante.

Quant aux services de garde, malgré le soutien apporté par l'État, leur développement reste essentiellement tributaire de l'initiative et de la contribution des parents. Ils ne répondent présentement qu'à environ 12 % des besoins et l'insuffisance de leur financement se répercute directement sur la qualité des services et sur les conditions de travail du personnel (Laberge et Baillargeon, 1989). Ajoutons que les services de garde et la maternelle dépendent de deux structures gouvernementales différentes (Office des services de garde et ministère de l'Éducation) et que ni les services, ni les structures ne sont coordonnés. Ainsi, plusieurs enfants de 5 ans sont-ils quotidiennement ballottés entre deux services, parfois offerts en des endroits différents, notamment lorsque les services de garde en milieu scolaire ne sont pas offerts par la commission scolaire. Cette dernière n'est d'ailleurs plus tenue d'offrir ces services, en vertu de la nouvelle *Loi sur l'instruction publique*.

Dans la plupart des pays européens, services de garde et maternelle ne font qu'un; dans la majorité, la scolarisation des enfants de quatre ans se généralise (Eurydice[55], 1993). En France, par exemple, l'éducation préscolaire est généralement offerte aux enfants de 2 à 6 ans dans des écoles maternelles, selon l'horaire de l'école primaire; une garderie vient compléter ce service éducatif. En 1985-1986, 93,7 % des enfants de 3 ans et près de 100 % des enfants de 4 ans y avaient accès. Pour les tout-petits, des crèches sont également accessibles (Laberge et Baillargeon, 1989). Les évaluations françaises ont d'ailleurs démontré que la durée de la fréquentation de la maternelle avait un effet direct sur le redoublement au primaire et sur la fin des études, particulièrement pour les jeunes de milieu populaire (Gallot, 1991).

Aux États-Unis, c'est depuis le début des années soixante que des programmes préscolaires à l'intention des enfants pauvres de 4 ans ont été développés, notamment le programme *Head Start*.

---

55. Eurydice est un réseau d'information conçu pour soutenir la coopération en éducation dans la Communauté Européenne.

Quoique certains chercheurs expriment des réserves quant aux effets à long terme de ces programmes, « d'autres chercheurs tout comme la majorité du public et des élus sont convaincus de leur succès et de leur valeur » (Vinovskis, 1993, 165).

Le Perry Preschool Project, mis sur pied au Michigan à l'intention des enfants de 3 et 4 ans, a été l'objet d'une évaluation serrée de très longue durée. Cent vingt-trois personnes ayant participé à ce projet ont été suivies de l'âge de 3 ans jusqu'à l'âge de 27 ans. Comparativement à un groupe témoin, elles furent proportionnellement plus nombreuses à terminer leur secondaire, elles détenaient plus souvent un emploi et furent moins fréquemment l'objet d'arrestations. « Une analyse des coûts-bénéfices évalue que le public a reçu 7,16 $ en bénéfice pour chaque dollar investi dans ce programme préscolaire » (Bracey, 1994, p. 416). Une réserve toutefois : ce programme n'a guère profité aux garçons.

Au Québec, le ministère de l'Éducation a procédé à une évaluation des diverses mesures mises en place au début des années quatre-vingt à l'intention des enfants de 4 ans. Le cheminement scolaire des enfants ayant eu accès à ces services a été comparé à celui d'autres enfants pauvres au cours d'une période de onze ans, soit de leur entrée en première année (1981) jusqu'à la diplomation (1992). On observe un effet positif de ces mesures, tant sur la réussite que sur la diplomation. « Les services reçus à l'âge de quatre ans ont pour effet net, conclut-on, d'augmenter le taux de diplomation de 2,6 % » (MEQ, 1992c, p. 5). Tout indique que c'est le programme d'animation des parents complétant des interventions éducatives qui s'est avéré le plus efficace (Opération Passe-Partout). Dans tous les cas toutefois, les garçons ont profité beaucoup moins des bénéfices de ces services.

On reconnaît donc de plus en plus la contribution à la réussite éducative et à la réduction des inégalités des programmes éducatifs visant les jeunes enfants. On souligne que ces programmes ont effectivement un tel potentiel, mais que leur succès dépend de leur qualité et de leur planification. Tout indique également que des interventions complémentaires tournées vers les familles sont efficaces (Bracey, 1994).

Outre son rôle dans la réduction des inégalités, un ensemble de facteurs sociaux militent également en faveur d'un élargissement de l'éducation préscolaire. Nous avons vu, au chapitre 2, l'ampleur des transformations qu'a connues la famille traditionnelle; les deux tiers des mères de jeunes enfants sont désormais sur le marché du travail; la famille ne compte généralement pas plus qu'un ou deux enfants; la monoparentalité a connu un accroissement marqué. Ce sont là des transformations irréversibles qui font que la famille québécoise a de plus en plus besoin d'être soutenue dans l'accomplissement de ses tâches.

L'élargissement de l'éducation préscolaire (maternelle et services de garde) est donc devenu une nécessité. Le Rapport Parent proposait déjà, « dans une première étape de donner l'éducation préscolaire à tous les enfants de cinq ans (...) et d'étendre, ensuite, le service aux enfants de quatre ans » (Tome II, No 147). Dans le contexte actuel, il paraît opportun de faire de la maternelle 5 ans à temps plein le premier échelon du système éducatif. L'objectif ne serait pas de procurer une scolarisation plus précoce. Sa mission serait, comme actuellement, de fournir à tous les enfants les préalables essentiels à la scolarisation. L'école maternelle est une étape où l'on apprend à travailler avec sa tête, à explorer l'univers des émotions et des sentiments, à vivre en relation et en harmonie avec les autres; c'est un moment idéal pour la prévention. C'est aussi la première occasion de développer de bonnes relations entre l'école et les familles, relations dont nous verrons plus loin l'influence sur la réussite.

Il est certain, par ailleurs, que le développement de l'éducation préscolaire à demi-temps pour les enfants de 4 ans de même que les interventions à l'intention des parents pourraient avoir des effets démocratisants importants. Ces services devraient être rendus accessibles aux clientèles dans le besoin; on pense ici particulièrement aux enfants de milieux pauvres et aux enfants handicapés. Mais, c'est l'ensemble des services à la petite enfance qui mériteraient d'être plus largement accessibles et mieux coordonnés. Il s'agit là aussi d'infrastructures essentielles au développement du Québec. Si ce dernier a atteint un niveau de scolarisation comparable aux autres pays occidentaux, il n'en va pas de même de la préscolarisation et cela pourrait expliquer son retard pour ce qui est de la diplomation.

Au primaire : passer de l'année au cycle

L'école primaire, c'est l'école du quartier ou du village. Elle est à l'image de l'occupation sociale du territoire. Ici très pluriethnique, là plutôt homogène. Au-delà de cette diversité, elle se doit d'offrir à tous les enfants une expérience scolaire commune, mais adaptée à leurs besoins.

On le sait, la réussite des premières années du primaire est cruciale; la prévention doit s'y poursuivre. La maîtrise des savoirs instrumentaux est la clef de la réussite scolaire ultérieure. D'où la nécessité d'intervenir le plus précocement et le plus efficacement possible pour corriger les difficultés observées au début de la scolarisation. Certaines modalités d'intervention retenues soulèvent de sérieuses questions quant à leur efficacité. Ainsi en est-il du redoublement; l'élève qui n'a pas atteint les objectifs fixés pour un degré donné se voit contraint de retourner à la case départ.

Tout cela milite en faveur d'une réorganisation de l'enseignement primaire. On assiste d'ailleurs, dans plusieurs pays, à une remise en cause de l'école primaire traditionnelle en faveur d'une organisation beaucoup plus souple de l'enseignement.

Ainsi, en Suède et au Danemark, on n'a pas recours au redoublement avant la fin du premier cycle du secondaire. Les élèves danois suivent même parfois leur groupe d'âge accompagnés de leur enseignante ou enseignant jusqu'en 10e année; les élèves éprouvant d'importantes difficultés en lecture ou en écriture peuvent toutefois être regroupés à partir de la quatrième année (Payeur, 1993). Le même modèle existe au Japon où les élèves progressent avec leur groupe d'âge jusqu'à la fin du primaire; ce n'est qu'au secondaire que les retardataires sont assignés à des groupes spéciaux (Stevenson, 1991). Ce mode d'organisation semble généralement accompagné d'un ensemble de pratiques éducatives qui valorisent fortement l'entraide et la coopération, tant chez les élèves que chez le personnel. L'objectif visé est de réduire les écarts de réussite.

Le Rapport Parent proposait d'ailleurs un tel modèle. Le règlement N° 1 qui en concrétisait l'application prévoyait en effet une école primaire sans degré où les élèves seraient répartis en groupes de travail pour les diverses matières, selon des critères déterminés par le personnel de l'école (MEQ, 1966). Ce projet québécois n'a toutefois guère connu de prolongement dans la pratique.

Le modèle d'une école primaire divisée en cycles, sans redoublement, apparaît comme un modèle intermédiaire intéressant. Il a été adopté par plusieurs provinces canadiennes, notamment par la Colombie-Britannique et l'Ontario, par certains États américains et par plusieurs pays européens, dont la Belgique et la France. Dans ce dernier cas, après avoir été expérimentée dans 33 départements pilotes, cette formule a été généralisée en 1991-1992. Les cycles, d'une durée de trois ans, peuvent être raccourcis ou prolongés d'une année, mais une seule fois. Un conseil de cycle décide de la promotion ou des mesures de récupération. Diverses modalités organisationnelles sont alors possibles (groupes de cycle stables, classes multiâges ou autres). Cette « rénovation » ne s'est pas faite sans peine; les enseignantes et les enseignants, malgré leur appui au projet, ont déploré le manque de planification et de soutien, ont exigé un temps accru de dégagement pour faciliter la concertation et ont manifesté certaines craintes quant à leur capacité d'atteindre les objectifs des programmes[56].

Tout indique que l'organisation de l'école primaire en cycles pourrait avoir des effets démocratisants importants si elle était conçue dans la perspective de la réussite; elle pourrait alors viser à réduire les écarts en amenant à la fin du primaire des élèves aux acquis scolaires plus homogènes. Les programmes continueraient d'être établis par degré afin que soit bien définie la progression souhaitée, mais ce n'est qu'à la fin d'un cycle que l'on procéderait à une évaluation sommative; des mesures de récupération seraient alors prévues, dans des conditions favorables afin d'éviter la marginalisation. Un tel modèle se conjugue également avec une intervention précoce et des mesures particulières visant à venir en aide le plus tôt possible aux élèves éprouvant des difficultés[57].

---

56. Voir *Le Monde de l'éducation,* septembre 1991, p. 22 à 26.

57. La question des services à offrir aux élèves handicapés ou en difficulté est abordée un peu plus loin.

Dans le cadre d'une promotion obligatoire au secondaire à l'âge de 13 ans, le modèle de deux cycles de trois ans semble préférable à celui de trois cycles de deux ans[58]. Le passage d'un cycle à l'autre et le passage au secondaire marqueraient des transitions importantes, attestées par la possibilité d'une année de récupération. Le premier cycle viserait la maîtrise des savoirs instrumentaux (lire, écrire, compter) alors que le deuxième, tout en approfondissant ces apprentissages, ouvrirait plus largement sur les autres savoirs. La tendance actuelle étant de restreindre l'expérience éducative aux seules matières dites de base, comme l'indique un rapport sur l'application du régime pédagogique (MEQ, 1990), un temps minimal devrait être prescrit et garanti pour chaque matière afin d'assurer une formation équilibrée.

On peut, avec Perrenoud, affirmer que « les cycles pédagogiques sont une chance, non seulement pour combattre l'échec scolaire, mais pour accélérer la professionnalisation du métier d'enseignant et les mutations de l'école » (1994, p. 33). Ils favorisent davantage l'interdisciplinarité et les approches pédagogiques que nous avons esquissées au chapitre précédent, tout en améliorant la réussite.

Les expériences étrangères nous enseignent toutefois qu'un tel modèle exige des changements importants à l'organisation scolaire, aux stratégies d'enseignement et à l'évaluation des apprentissages. Il exige également une plus grande coopération entre les enseignantes et enseignants d'un même cycle et des moyens pour la soutenir. Ce sont là des thèmes sur lesquels nous reviendrons plus loin. Un changement de cette ampleur ne saurait être improvisé; il suppose certains consensus, notamment en ce qui concerne les politiques de redoublement.

La controverse autour du redoublement n'est pas nouvelle. Les défenseurs du redoublement et ceux de la promotion automatique s'affrontent depuis les débuts de la fréquentation scolaire obligatoire. Pour les premiers, les élèves doivent demeurer au même degré

---

58. Le CSE (1991a) propose plutôt trois cycles de deux ans, sur la base d'arguments développementaux. Notons qu'en France on invoque les mêmes arguments à la défense de cycles de trois ans. Les cycles de trois ans semblent d'ailleurs la pratique courante dans plusieurs pays.

jusqu'à ce qu'ils démontrent une maîtrise suffisante du curriculum; la promotion est au mérite. Les seconds font plutôt valoir les effets bénéfiques sur le développement psychosocial des enfants d'une promotion basée sur l'âge; la promotion est sociale. Le débat a pris une coloration nouvelle dans le contexte des réformes éducatives en cours dans de nombreux pays; d'une part l'augmentation des exigences est venue accroître les redoublements, alors que d'autre part on s'interrogeait sur les meilleurs moyens d'assurer la réussite.

Plusieurs raisons sont invoquées par les enseignantes et les enseignants en faveur du redoublement. La plus courante veut que la reprise assure une meilleure performance scolaire et soit ainsi garante de succès pour l'avenir. On postule également que, la crainte étant le début de la sagesse, la perspective du redoublement accroîtrait l'effort et la motivation. Finalement ce serait, dans certains cas, l'occasion de permettre à un élève d'atteindre le degré de maturité qui lui ferait défaut.

Le moins que l'on puisse dire c'est que la recherche est loin de confirmer les prétentions qui précèdent. Bracey affirme même que « la preuve contre le redoublement est désormais si accablante qu'il serait même possible d'engager une poursuite pour faute professionnelle sur cette base » (1992, p. 86). Sans aller aussi loin et dans un texte tout en prudence, Paradis et Potvin concluent leur recension des écrits sur le sujet en affirmant que la recherche devrait « inciter les chercheurs et les éducateurs à remettre en question cette pratique, ou tout au moins, à réévaluer les motifs et les croyances qui la sous-tendent » (1993, p. 43). Des études françaises notent également que si le redoublement peut parfois être bénéfique, c'est loin d'être généralement le cas (Bert, 1983).

En fait, les études qui comparent les doubleurs à un groupe d'élèves semblables mais qui ont été promus, n'observent pas d'avantages durables pour ce qui est du rendement scolaire (Smith et Shepard, 1987). Lorsque des gains sont observés à l'avantage des doubleurs, ceux-ci s'évanouissent rapidement avec le temps. Même lorsque des mesures de soutien sont consenties, tout indique que « la promotion sociale avec soutien serait plus efficace que le redoublement avec soutien » (Peterson et al., 1987, p. 118).

Comme le note le réseau d'information sur l'éducation dans la Communauté Européenne, même s'il n'y a pas de relation absolue

entre promotion automatique et efficacité des systèmes d'enseignement, les comparaisons internationales révèlent que les pays qui ont
aboli le redoublement ont généralement des résultats supérieurs à la
moyenne internationale. Cela permet de « réfuter la croyance selon
laquelle des taux élevés d'échec scolaire seraient le prix à payer pour
un enseignement de qualité » (Eurydice, 1993, p. 9).

Par ailleurs, le redoublement aurait des conséquences négatives sur le concept de soi. La grande majorité des doubleurs utilisent
des termes comme « mauvais », « triste », « bouleversé », pour exprimer leur sentiment à propos de leur expérience. Ils se plaignent des
sarcasmes de leurs camarades, de ne plus être avec leurs amis, d'avoir
été punis (Paradis et Potvin, 1993). Pour certains, l'expérience serait
aussi traumatisante que la perte d'un parent (Peterson et al., 1987).

Au Québec, une étude récente du MEQ révélait que « près
des deux tiers des élèves ayant accumulé au moins un an de retard à
leur entrée au secondaire abandonnent en cours de route et com-
posent la moitié de tous les décrocheurs et décrocheuses » (1992a,
p. 1). Plus l'élève a redoublé tôt, plus le risque d'abandon est élevé.
Malgré ces fortes réserves, le redoublement demeure pratique
courante au Québec.

Chaque année, environ 5 % des élèves du primaire redou-
blent. L'effet cumulatif de ces redoublements se manifeste à la fin du
primaire où près du quart des élèves sont en retard; cette proportion
est en hausse depuis 1987, passant de 20,2 % en 1987-1988 à 23,6 %
en 1991-1992. Les redoubleurs sont des garçons dans une proportion
de plus de 60 % et sont, pour une moitié, identifiés comme en difficulté d'adaptation ou d'apprentissage. Quant au coût annuel du
redoublement, on l'a estimé à plus de 500 millions, dont 144,7 millions pour le primaire (Ristic et Brassard, 1990).

On comprendra alors que l'on s'interroge sur des solutions
alternatives. Il ne faudrait pas toutefois, comme le rappelait le président du CSE, que « la promotion-chance au coureur » s'avère une
« promotion-illusion » (Bisaillon, 1992, p. 15). Car la mise hors la
loi du redoublement, « si elle ne déclenche pas de changements, loin
en amont dans la technologie et l'organisation de l'action
enseignante en faveur des élèves à risque tout particulièrement, peut
ne constituer qu'un camouflage supplémentaire des échecs vécus et
perçus » (Inizan, 1992, p. 122).

L'instauration d'une promotion par cycle pourrait permettre, croyons-nous, d'utiliser beaucoup plus efficacement les sommes importantes consacrées annuellement au redoublement; ces sommes pourraient soutenir des interventions précoces visant à assurer que le passage au cycle suivant se fasse, le plus possible, sans encombre.

Il s'agit d'éviter les mesures qui viendraient accroître les écarts, de combattre ce que l'on désigne parfois sous le nom « d'effet Matthieu » (Giasson, 1992). Dans la parabole des talents de l'Évangile selon Matthieu, le maître remet une certaine somme d'argent (des talents) à ses serviteurs que tous sauf un s'empressent de faire fructifier. Le maître s'en réjouit, mais il retire le peu qu'il avait donné à celui qui avait reçu le moins mais qui ne l'avait pas fait fructifier avec la morale suivante : « car à celui qui a, l'on donnera et il aura du surplus, mais à celui qui n'a pas, on enlèvera même ce qu'il a » (XXV, 29). La morale de la réussite scolaire doit se lire autrement, même s'il importe que chacun y investisse ses « talents ».

Au secondaire : deux cycles à mieux définir

L'école secondaire demeure la cible privilégiée des critiques du système éducatif. On en mange à s'en rassasier, comme on disait jadis de son prochain ou du curé. La situation n'est pas propre au Québec; les échos qui nous parviennent des high schools américains sont autrement plus alarmants. Un ensemble de tensions sociales et éducatives nouvelles s'y expriment et exigent que l'on s'interroge sur les ajustements démocratiques qui s'imposent.

Avec la scolarisation de masse, l'école secondaire accueille une population très diversifiée sur les plans social, culturel et éducatif. Elle subit plus que toute autre institution éducative les contrecoups de la violence et de l'exclusion sociales; elle connaît davantage l'expression du refus scolaire (absentéisme, abandon) à un âge où ses élèves sont en quête d'identité et d'autonomie. Le refus est aussi, jusqu'à un certain point, refus d'apprendre ce que l'école propose ou d'accepter ses façons de faire. Pour le CSE, l'école secondaire « apparaît encore beaucoup plus comme "une boîte à cours", régie par un horaire rigide (...) que comme une école active, centrée sur le développement de chaque personne » (1988a, p. 83). Les témoignages recueillis par le Groupe de travail pour les jeunes vont dans le même sens et pointent du doigt le contexte de compétition et de promotion de l'excellence comme une des causes du problème.

Plusieurs cherchent à contourner les défis que pose la scolarisation de masse par des stratégies d'évitement ou par des pratiques qui conduisent à une différenciation et à une hiérarchisation de plus en plus poussées du secondaire. L'ampleur prise par ce mouvement menace même de faire éclater l'école commune dans laquelle s'ancre le projet démocratique.

On peut, avec Meirieu (1993b), affirmer que la grande tâche éducative de cette fin de siècle est de permettre à chaque élève de se sentir respecté et valorisé dans une école obligatoire commune où la différenciation sera d'abord pédagogique. Comme ce fut le cas à d'autres étapes de la démocratisation éducative, les obstacles à franchir sembleront, à certains, insurmontables. Aussi importe-t-il de bien marquer les distinctions qui s'imposent entre les deux cycles du secondaire.

Au premier cycle : hétérogénéité et coopération

Le Rapport Parent l'observait déjà au début des années soixante, la distinction entre le primaire et le premier cycle du secondaire varie énormément selon les pays. En Allemagne, l'élève entre généralement au secondaire à l'âge de 10 ans, alors qu'au Danemark il fréquente la même école, divisée en trois cycles, jusqu'à la fin de la scolarité obligatoire (Bigaud et Weber, 1991). En Ontario, ce n'est qu'en 9ᵉ année que l'on passe à l'école secondaire. En Colombie-Britannique, on propose un cycle intermédiaire s'échelonnant de la 4ᵉ à la 10ᵉ année.

Au-delà de cette diversité, on observe néanmoins une tendance nette, avec l'allongement de la fréquentation scolaire, à définir le premier cycle du secondaire comme une étape de transition, à mi-chemin entre le primaire et la fin du secondaire. Dans certains pays, cette distinction a même pris la forme d'une institution distincte; c'est le cas de la France avec la création du collège, institution de transition entre l'école primaire et le lycée; c'est le cas également pour de nombreuses commissions scolaires américaines et britanniques où l'école intermédiaire, le « middle school », est désormais distincte du « high school »[59].

Cette redéfinition est généralement caractérisée par des changements importants apportés à l'organisation de l'enseignement; la classe hétérogène[60] y apparaît comme la voie nécessaire pour assurer la réussite. En découle une redéfinition des pratiques pédagogiques et du curriculum visant à mieux répondre aux besoins éducatifs de tous les élèves.

L'Ontario fournit un bon exemple de tels changements. Après quelques années d'expérimentation, on vient de mettre fin aux groupements homogènes qui caractérisaient jusqu'alors l'organisation de l'enseignement en 7e, 8e et 9e année. La politique ministérielle précise que, de la maternelle à la 9e année, l'organisation des classes ou des cours ne doit plus être établie à partir des capacités des élèves (perceived student ability); des mesures d'exception sont toutefois prévues pour les élèves en difficulté. Ce changement organisationnel est accompagné d'une réforme du curriculum[61] commun autour de quatre champs de savoir et du développement de pratiques pédagogiques adaptées privilégiant l'apprentissage coopératif, l'interdisciplinarité et le travail d'équipe (Hargreaves, 1993).

Aux États-Unis également, le mouvement en faveur de groupements hétérogènes et d'une pédagogie renouvelée se développe rapidement dans les « middle schools ». Ses promoteurs invoquent la nécessaire promotion de l'excellence et de l'égalité pour tous (Wheelock, 1992). Certains États ont clairement opté pour le changement. Par exemple, le projet de réforme californien, lancé en 1987 avec la publication d'un énoncé de politique intitulé *Caught in the Middle,* s'inspire clairement de cet esprit. Au début, les oppositions à ce projet furent nombreuses, observent Mitman et Lambert

---

59. Notons que, au Québec, dans plusieurs commissions scolaires, les élèves du premier cycle sont regroupés dans des écoles spécifiques.

60. La classe hétérogène est une classe qui accueille des élèves d'acquis scolaires diversifiés. Elle n'exclut pas des regroupements particuliers pour les élèves handicapés ou en difficulté.

61. Le concept de curriculum est utilisé dans le sens restreint des objectifs des programmes d'études.

(1993), mais les améliorations ainsi apportées aux comportements des élèves, au climat de l'école et aux résultats scolaires ont finalement vaincu les résistances.

Une importante étude couvrant l'ensemble du territoire américain confirme qu'une réforme du premier cycle du secondaire basée sur de tels changements organisationnels et pédagogiques a des effets positifs sur l'engagement des élèves dans les activités scolaires et sur la réussite éducative (Lee et Smith, 1993). Les auteurs notent également une distribution sociale fort équitable des améliorations observées et une plus grande satisfaction des enseignantes et des enseignants qui travaillent en équipe avec un curriculum moins fragmenté.

On retrouve la même tendance en France, avec le développement de la pédagogie différenciée et l'introduction de périodes pouvant être consacrées à l'élaboration de projets interdisciplinaires. Le Conseil national des programmes pour les collèges a par ailleurs proposé de combiner l'appartenance à un groupe hétérogène avec la participation à des regroupements temporaires définis à partir de l'identification de besoins spécifiques. L'objectif est ainsi, écrivent Meirieu et Develay, « de concilier les exigences de l'apprentissage d'une socialité solidaire et celles d'un meilleur service à chaque personne » (1992, p. 91).

Au Québec, le renouveau annoncé récemment pour le premier cycle du secondaire a plutôt des allures cosmétiques. Sa durée a été portée de deux à trois ans. La formation de groupes stables d'élèves est encouragée et l'on évoluerait progressivement vers une certaine forme de titulariat, les nouveaux enseignants et enseignantes étant préparés à enseigner plus d'une discipline. Mais, contrairement à la tendance que nous venons d'observer, les classes homogènes ne sont pas remises en question et rien n'annonce une transformation du curriculum et une rénovation de la pédagogie. Les changements proposés visent d'abord un meilleur encadrement des élèves; l'approche technocratique continue de dominer. Le regard nécessaire vers l'avenir se perd plutôt dans le passé.

Le Québec avait déjà fait un pas dans la bonne direction en procédant, en 1981, à la fusion des trois programmes distincts offerts aux voies dites allégée, moyenne et enrichie en un seul programme commun. Mais cette fusion, à elle seule, n'était pas suffisante pour soutenir une remise en cause des groupements homogènes, même si certains ont pu y croire. On comprend que les commissions scolaires et les écoles aient alors continué très majoritairement d'opter pour de tels groupements. Les exigences sociales nouvelles qui plaident en faveur de la réussite et de l'égalité invitent aujourd'hui à franchir ce pas supplémentaire vers des groupements hétérogènes.

Les modalités de regroupement des élèves ont toujours soulevé des débats passionnés. La polémique a rarement permis que soient pris en compte à la fois les résultats de la recherche et les difficultés liées à la complexité d'un changement d'une telle ampleur. C'est sans doute là un des défis majeurs à affronter.

Les arguments en faveur de groupements homogènes sont connus. Les élèves, affirme-t-on généralement, apprendraient mieux dans un tel environnement. Les différences individuelles exigeraient un enseignement séparé qui, seul, permettrait d'adapter l'enseignement à la diversité des élèves; cela permettrait d'offrir plus de soutien aux plus faibles et plus de contenu aux plus forts et rendrait l'enseignement plus facile. Bref, ce serait là une exigence de l'efficacité et de la qualité.

Pourtant, la grande majorité des recherches sur le sujet ne concluent pas à la supériorité des groupements homogènes. Après une analyse de 27 études comparatives portant sur le premier cycle du secondaire, Slavin affirme que, en moyenne, « les effets des groupements homogènes sur la réussite des élèves sont à peu près nuls » (1993, p. 539). Très souvent, le léger effet positif observé en faveur des plus forts est annulé par la chute dramatique des plus faibles. On invoque les différences observées dans le contenu enseigné, dans les activités d'enseignement et dans le climat de la classe pour expliquer cette polarisation (Gamoran, 1993).

En effet, dans les groupes faibles, le temps consacré à la discipline et aux routines laisse beaucoup moins de temps pour les apprentissages. L'enseignement y est davantage centré sur la répétition et laisse peu de place à la pensée analytique ou critique; les attentes des enseignantes et des enseignants sont moins élevées et les élèves sont rarement confrontés à des modèles positifs de comportement (Oakes et Lipton, 1990; Slavin, 1993). On connaît la suite; une plus grande proportion d'élèves est conduite à l'échec et à l'abandon, parfois seulement pour faire comme tout le monde. On observe en bout de course un accroissement des inégalités sociales de réussite.

Selon Slavin (1993), le fardeau de la preuve devrait être du côté des personnes qui favorisent les groupements homogènes. Leur argumentation se fonde en effet exclusivement sur l'efficacité plus grande de ce modèle, ce qui est loin d'être démontré. Les personnes qui s'y opposent, tout en dénonçant l'accroissement des écarts de réussite et de comportement, invoquent également un ensemble de valeurs liées à l'idéal démocratique. C'est d'ailleurs ce qui amène Houssaye à conclure que, les études scientifiques ne tranchant pas entre l'efficacité des types de groupements, « seul un choix de société, et donc l'affirmation de certaines valeurs au détriment de certaines autres, permet de le faire » (1992, p. 177).

Les conclusions de Oakes et Lipton vont dans le même sens. « Nous devons décider, écrivent-ils, si les groupements homogènes répondent aux besoins d'apprentissage des enfants, si ce choix est conforme à nos valeurs démocratiques et si des modèles de rechange raisonnables existent » (1990, p. 168). Or, il faut bien reconnaître que les hypothèses de rechange sont exigeantes; l'abandon des groupements homogènes n'améliore pas en soi la réussite et des inquiétudes légitimes s'expriment face à une hétérogénéité trop grande dans les acquis scolaires. C'est pourquoi plusieurs chercheurs invitent à envisager la restructuration du premier cycle de façon globale, l'objectif étant de répondre plus adéquatement à l'ensemble des besoins des jeunes adolescents (Oakes et al., 1993).

À ce chapitre, le passage au secondaire n'est pas sans problème. Selon une importante étude américaine, les élèves connaissent alors une baisse de motivation et d'estime de soi. Comparativement à la fin du primaire, ils ont moins l'occasion de participer à la vie de l'école et de la classe à un moment où ils expriment pourtant un besoin d'autonomie plus grand. La compétition accrue, le peu de relations suivies avec des adultes, des approches pédagogiques d'un faible niveau cognitif ne seraient guère favorables à cette importante transition (Eccles et al., 1993).

On peut penser que la même situation prévaut au Québec. On ne peut oublier que cette transition scolaire coïncide avec une des transitions biologiques et sociales marquantes de la vie. À l'étape de la puberté, les jeunes accordent une grande importance à leurs pairs, ils recherchent l'acceptation sociale, ils sont préoccupés par divers problèmes d'identité, ils expérimentent leurs premières relations amoureuses. Cela n'est pas sans exigences éducatives.

Dans une enquête sur la rénovation *(restructuring)* des « middle schools » américains, Wheelock a identifié un ensemble de conditions qui semblent faciliter le passage à des groupements hétérogènes. Ce changement doit d'abord être conçu comme un moyen dont l'objectif central demeure l'amélioration de l'apprentissage de tous les élèves; il doit ensuite s'insérer dans une perspective d'ensemble qui englobe de nombreuses facettes de la vie scolaire (pratiques de la classe, curriculum, évaluation, etc.); il doit encore s'inspirer d'une philosophie éducative qui reconnaît les capacités de tous les élèves et qui exprime des attentes conséquentes; finalement, une planification à moyen terme s'impose, comprenant une identification des besoins, un perfectionnement, etc.

Les expériences menées aux États-Unis et au Canada dans le but de réduire la différenciation des expériences scolaires ont conduit à de nombreuses innovations. Oakes et ses collègues (1993) mentionnent l'intégration des disciplines dans un curriculum thématique, la constitution d'équipes d'enseignantes et d'enseignants autour d'un groupe d'élèves organisé en « communauté d'apprentissage », le développement de l'apprentissage coopératif et de l'aide par les pairs, l'élargissement des occasions d'apprendre aux activités parascolaires, etc.

C'est une approche globale de cette nature qui doit inspirer la « rénovation » du premier cycle. Celui-ci représente désormais le troisième cycle du curriculum commun et il importe d'en tirer toutes les conséquences organisationnelles, éducatives et pédagogiques. Un curriculum moins fragmenté se prêterait d'ailleurs fort bien aux exigences éducatives nouvelles découlant des transformations que nous avons identifiées au deuxième chapitre, tout comme un accent plus marqué sur l'autonomie et la coopération. Les conseillères et conseillers pédagogiques pourraient apporter un soutien précieux à cette démarche, car tout indique qu'elle demande un encadrement suivi.

Même si un tel changement exige d'être planifié, il n'existe pas de recette magique, ni de livre du maître. Ce sont les valeurs de démocratie et de justice qui doivent servir à scruter les pratiques et fonder le processus de transformation. Par exemple, le débat reste ouvert, tout comme au primaire, sur les meilleurs moyens d'assurer la récupération en évitant les répétitions inutiles et sur les services à offrir aux élèves handicapés ou en difficulté[62].

Au Québec, près d'un élève sur quatre redouble sa première secondaire. Afin d'assurer un bon départ, une année de mise à niveau préparatoire à la première secondaire pourrait être offerte aux élèves qui ne possèdent pas les préalables nécessaires. La réussite d'un tel groupement homogène temporaire exigerait notamment des groupes moins nombreux, le maintien d'attentes élevées et une perspective de réussite. Ce sont là les conditions d'efficacité que Gamoran (1993) a identifiées dans les groupes d'élèves faibles.

Quant aux élèves qui connaissent d'importantes difficultés nous croyons, comme le suggère le CSE, qu'il faut maintenir certains cheminements particuliers. Il ne s'agit pas là, selon nous, contrairement à ce qu'affirme le Conseil, de respecter « le droit à la différence », mais d'une stricte contrainte organisationnelle découlant de la difficile gestion de groupes trop hétérogènes. Ces cheminements devraient toutefois être restreints afin de ne pas devenir une nouvelle voie d'évitement; leur objectif doit être de venir en aide aux élèves afin de leur permettre le plus possible de réintégrer le parcours scolaire régulier.

Finalement, on peut se demander, dans la perspective retenue ici, si, à plus long terme, la voie technologique ne devrait pas être offerte à compter du deuxième cycle, soit à partir de la quatrième secondaire plutôt que de la troisième comme actuellement. La voie technologique s'adresse à des élèves peu motivés ou à la limite de l'échec; elle propose une intégration des matières axée sur un projet technologique en vue de permettre aux élèves d'atteindre au minimum les préalables exigés pour accéder à la formation professionnelle. Ces projets ont conduit à des innovations pédagogiques fort intéressantes (interdisciplinarité, projets à réaliser) qui pourraient d'ailleurs inspirer la rénovation du premier cycle. Il faudrait toutefois, du même souffle, qu'une place plus importante soit faite à la technologie dans le curriculum commun afin d'y intéresser l'ensemble des élèves.

---

62. La Belgique vient de mettre fin aux redoublements en première année du secondaire (*Le Soir*, 14 février 1994).

Au deuxième cycle : diversifier sans exclure

L'uniformisation accrue du début du secondaire se répercute sur le cycle suivant. On note en effet une tendance générale à retarder le moment des choix professionnels et à réduire la différenciation des parcours. Chaque système éducatif intègre cette évolution dans une dynamique propre qui est fonction de sa cohérence interne et de la relation qu'il entretient avec le marché du travail. En France, cela s'est traduit par une importante réforme des lycées qui a accru la formation commune et réduit le nombre des filières. En Allemagne, l'orientation précoce du système dual a été remise en cause. Aux États-Unis, le projet d'un *high school* commun a pris la vedette. Parallèlement, on tentait un peu partout de revaloriser la formation préparatoire à l'emploi.

Les mesures prises au Québec durant la décennie quatre-vingts pointent dans la même direction. La place faite aux options a été réduite en quatrième secondaire, le professionnel court a été aboli, des écoles professionnelles spécialisées ont été créées et l'accès à la formation professionnelle a été reporté à la fin de la quatrième ou de la cinquième secondaire, selon les cas. Ces changements ont suscité des préoccupations nouvelles. On se plaint désormais de la trop grande uniformité du deuxième cycle; on constate que plus de 30 % des jeunes quittent le secondaire sans aucune qualification, candidats à l'exclusion dans un monde où l'exigence du diplôme est devenue la règle; on regrette que les jeunes continuent de déserter la formation professionnelle secondaire, malgré les efforts déployés pour la revaloriser.

Pour faire face à ces nouveaux défis, certains proposent une plus grande diversification du deuxième cycle. C'est notamment le cas du CSE pour qui « l'équité dans l'accès à la culture et à la réussite éducative a plus de chance de progresser par l'entremise de la diversification des parcours que par leur uniformisation » (1994, p. 8). Le Conseil suggère non seulement d'accroître les options en quatrième secondaire mais également de différencier davantage la formation commune en créant des cours avancés dans la presque totalité des disciplines et de réduire les exigences d'accès à la formation professionnelle (âge et seuil).

Le Conseil peut bien s'en défendre et affirmer que cela ne doit « être conçu ni comme une préspécialisation ni comme une filière » (1994, p. 15), il faudrait un miracle pour qu'il en soit autrement. L'évitement rhétorique, érigé en art par le Conseil, n'empêchera pas la hiérarchisation et la filiarisation d'une telle organisation scolaire, particulièrement dans le climat de compétition actuellement dominant.

Le MEQ va encore plus loin, dans son projet de renouveau de l'enseignement secondaire, en proposant que les écoles puissent se différencier selon les champs de formation qu'elles choisiraient d'offrir en option. Dans ce cas, c'est la hiérarchisation des écoles qui serait accrue et l'école commune qui serait menacée.

Par contre, le projet d'un curriculum commun jusqu'à la fin du secondaire ne semble guère réaliste dans le contexte québécois, malgré sa popularité chez nos voisins du Sud. Par exemple, dans son *Paideia Proposal,* le philosophe Mortimer Adler recommande d'éliminer toute voie parallèle et tous les cours à option puisque « les permettre va toujours conduire un certain nombre d'élèves à restreindre volontairement leur propre éducation » (1982, p. 21). La très populaire coalition des écoles essentielles *(coalition of essential schools)* de l'Américain Theodore Sizer emprunte la même perspective; selon Sizer, les jeunes du *high school* faiblement motivés ou qui se rebiffent devant l'effort ont davantage besoin de défis intellectuels que « d'être dirigés vers des voies moins exigeantes » (1992, p. 42).

On pourrait résumer la problématique du deuxième cycle du secondaire de la façon suivante : comment faire pour assurer le développement de tous les élèves dans une perspective d'égalité des chances, pour amener le plus grand nombre jusqu'au diplôme d'études secondaires et pour garantir la qualification requise pour l'accès au marché du travail ? Encourager des sorties précoces sous prétexte qu'on pourra toujours revenir plus tard constitue un leurre, dans la plupart des cas, nous le savons trop pour ne pas le rappeler.

Si une certaine diversification peut s'avérer pertinente en permettant aux élèves de tester leur projet d'orientation ou de répondre à des intérêts personnels, l'expérience commune doit demeurer centrale dans cette dernière étape de la formation de base. C'est d'ailleurs la position défendue par la CEQ (1993a). C'est sur cette formation de base que doit se construire la formation postsecondaire;

il n'appartient pas à cette dernière d'imposer ses contraintes à la première. Cela vaut tant pour la formation obligatoire que pour les cours
à option.

Nous ne croyons pas, contrairement à l'avis du CSE (1994),
qu'il faille, au deuxième cycle, revenir aux voies d'apprentissage
dans la formation obligatoire, comme c'est déjà le cas en mathématique. Un programme commun nous semble de loin préférable. Quant
à la classe commune hétérogène, elle nous semble toujours
souhaitable, bien qu'elle soit beaucoup plus difficile à mettre en
place qu'au premier cycle, même en transformant les stratégies d'enseignement (Oakes et Lipton, 1992). C'est à chaque milieu d'en
décider, mais le choix de la classe hétérogène comporte des exigences pédagogiques majeures. Peut- être faudrait-il encore faire des
distinctions selon les disciplines, celles qui sont très hiérarchisées
comme les mathématiques et les langues secondes se prêtant moins
bien à l'hétérogénéité.

Un programme commun ne manquera pas néanmoins d'exi-
ger des adaptations organisationnelles permettant soit des activités
d'enrichissement, soit des activités de soutien ou d'aide méthodo-
logique. En France, par exemple, on a créé, à cet effet, des modules
obligatoires de trois heures par semaine pour répondre aux besoins
diversifiés dans les matières de base; une telle mesure peut valoir
tout aussi bien pour le premier cycle.

Quant aux options, il vaut la peine de s'arrêter à l'opinion
des élèves. C'est ce qu'a fait le MEQ dans un sondage réalisé auprès
de 3 000 élèves de 3e, 4e et 5e secondaire (Bédard-Hô, 1992). Les
jeunes souhaitent que les options permettent avant tout de répondre à
leurs goûts et aptitudes et de diversifier leurs connaissances. La
musique, les arts et les lettres occupent une place de choix pour
répondre à cet objectif; les sciences par contre sont d'abord choisies
en fonction du cégep. Chez les garçons, on manifeste également
beaucoup d'intérêt pour la menuiserie, la mécanique et l'électricité.

Ces opinions nous rappellent l'importance, lorsque possible,
d'offrir un éventail d'options qui permettent la fréquentation des
divers champs de savoir; cela inclut une initiation à la technologie et
une sensibilisation aux milieux de travail. On peut penser, comme
cela se fait en Suède et en Colombie-Britannique, à de courts stages
en milieu de travail ou encore à des activités communautaires visant

une meilleure connaissance de son milieu. C'est également par les options qu'on pourra permettre aux élèves qui le souhaitent d'approfondir certaines disciplines obligatoires, toujours dans la perspective d'une formation de base.

C'est aussi sur une formation de base solide que devra se construire la formation professionnelle. L'école ne prépare pas seulement à l'emploi. Dans le contexte que nous avons décrit, elle doit, plus que jamais, assurer le développement de personnes autonomes et responsables, accroître leur participation à la culture et préparer à une citoyenneté élargie. Les changements qui marquent le marché du travail exigent également des savoir-être et des savoir-faire plus généraux; ils font appel à des facultés d'adaptation, de créativité, de travail en groupe; ils annoncent une formation continue nécessaire à l'adaptation.

La qualification professionnelle est à l'interface de l'école et de l'emploi. Ce n'est pas l'école qui crée l'emploi ou qui détermine la division sociale du travail, même si la formation peut contribuer à la lutte contre la dualisation du marché du travail. Aussi c'est en revalorisant le travail auquel elle permet d'accéder que l'on revalorisera la formation professionnelle (Payeur, 1991). À plus court terme, à l'école, il faudra que l'on mette fin à « ces goulots d'étranglement que sont les listes d'attente » (CSE, 1994, p. 36) et que l'on soutienne financièrement les jeunes qui en ont besoin. Il faudra encore que l'on assure une meilleure continuité avec l'enseignement collégial. L'obtention d'un diplôme d'études secondaires ou d'études professionnelles doit être l'objectif pour le plus grand nombre. Le « malthusianisme » scolaire n'est pas un projet d'avenir, les voies d'évitement non plus.

À ce chapitre, le changement apporté en 1989 à la *Loi sur l'instruction publique* permettant à tout élève qui a atteint l'âge de 16 ans de passer, sans discontinuité, au secteur des adultes n'est pas sans conséquences. Selon une enquête menée par la Fédération des enseignantes et enseignants de commissions scolaires (FECS-CEQ), les jeunes de 16 à 19 ans représentent près de 30 % des élèves adultes inscrits en formation générale dans les commissions scolaires et plus du tiers de ceux-ci sont passés à ce secteur sans interruption (Bourbeau, 1992).

Ce changement a instauré, jusqu'à un certain point, une nouvelle voie d'évitement que l'on incite les jeunes à utiliser et qui est rendue attrayante par des exigences moindres en terme de diplomation[63] et par une possibilité plus grande d'associer études et emploi. En plus d'occasionner de nombreux problèmes à un secteur qui s'inspire de pratiques andragogiques qui ont fait sa spécificité et son succès, la plupart des jeunes n'ont pas l'autonomie nécessaire pour tirer profit d'une pédagogie individualisée et ils finissent par redécrocher; pour plusieurs cette nouvelle voie n'est souvent qu'un mirage (Bourbeau, 1992). L'école régulière doit reconnaître sa responsabilité envers ces jeunes et leur offrir une formation qui réponde à leurs besoins.

Il n'en faut pas moins un filet de sécurité qui permette aux jeunes en difficulté d'obtenir une qualification minimale reconnue. Actuellement, des cheminements particuliers de formation visant l'insertion sociale et professionnelle s'adressent à des élèves que l'on juge incapables d'atteindre les seuils d'accès à la formation professionnelle. Ils accueillent moins de 2 % des élèves et proposent une alternance entre l'école et le travail.

Pour les jeunes démotivés ou qui songent à quitter l'école, aucune qualification n'est prévue. Pour ces derniers, le MEQ propose de réintroduire des formations préparant à des occupations de faible complexité. Il est vrai qu'il faut chercher à éviter l'exclusion; ce sont surtout les jeunes de milieu pauvre qui sont exclus; les clivages sociaux s'accentuent; la démocratie y perd. Il faut d'abord chercher à l'éviter en mettant tout en oeuvre, dès la maternelle, pour assurer la réussite. Mais, devant une perspective d'abandon, une formation professionnelle minimale devient une exigence. Il faudrait toutefois tout faire pour éviter que ce nouveau secteur ne soit lui-même facteur d'exclusion et ne contribue à éloigner des élèves du parcours normal. Il devrait s'insérer dans un profil de formation qualifiante permettant un retour ultérieur.

---

63. Le règlement sur le régime pédagogique applicable aux services éducatifs pour les adultes en formation générale, adopté en mai 1994, prévoit des règles plus sévères pour la sanction des études. Celles-ci demeurent cependant toujours plus souples qu'au secteur des jeunes.

Déjà, les nombreux programmes d'employabilité fédéraux et provinciaux incitent les jeunes à abandonner leurs études pour avoir accès aux subsides qui leur sont liés. Qui assurera ces nouvelles formations et comment le fera-t-on ? Dans bien des cas, l'école n'est plus polyvalente. Fera-t-on alors appel à l'apprentissage en milieu de travail, comme le suggère la Société québécoise de développement de la main-d'oeuvre ? On connaît la faiblesse de la culture de formation en entreprise au Québec, ce qui explique que l'apprentissage y prenne difficilement racine. La perspective démocratique suppose que ces formations comprennent une importante composante de formation générale, qu'elles permettent d'accéder éventuellement à des formations plus longues et que le système éducatif en conserve la maîtrise d'oeuvre.

Le deuxième cycle du secondaire marque donc la fin de la formation commune. C'est une étape stratégique. Certains élèves opteront pour la formation professionnelle, d'autres s'inscriront dans les statistiques de la main-d'oeuvre active, décrochant un emploi ou s'acharnant à en dénicher un; la majorité cependant s'inscrira au cégep. La présence de ressources professionnelles affectées à l'orientation et à l'information scolaire et professionnelle est alors particulièrement importante pour accompagner les élèves dans ces choix déterminants.

Avant d'aborder l'enseignement collégial, nous nous attarderons quelque peu aux services à offrir aux élèves handicapés ou en difficulté, afin d'assurer que le plus grand nombre atteigne le seuil de formation jugé aujourd'hui nécessaire.

Pour les élèves handicapés ou en difficulté : offrir des services adaptés

La perception qu'on a des élèves handicapés ou en difficulté de même que les politiques à leur intention ont connu une évolution marquée au cours des 15 dernières années. Selon le MEQ (1993d), on serait passé de l'ouverture des réseaux scolaires à la différence, avec la réforme Parent, à l'ouverture de l'école à cette différence. Nous en serions désormais à une troisième étape, celle de l'ouverture et de l'adaptation de l'intervention pédagogique à la différence.

La réforme des années soixante a en effet conduit à la création d'écoles et de classes spéciales pour des élèves qui n'avaient alors accès à aucun service éducatif ou qui étaient contraints d'abandonner l'école dès le primaire. La deuxième étape s'est ouverte en 1978 avec la publication de la politique ministérielle sur l'enfance en difficulté d'adaptation et d'apprentissage qui privilégiait une éducation de qualité dans le cadre le plus normal possible. Cette politique faisait suite au rapport COPEX[64], paru en 1976. Constatant que la classe spéciale contribuait à marginaliser l'élève et à accroître son sentiment d'échec, le rapport prônait une intégration selon un système dit « en cascades ».

Le vocabulaire utilisé a également connu des transformations; des concepts plus neutres référant aux difficultés observées relativement au cadre normal ont remplacé les concepts imputant les problèmes à l'élève (enfance inadaptée). L'intégration scolaire fut prônée non seulement dans le but d'améliorer les apprentissages, mais aussi comme moyen de favoriser l'intégration sociale.

Cette orientation a été réaffirmée lors de la mise à jour de cette politique en 1992 (MEQ, 1992d). La *Loi sur l'instruction publique* (article 235) précise qu'il appartient à la commission scolaire de fixer, par règlement, les normes d'organisation des services aux élèves handicapés ou en difficulté, y compris les modalités d'intégration. La loi confie également à la direction de l'école l'obligation d'établir, en collaboration avec le personnel, les parents et l'élève, « un plan d'intervention adapté aux besoins de l'élève » (article 47).

En 1992-1993, 12,4 % des élèves du primaire étaient identifiés comme handicapés ou en difficulté, une proportion en hausse. Plus des trois quarts de ceux-ci (76,4 %) étaient intégrés à la classe ordinaire contre 58 % lors de l'adoption de la politique d'intégration en 1978. La presque totalité (98 %) des élèves éprouvant des difficultés légères d'apprentissage sont aujourd'hui intégrés contre 58 %

---

64. COPEX est un acronyme désignant le Comité provincial de l'enfance inadaptée formé en vertu de l'annexe X du décret tenant lieu de convention collective.

de ceux qui connaissent des difficultés graves[65], 68 % des élèves aux prises avec des difficultés d'ordre comportemental et 39,5 % des élèves handicapés. Au secondaire, les élèves handicapés ou en difficulté représentaient 16,3 % des effectifs et 29,3 % d'entre eux étaient intégrés, contre 10 % en 1978-1979 (MEQ, 1993d).

Ce processus d'intégration, certes démocratique, ne s'est pas réalisé sans difficulté. Dès le début, on a critiqué sa précipitation, l'absence d'information et l'insuffisance flagrante des services de soutien à l'intention des élèves et du personnel. Certaines résistances se sont exprimées, tant de la part de parents d'élèves que de la part du personnel, pas toujours convaincu qu'il en allait du « bien de l'enfant ».

Ces difficultés demeurent, mais le débat a pris une nouvelle ampleur; il a franchi les cercles éducatifs pour rejoindre le grand public, à la suite de décisions judiciaires, d'ailleurs souvent portées en appel. Danny, David, Rémi, Marie-Joëlle sont autant de prénoms d'enfants handicapés qui ont fait la manchette. Les tribunaux ont révélé les désaccords profonds existant à propos de l'intégration. Tant la *Loi sur l'instruction publique* que la *Charte des droits* servent de base aux jugements en cause.

Le tribunal des droits de la personne, nouvelle instance créée en 1990, a adopté une approche favorable à l'intégration généralisée. Il a, par exemple, jugé que les classes spéciales bafouaient souvent le droit à l'égalité et intimé à une commission scolaire l'ordre de revoir ses politiques à cet égard; une autre fut condamnée à fournir à un élève, David, les mesures nécessaires à son intégration partielle en classe ordinaire, mesures prévues initialement au plan d'intervention mais que la commission scolaire avait jugées trop onéreuses.

Le tribunal des droits a également acquiescé à la plainte de parents de Dany qui demandaient que leur enfant, âgé de 18 ans et d'un niveau scolaire équivalent à la troisième année du primaire, soit intégré à une classe ordinaire de troisième secondaire plutôt que d'être dirigé vers un cheminement particulier. Dans le débat qui a

---

65. Les difficultés légères impliquent un retard significatif de plus d'un an dans une ou deux matières de base; pour les difficultés graves, un retard de deux ans ou plus ou des troubles spécifiques doivent être observés.

suivi ce jugement, le président de la Commission des droits affirmait que la capacité de tout élève handicapé de faire partie d'une classe ordinaire doit être présumée et qu'il importe alors de faire preuve de souplesse dans l'atteinte des objectifs d'apprentissage (Lafontaine, 1993). L'éditorialiste de *La Presse,* Agnès Gruda, y voyait plutôt une confusion des droits, une approche qui escamotait tant l'objectif premier de l'école (l'enseignement) que les droits des autres élèves (13 août 1993).

Dans une décision récente (mai 1994), la Cour d'appel a statué que l'intégration n'était pas « un droit exclusif et absolu » et a reconnu que l'adaptation des services éducatifs n'impliquait pas nécessairement l'intégration dans une classe ordinaire. Elle renversait ainsi la décision du tribunal des droits concernant la plainte des parents de Dany. Elle confirmait, en revanche, le jugement de ce tribunal dans le cas de David et contraignait la commission scolaire à lui offrir les services d'un accompagnateur à temps plein afin de faciliter son intégration partielle.

Les désaccords observés rendent d'autant nécessaire la recherche des principes qui sous-tendent les politiques d'intégration. On doit reconnaître que la contrainte judiciaire peut intervenir pour assurer le respect de droits fondamentaux; mais on doit alors prendre en compte les droits de l'ensemble des élèves et écouter les demandes et les inquiétudes de celles et ceux qui sont en contact quotidien avec eux[66].

L'équilibre reste donc à trouver entre les droits et besoins des jeunes handicapés ou en difficulté et ceux des autres élèves. C'est d'ailleurs en invoquant la nécessaire recherche de cet équilibre que l'American Federation of Teachers a récemment demandé un moratoire sur l'intégration devenue, selon elle, intégration à tout prix[67]. Il n'est pas dit que les pressions fondées sur les seuls droits des personnes handicapées ou en difficulté ne pourraient pas provoquer, au Québec également, une telle réaction de défense.

---

66. Voir à ce sujet le dossier de *Vie pédagogique,* septembre-décembre 1993.

67. Voir *American Teacher,* vol. 78, no 5, février 1994, p. 3.

L'application et le respect des mécanismes prévus par la loi concernant les besoins des élèves handicapés ou en difficulté représenteraient un atout certain. Rappelons qu'un plan d'intervention personnalisé doit être élaboré pour chaque élève identifié, dans le respect des normes édictées par la commission scolaire concernant les modalités d'intégration ou de placement en classe spéciale. Il faudrait toutefois que l'élaboration de ce plan s'adapte aux mécanismes de gestion pédagogique afin d'éviter qu'elle ne soit qu'une nouvelle exigence bureaucratique.

Un tel plan d'intervention peut également être établi lorsque l'enseignante ou l'enseignant décèle dans sa classe un élève handicapé ou en difficulté. Il importe de ne pas attendre l'identification administrative avant d'agir; dans le cas des élèves en difficulté, cette identification n'intervient souvent qu'en deuxième année du primaire, voire plus tard. C'est dès qu'une difficulté est constatée qu'il faut consentir les ressources nécessaires à la récupération, et même avant, par une politique de prévention.

Au chapitre des mesures de soutien on s'interroge sur la nature de l'organisation des services à offrir aux élèves intégrés. Par exemple, les services dispensés par les orthopédagogues ont-ils avantage à être offerts à l'intérieur de la classe ordinaire ou plutôt dans un local particulier fréquenté, selon les besoins, par un nombre restreint d'élèves en difficulté ? Chaque approche a ses défenseurs et tout indique que les deux vont continuer de coexister. Mais c'est plus largement toute l'école qui doit se consacrer à la réussite par une organisation et des pratiques scolaires adaptées.

Aucune pédagogie, aucun pédagogue, aussi efficaces soient-ils, ne peuvent faire en sorte qu'il n'y ait pas d'élèves en difficulté. Ces difficultés ont des origines diverses qui échappent souvent à l'école. L'intervention précoce peut toutefois permettre qu'elles soient surmontées. Quant aux élèves handicapés, ils ont aussi droit à une éducation qui assure leur développement maximal. Il faudra alors s'assurer que l'ensemble des services professionnels tels que travail social, orthophonie, psychologie et psycho-éducation soient disponibles.

Au cégep : une autonomie à réaffirmer

La création des cégeps fut sans doute, comme l'écrit le CSE (1988a), l'aspect le plus original de la réforme. Résultat de la fusion des collèges classiques et des instituts de technologie, le cégep se voulait, selon le Rapport Parent, une « étape polyvalente entre le cours secondaire et les études supérieures » (Tome II, par. 269). Cette originalité rend particulièrement difficiles les comparaisons avec ce qui se passe ailleurs.

Par rapport au modèle nord-américain, le cégep préuniversitaire intègre d'un côté la dernière année de l'enseignement secondaire et de l'autre, la première année de l'enseignement universitaire. Le caractère polyvalent des cégeps ajoute encore à leur spécificité. Cela a suscité régulièrement des questionnements sur leur mission, sur leur utilité, voire sur leur existence.

En fait, dès le tout début, les cégeps ont vu leur mission et leur autonomie compromises. C'est dans l'ambiguïté qu'ils sont nés. Au lieu d'exiger des universités qu'elles s'adaptent à la réforme, on les invita plutôt à définir leurs propres exigences. C'est à Saint-Hyacinthe, au printemps de 1967, que la consultation eut lieu. Selon Baby, on donna alors « les cégeps naissants en pâture à l'appétit vorace des universités » (1988, p. 8); les exigences de ces dernières allaient même se répercuter jusqu'au secondaire.

Très tôt s'est établie une hiérarchisation des programmes préuniversitaires « en fonction de leur capacité d'ouvrir des horizons universitaires plus ou moins grands » (Baby, 1988, p. 10). Les sciences et les mathématiques étant devenues les outils de sélection que l'on sait, c'est le programme des sciences de la nature qui s'est installé en tête de liste, les autres programmes étant souvent choisis par défaut. Selon Inchauspé (1992), cela conduirait même à en chasser les élèves plus forts en vertu de ce qu'il a qualifié « d'effet de coucou », le coucou s'installant dans le nid des autres oiseaux pour les en déloger. Ainsi, on constate, par exemple, que de nombreux inscrits aux facultés de sciences humaines à l'université ont transité par les sciences de la nature au cégep.

Tout en cherchant à améliorer une formation jugée inadéquate, la création des cégeps visait aussi à démocratiser la poursuite des études. On prévoyait, sur la base de données psychométriques, que 45 % des jeunes y accéderaient, dont 69 % au secteur technique.

Le cégep fut effectivement « un important dispositif dans le mouvement de démocratisation de l'enseignement au Québec » (Dandurand, 1993, p. 205). Près de 60 % d'un groupe d'âge y accède désormais. Pour saisir l'ampleur du changement, qu'il suffise de rappeler qu'en 1967 cette proportion était d'à peine 11 % (Inchauspé, 1992). Cette démocratisation est à poursuivre : de nombreuses inégalités persistent; les francophones, les jeunes de milieux et de régions pauvres traînent toujours de l'arrière; les garçons sont touchés davantage par l'échec alors que les filles choisissent majoritairement les programmes traditionnellement féminins.

Devenu institution de masse, le cégep se profile de plus en plus en continuité avec l'enseignement secondaire. Désormais, 85 % des détenteurs d'un DES y poursuivent leurs études. En accueillant une proportion d'un groupe d'âge de cinq à six fois plus grande que lors de sa création et la presque totalité des diplômés du secondaire, le cégep a dû composer avec une diversité beaucoup plus grande d'acquis scolaires, de projets personnels et de comportements. L'hétérogénéité y est devenue la norme. L'orientation se fait hésitante et la réussite bat de l'aile.

On avait prévu initialement que l'orientation scolaire et professionnelle serait déterminée au secondaire, mais celle-ci s'est progressivement déplacée vers le cégep qui est devenu en fait le lieu véritable de l'orientation. Les changements de programmes[68] sont en effet très fréquents. En 1991, chez les nouveaux inscrits, un jeune sur trois avait changé de programme, cette proportion atteignant même 41,7 % dans le cas des sciences de la nature (MESS, 1993a).

Quant à la réussite, elle demeure le défi majeur des cégeps. Le tiers seulement des élèves inscrits à temps plein termine ses études dans le temps normal (Corriveau, 1991). Une proportion

---

68. Au cégep, l'élève s'inscrit directement à un programme. On en compte quatre en formation préuniversitaire et près de 130 en formation technique. En 1991, on comptait 59,1 % des élèves du secteur préuniversitaire inscrits au programme des sciences humaines, 29 % en sciences de la nature, 6,8 % en arts et 5,1 % en lettres (MESS, 1993a).

importante abandonne en cours de route, soit près de la moitié en formation technique et autour du tiers en formation préuniversitaire. Notons que les cégeps ont fait preuve d'un dynamisme certain pour relever ce défi. Ils ont créé des centres d'aide à l'apprentissage, notamment en français; ils ont organisé des ateliers thématiques consacrés aux techniques de mémorisation, à l'utilisation des ressources documentaires, à la gestion du temps et développé des stratégies faisant appel au tutorat, à l'aide par les pairs, etc. (CSE, 1992e).

Les services professionnels sont largement insuffisants pour faire face à ces nouvelles exigences. Les aides pédagogiques individuels (API) doivent encadrer et superviser chacun de 1 400 à 1 500 personnes. Plusieurs cégeps n'offrent aucun service d'aide psychologique alors qu'on compte à peine 75 conseillères et conseillers d'orientation pour les quelque 150 000 étudiantes et étudiants du réseau (CEQ, 1993b).

Le contenu de la formation générale commune n'a pas manqué d'être régulièrement remis en cause au cours de la brève histoire des cégeps. Ce n'est toutefois que récemment et avec une grande précipitation qu'il a été revu.

En formation technique, c'est principalement la désaffection qui inquiète. Ce secteur attire une proportion d'élèves beaucoup plus faible que prévu. Depuis le début des années quatre-vingt, l'espérance d'accès[69] avant l'âge de 30 ans à un DEC technique est demeurée stable aux environs de 11 %, alors qu'elle augmentait de façon importante au DEC préuniversitaire pour atteindre 25,3 % (MESS, 1993a).

On ne peut parler de la formation technique sans constater que le cégep est devenu un lieu d'éducation permanente. Près de 20 % des étudiantes et étudiants du secteur technique à l'enseignement régulier ont plus de 23 ans; cette proportion atteint presque

---

69. « L'espérance d'accès à un diplôme collégial rend compte de la probabilité qu'a une personne d'obtenir un premier diplôme collégial. Il ne s'agit pas d'une situation réelle, mais plutôt d'une indication de ce que serait la réalité si les conditions du moment, en matière d'accès, demeuraient inchangées » (MESS, 1993a, p. 44).

50 % en techniques de soins infirmiers. Par ailleurs, le nombre d'adultes en formation continue ne cesse de croître. Mais, malheureusement, signale le Conseil des collèges (1992), cette dernière a été réduite à un outil d'adaptation étroite de la main-d'oeuvre qui fait peu de place à la formation générale et à une formation professionnelle plus large.

Tout ce qui précède soulève de sérieuses questions concernant l'avenir du cégep, tout particulièrement en ce qui a trait à sa mission et à son accessibilité, deux éléments qui sont étroitement reliés.

L'accès à l'enseignement collégial n'a pas, en principe, à être universel. Contrairement à l'enseignement primaire et secondaire, il se situe au-delà du seuil jugé nécessaire pour tous. Néanmoins, tant les besoins socio-économiques reconnus que les aspirations scolaires et sociales exprimées invitent à ouvrir les cégeps au plus grand nombre.

En effet, tout indique qu'une forte proportion des nouveaux emplois exigeront une formation collégiale. La mobilité professionnelle accrue que l'on prévoit plaide également en faveur d'une meilleure formation de base. En tout état de cause, si la qualification de la main-d'oeuvre n'est pas une condition suffisante pour assurer le développement et le progrès économiques, on admettra sans difficulté qu'elle constitue à tout le moins une condition nécessaire.

On peut encore affirmer, en dehors de toute préoccupation économique, qu'une meilleure formation s'impose pour préparer adéquatement les personnes aux importantes mutations que nous avons décrites au chapitre 2. On peut y voir un gain tant pour les personnes qui en bénéficient que pour la société qu'elles contribueront à édifier. On doit finalement considérer que, à ce moment précis de notre histoire, les jeunes et leur famille ont très majoritairement le cégep comme horizon, une aspiration sans doute influencée par les sombres perspectives d'emploi.

Nous pensons donc que la porte du cégep doit demeurer largement ouverte, même pour les élèves qui ne sont pas aussi adéquatement préparés qu'on le souhaiterait et pour ceux qui ne savent pas précisément quelle formation choisir. L'objectif d'amener 72 % d'un groupe d'âge au cégep, comme le propose la CEQ, a des conséquences importantes dont il faut chercher à prendre toute la mesure[70]. Il invite à revoir la mission de l'enseignement collégial, à y renouveler la pédagogie, à poursuivre la lutte aux inégalités d'accès et à réexaminer l'organisation de l'enseignement. La nostalgie du passé peut toujours réconforter, mais il ne faudrait pas oublier que le cégep accueillait alors une clientèle plus homogène, car triée sur le volet.

Dans ce contexte et dans une perspective d'avenir, la mission du cégep devrait être définie clairement, en elle-même et pour elle-même. Cette vocation propre devrait conférer un statut intermédiaire à l'enseignement collégial plutôt que de l'intégrer carrément à l'enseignement supérieur. C'était d'ailleurs l'option retenue par le Rapport Parent qui proposait que l'enscignement supérieur ne débute qu'après la 13e année. Rattacher le cégep à l'enseignement supérieur supposerait en effet que la sélection y soit beaucoup plus sévère puisque le sommet de la pyramide ne saurait être aussi large que sa base. Selon nous, c'est plutôt à l'entrée à l'université que cette sélection devrait s'exercer.

Tout en se situant dans la perspective du prolongement de la formation de base, la formation collégiale représenterait une étape différente caractérisée par le choix d'un programme d'études, d'une orientation plus précise. Elle devrait permettre aux étudiantes et étudiants de « se construire une vision du monde bien à eux et [d'] acquérir en même temps la maîtrise des principaux leviers de la compréhension et de l'appropriation de l'univers qui les entoure (...) » (Baby, 1988, p. 12).

La formation collégiale devrait également ouvrir aux divers champs de l'activité humaine et contribuer à orienter les choix professionnels. Elle n'a pas à être subordonnée à l'enseignement universitaire ni au marché du travail. Affirmer son autonomie, ce n'est pas affirmer son isolement puisque le cégep doit s'inscrire à l'intérieur d'un système dont les différentes parties sont interdépendantes. C'est, en revanche, refuser toute subordination et affirmer ses finalités propres.

---

70. Le CSE (1992e) propose, pour sa part, de porter, d'ici l'an 2000, l'espérance d'accès au cégep avant 20 ans à 70 % et l'accès au diplôme avant 25 ans à 60 %.

Ce statut intermédiaire ne s'oppose pas, en principe, à une diversification institutionnelle, la non-diversification étant plutôt le propre de la formation de base. Déjà même si le réseau collégial pratique une politique de portes ouvertes, les collèges ne le font pas tous, certains étant en mesure de sélectionner leur clientèle au premier tour[71].

Ainsi, les cégeps Bois-de-Boulogne à Montréal et F.-X. Garneau à Québec accueillent, en moyenne, de meilleurs élèves que ceux du Vieux-Montréal et de Limoilou. Le caractère sélectif de l'institution n'est toutefois pas le seul critère pris en considération par les élèves dans leur choix. La proximité de l'établissement, les programmes offerts, les valeurs personnelles, les amitiés sont autant de facteurs qui entrent en ligne de compte. Néanmoins, il faudrait éviter que cette différenciation ne conduise l'ensemble des cégeps à des pratiques plus sélectives, ou à l'instauration d'un système dual. Le maintien d'un diplôme octroyé par l'État est nécessaire à cet égard.

Dans la perspective où l'enseignement collégial devient un horizon souhaitable pour le plus grand nombre, le maintien de la gratuité est très important. L'introduction de frais de scolarité aurait, en effet, inévitablement un effet dissuasif, particulièrement chez les élèves d'origine modeste.

Cette approche plaide en faveur d'une perspective de formation fondamentale qui s'ouvre aux réalités nouvelles que nous avons décrites et aux exigences démocratiques qui en découlent. Elle plaide également pour une moins grande spécialisation de certains programmes collégiaux, ce qui met aussi en cause le premier cycle universitaire. Elle invite à une politique d'accroissement des exigences qui tienne compte des objectifs d'accessibilité.

Dans la perspective systémique qui est la nôtre, on peut toutefois se demander si, à ce niveau intermédiaire, une certaine diversification de la formation générale commune ne serait pas appropriée. Peut-être faudrait-il, ici aussi, revenir à l'esprit du Rapport

---

71. À Québec et Montréal, des services régionaux d'admission gèrent l'offre et la demande. Ainsi, un cégep qui reçoit plus de demandes qu'il n'offre de places est-il en mesure de choisir ses élèves. Voir Corriveau (1991) pour une explication du processus d'admission.

Parent qui prévoyait, au collège, des choix parmi un ensemble de cours obligatoires de philosophie et de français. « Ceux qui se destinent aux études techniques ou commerciales, précisait-il, peuvent requérir un enseignement des langues différent de celui qu'on offre aux scientifiques et aux littéraires » (Tome II, no 274). Il y a là un débat d'envergure, car il ne faudrait pas que cette diversification remette en cause ou réduise la mobilité entre les programmes ni qu'elle entache le caractère commun de cette formation.

La formation technique, pour sa part, va exiger un développement soutenu. Pour des raisons multiples liées à leur perception du marché du travail et à leur indécision quant à leur orientation, les élèves lui préfèrent de plus en plus la formation préuniversitaire, quoique l'on observe une légère remontée de sa popularité au cours des dernières années. On prévoit une augmentation de 40 % des emplois exigeant une qualification technique au cours de la prochaine décennie. La situation des diplômés en formation technique est d'ailleurs plutôt favorable; de 15 % à 20 % d'entre eux accèdent même à l'université, ce qui milite en faveur du maintien de la polyvalence actuelle et de passerelles tant horizontales (entre les programmes) que verticales (entre le secteur professionnel des différents ordres d'enseignement).

La formation technique, comme le rappelle Corriveau (1991), a déjà profondément marqué la division du travail en faisant apparaître de nouvelles catégories de travailleuses et de travailleurs spécialisés. Une qualification élevée demeure une exigence, au-delà des ajustements qui s'imposent. Lorsque l'on se tourne vers l'avenir, la formation technique se conçoit de plus en plus comme une formation ouverte qui prépare à l'adaptation et au recyclage, même si l'évolution rapide exige du même souffle des relations plus étroites avec les milieux de travail.

L'hétérogénéité accrue découlant d'une accessibilité élargie comporte des exigences. Le développement des services professionnels s'impose dans le cadre d'une stratégie axée sur la réussite. De nouveaux besoins d'appartenance et d'encadrement voient le jour. C'est d'ailleurs ce qui a donné naissance à l'approche-programme.

Comme le rappelait le Conseil des collèges (1992), c'est le cours et non le programme qui constitue actuellement l'unité concrète de la vie collégiale alors que c'est plutôt le programme qui devrait

constituer l'axe intégrateur des études, marquer les choix professionnels, définir le lieu d'appartenance des élèves. Contrairement à ce
que suggère le Conseil, cela n'implique pas, selon nous, qu'il faille
créer des groupes stables d'élèves. Selon une étude récente que mentionne le Conseil, de tels groupes ne présenteraient pas d'avantages
ni sur le plan des variables psychosociales (adaptation, liens,
entraide, appartenance, etc.) ni sur le plan de la réussite. Une formation commune et une pédagogie plus différenciées, répondant à des
besoins différents, nous paraissent plus adéquate.

On s'affaire actuellement à mieux définir cette nouveauté
que représente l'approche-programme. C'est, note Lambert (1991)
relatant son expérience en soins infirmiers, une façon de penser sa
relation avec l'étudiante ou l'étudiant; c'est se reconnaître une mission commune, en rattachant les cours et les départements à un système plus complexe. Ainsi, la démarche conduite au Cégep de Baie-
Comeau (1993) relie l'approche-programme à la formation
fondamentale dans l'élaboration d'un profil de la personne diplômée;
en concertation avec les départements, on cherche à situer chaque
cours par rapport aux objectifs d'un programme, à justifier sa pertinence. Dans le cas des cours communs obligatoires, on suggère
plutôt d'identifier leur apport à l'ensemble des programmes ou d'une
famille de programmes. Il s'agit donc ici aussi d'une perspective et
non d'une nouvelle structure administrative, quoique des mécanismes soient nécessaires pour assumer la concertation souhaitée.

Il est loin d'être certain que le projet de renouveau ministériel rejoigne les objectifs qui précèdent. Tout en réaffirmant le
choix initial d'une institution et d'une formation polyvalentes, on a
décidé d'articuler plus étroitement les programmes techniques au
marché du travail et de définir les programmes préuniversitaires
beaucoup plus nettement comme étant « la première de deux étapes
dans un cheminement conduisant normalement au premier grade universitaire de baccalauréat » (MESS, 1993b, p. 22). Ces orientations
fondamentales, quant à la mission des collèges, ont d'importantes
conséquences.

Le projet de renouveau reconnaît que les cégeps « n'ont pas
fait le plein de l'effectif étudiant souhaitable, voire nécessaire aux
besoins en émergence » (p. 13); toutefois, s'agissant des objectifs
d'accessibilité et de diplomation proposés par le CSE, le MESS les

trouve « exigeants, très exigeants même », quoiqu'il les considère « ni irréalistes, ni déraisonnables » (1993b, p. 11). Nous pouvons néanmoins émettre certains doutes quant à la volonté du gouvernement de les atteindre; aucun échéancier n'a été fixé et aucun moyen concret ne vise les groupes à risque. Certaines mesures pourraient même agir en sens contraire; l'introduction d'une « taxe à l'échec » pour les personnes ayant cumulé plus de 5 ou 7 échecs, selon le secteur, en est un exemple (CEQ, 1993b).

Le cégep ne filtrera pas à l'entrée, mais les exigences d'accès sont accrues, sans qu'aucune mesure n'ait été prise au secondaire pour éviter un accroissement des échecs. On ajoutera également une antichambre d'accès aux programmes servant à l'accueil des personnes ayant besoin d'une mise à niveau ou en mal d'orientation. Le Conseil des collèges qui, le premier, en a fait la suggestion est explicite : une sélection suivra; laisser errer les jeunes dans des études qui ne leur conviennent pas, écrit-il, constitue « une démission dont ces élèves et la société paieront un jour le prix » (1992, p. 175).

Les programmes techniques qui s'y prêtent seront, pour leur part, modulés; chaque étape du cheminement sera ponctuée d'une certification significative, particulièrement lorsque les étapes correspondent à des fonctions de travail « bien identifiées et reconnues ». Le MESS invoque à l'appui de cette idée un meilleur arrimage avec les formations professionnelles secondaires.

On peut toutefois redouter une adaptation plus étroite de la formation technique aux besoins à court terme des entreprises. Une telle « modulation » risque d'envoyer aux étudiantes et étudiants un message ambigu quant à la valeur de ces certifications sur le marché du travail. Elle fait craindre une dévalorisation du DEC technique et la confusion qui pourrait découler de la multiplication des certifications.

Il n'est pas certain, loin s'en faut, que ces mesures viennent favoriser l'accessibilité et la réussite. Tout dépendra de la perspective qui sera adoptée. Si les cégeps optent pour une mise à niveau s'adressant aux élèves à risque, comme ils l'ont fait récemment, les effets démocratiques pourraient être positifs. Les compressions budgétaires récentes pourraient toutefois conduire les cégeps à abandonner ces programmes d'aide; les session d'accueil pourraient alors devenir un nouveau filtre. Il s'agit donc d'un renouveau à suivre et à influencer.

Une perspective d'éducation permanente

Les adultes, nous l'avons souligné, occupent déjà une place importante parmi la clientèle de l'enseignement secondaire et collégial, tout particulièrement en formation professionnelle. Or, tout indique que la demande d'éducation de la part des adultes continuera de croître, et de façon importante puisque la mutation sociale en cours exigera un renouvellement accéléré des connaissances et des compétences. Il s'agit là d'une tendance lourde que l'on observe un peu partout en Occident; l'éducation des adultes « tend même à devenir le principal secteur de croissance des systèmes éducatifs » (Bélanger, 1991, p. 544).

Il serait trop long de reprendre ici la litanie des restrictions qui ont frappé l'éducation des adultes. Au cours des dernières années, cette dernière a été profondément transformée par la vision utilitariste dominante. Les bilans réalisés récemment par l'Institut canadien d'éducation des adultes (ICEA, 1994) et par le CSE (1992a) mettent en évidence l'ampleur de cette transformation. D'une part, les activités liées à l'alphabétisation et à l'éducation populaire ont connu une réduction dramatique lorsqu'elles ne sont pas, dans le cas de la seconde, carrément disparues. D'autre part, la formation sur mesure, visant souvent une adaptation étroite de la main-d'oeuvre aux besoins immédiats des entreprises, a connu une expansion fulgurante qui ne fut pas sans effets sur la mission de ce secteur. Le Conseil des collèges (1992) notait par exemple que la formation continue dans les cégeps ne faisait plus guère de place à la formation générale ni à une perspective large en formation technique.

Par ailleurs, c'est vers la formation des personnes déjà en emploi et le développement de l'employabilité qu'ont évolué solidairement les programmes provinciaux et fédéraux, malgré la poursuite des « querelles de juridiction » et le maintien de la « jungle administrative ». La création de la Société québécoise de développement de la main-d'oeuvre (SQDM) en 1993 tout comme les amendements récents apportés au régime d'assurance-chômage n'ont fait que confirmer cette orientation. Quant aux entreprises mêmes, elles consacrent toujours aussi peu de ressources à la formation.

Personne ne conteste, particulièrement dans le contexte actuel, le fait que l'on fasse de la formation et du développement de

la main-d'oeuvre une priorité. Ce que l'on craint, c'est que cette formation en vienne à être soumise aux seules lois du marché alors que
la mission sociale et culturelle de l'éducation des adultes est remise
en cause. La mission de base de cette dernière, soit « le développement de l'individu dans sa globalité à toutes les étapes de la vie », ne
cesse de se rétrécir, regrette le CSE (1992a, p. 47). Le fait que l'éducation des adultes ait été à peu près absente des projets de renouveau
de l'école secondaire et du collège n'est en rien rassurant.

Les changements apportés à la *Loi sur l'instruction publique,*
qui permettent aux élèves de 16 ans de s'inscrire à l'éducation des
adultes, ont eu des conséquences importantes sur ce secteur, comme
nous l'avons déjà souligné. Ajoutons que le financement des services
à la clientèle de plus de 18 ans a connu une diminution réelle au
cours des dernières années. Il est devenu de plus en plus difficile
d'être étudiante ou étudiant autonome ou à temps partiel à l'éducation des adultes; on privilégie les adultes inscrits à temps plein par le
biais des programmes sociaux visant l'employabilité ainsi que les
jeunes de 16 à 18 ans.

De façon générale, les conditions d'apprentissage se détério-
rent : le nombre d'élèves par groupe augmente, on limite plus sévèrement le temps alloué pour chaque cours ou programme, etc. La défi-
cience des services autres que l'enseignement fait en sorte que la
formation n'est pas réellement accessible à tous les adultes qui en ont
besoin, même lorsqu'ils sont inscrits, car ils ne bénéficient pas du
soutien dont ils auraient besoin dans leur démarche de formation.

Il est devenu urgent de situer l'éducation des adultes, tout
comme la formation de base, dans une perspective d'éducation permanente. Cette dernière considère que l'éducation fait partie de
toutes les étapes de la vie et ouvre sur une « cité éducative » qui
reconnaît les divers lieux de formation.

Les transformations du marché du travail que nous avons
décrites vont exiger continuellement de nouvelles compétences. Si
l'on s'en tenait à la seule formation initiale des jeunes, il faudrait
attendre 20 ou 30 ans pour améliorer le niveau et le type de qualification de la main-d'oeuvre (Bélanger, 1991). La réponse démocratique à la flexibilité accrue de la production passe d'abord par la formation continue et non par le recours à la sous-traitance et au travail
temporaire.

Par ailleurs, un ensemble de facteurs socioculturels poussent les personnes à se mieux former pour exercer de façon autonome leurs responsabilités sociales et pour assurer leur épanouissement personnel, contribuant ainsi au développement de la collectivité. D'autre part, des citoyennes et des citoyens se regroupent pour défendre leurs droits et demandent une formation adaptée à leurs besoins.

Certaines priorités se dégagent en vue de répondre aux besoins personnels et sociaux. L'alphabétisation et la formation de base viennent aux premiers rangs; c'est là une exigence de l'exercice des droits fondamentaux de toute personne en société démocratique. Près de 20 % de la population adulte québécoise a moins de neuf années de scolarité et 44 % ne détient pas de diplôme d'études secondaires. La connaissance et la maîtrise de la langue française s'avèrent, au Québec, une autre exigence de la citoyenneté démocratique. Au collège, c'est l'accès à une formation qualifiante qui devient une priorité.

La réalisation de cette mission suppose une meilleure intégration de l'éducation des adultes à la mission éducative des commissions scolaires et des collèges, tout en maintenant la spécificité de ce secteur. Les services éducatifs offerts sont souvent insuffisants; les adultes souffrent tout particulièrement de la quasi-inexistence d'une véritable politique de reconnaissance des acquis scolaires et extrascolaires, du caractère incomplet de la gratuité scolaire et des difficultés d'accès à des programmes conçus pour des clientèles précises et qui ne sont pas adaptés à la diversité des personnes. Par ailleurs, l'accès à une formation qualifiante exigera une collaboration plus étroite des entreprises et l'instauration d'un congé-éducation, comme le revendiquent de nombreuses organisations.

Mais il n'appartient pas seulement à l'éducation formelle d'assumer cette mission, même si elle a un rôle central à jouer. La volonté de favoriser une véritable égalité des chances et une authentique promotion collective invite à soutenir les groupes populaires d'alphabétisation ainsi que l'éducation populaire autonome qui, tous deux, favorisent la prise en charge solidaire et la promotion collective des milieux subissant l'exclusion. On peut également penser à d'autres agents éducatifs qui pourraient assumer un rôle nouveau en mettant à profit les changements technologiques; la formation à

distance, par exemple, pourrait connaître d'importants développe-
ments avec la venue de « l'autoroute électronique ».

Bref, les besoins éducatifs des adultes connaîtront un
accroissement majeur dans les années à venir et il faudra s'ingénier à
mettre l'ensemble des institutions à contribution pour être en mesure
d'y répondre.

FAIRE DE CHAQUE ÉTABLISSEMENT
UNE CITÉ ÉDUCATIVE

Un ensemble de changements organisationnels s'imposent
donc afin d'assurer la réussite éducative du plus grand nombre, de la
maternelle jusqu'au cégep. Mais c'est aussi au niveau de chaque
établissement que se réalise concrètement la volonté de démocratiser
la réussite. C'est à ce niveau que les personnes qui y vivent peuvent
agir sur le devenir de leur institution et y faire prospérer le projet
démocratique. L'enjeu est de taille. C'est ici que le concept de cité
éducative prend toute son envergure.

La cité renvoie à un lieu où vivent des personnes partageant
un ensemble d'intérêts communs. Elle évoque, plus symboliquement,
un espace, celui où s'exprime le débat démocratique. Citoyenneté,
civique, civil sont autant de mots dérivés de cité qui servent à définir
l'espace public.

Concevoir l'établissement d'enseignement comme cité, c'est
vouloir y voir vivre et prospérer les valeurs et les principes qui
fondent la démocratie. C'est reconnaître aux personnes qui y vivent
des droits, mais aussi des obligations. C'est fonder ses normes, ses
relations, sa structure de gestion sur des valeurs d'autonomie,
d'égalité et de coopération. C'est faire tout cela en reconnaissant le
caractère particulier de cette cité dont la mission est de former des
sujets démocratiques.

En l'état actuel des choses, les critiques ne manquent pas.
On se plaint du caractère bureaucratique et de l'inefficacité du modèle de gestion (CSE, 1992d). On dénonce une organisation du travail
sans vision, qui mime l'industrie et produit des exécutants d'un travail en miettes (CSE, 1993). On regrette que les élèves exercent peu
l'autonomie et la responsabilité que l'école a pourtant pour mission

de développer (Ferrer, 1993). Finalement, on constate qu'un ensemble d'encadrements complexes et peu pertinents ne laissent guère de place au dynamisme local et à l'innovation (CSE, 1993).

Il y a donc beaucoup à faire pour construire la démocratie dans chaque établissement, et plusieurs raisons de le faire. L'école doit d'abord assurer la formation de citoyennes et de citoyens démocratiques; chaque établissement doit également favoriser le dialogue sur la définition du « bien commun » institutionnel et rechercher un consensus quant à sa mission propre. Par ailleurs, une organisation du travail et une gestion plus démocratiques sont en soi des objectifs à viser.

Mais on peut aussi y voir un moyen de contribuer à l'avènement d'un nouveau modèle éducatif qui valorise la coopération et la motivation intrinsèque, comme nous le proposons, plutôt que la compétition et les contrôles. C'est même une condition nécessaire à l'avènement de ce modèle. Comme le reconnaît Eisner, « à moins qu'il n'y ait des changements significatifs dans les façons qu'ont le personnel et les élèves de vivre et de travailler ensemble, toute transformation d'importance de l'école demeure illusoire » (1992, p. 618).

L'émergence de l'établissement

La réforme des années soixante a été réalisée grâce à une centralisation qui semblait la seule voie permettant d'assurer le passage d'un système éducatif fortement inégalitaire à un système qui assurerait une distribution équitable des ressources et un enseignement de qualité équivalente pour tous. Avec le temps toutefois, l'autonomie laissée aux établissements s'est rétrécie comme une peau de chagrin. Les prérogatives consenties par le règlement N° 1 aux écoles primaires et secondaires pour tenir compte des exigences propres à leur milieu ainsi que les pouvoirs conférés à l'équipe-école se sont rapidement envolés. Dans le cas des cégeps, le renouveau récent marque une certaine rupture; les collèges disposeront d'une plus grande autonomie, mais celle-ci sera encadrée par des politiques d'évaluation des programmes et des établissements.

La nécessaire centralisation a donc fini par « occuper trop d'espace » (CSE, 1992d). C'est aussi l'avis des enseignantes et des enseignants qui considèrent majoritairement que les commissions scolaires et les collèges, tout comme le MEQ, détiennent trop de pouvoir alors qu'ils jugent, en particulier au secondaire, n'en pas détenir assez, tout comme les élèves d'ailleurs (Berthelot, M., 1991). Un consensus semble donc se dégager en faveur d'une plus grande décentralisation de la gestion vers les établissements.

Ce mouvement n'est pas propre au Québec. On le retrouve tout aussi bien en France qu'aux États-Unis. Chez « nos cousins », la loi prévoit que chaque établissement doit se doter d'un projet qui définisse son identité propre. Selon le rapport Lesourne, l'autonomie des établissements est même perçue comme « le seul levier qui permette de faire évoluer de l'intérieur l'enseignement public » (1988, p. 300).

Chez nos voisins, où le système éducatif a été historiquement décentralisé, c'est plutôt l'échec de la première vague de réformes entreprises au début des années quatre-vingt qui a conduit à conclure que le changement ne pouvait venir que de l'intérieur et qu'il fallait pour cela conférer davantage de pouvoir aux écoles et au personnel enseignant (Johnson, 1991). Ainsi, ce que l'on désigne comme la deuxième vague s'appuie sur l'école centre de décision *(school-based management)* et sur la responsabilisation *(empowerment)* des enseignantes et des enseignants.

Au Québec, on a également vu, au niveau des commissions scolaires, émerger l'établissement comme entité juridique distincte et non plus seulement comme unité administrative. L'article 4 de la nouvelle *Loi sur l'instruction publique* accorde à tout élève ou à ses parents le droit de choisir parmi les écoles de la commission scolaire celle qui répond le mieux à leur préférence ou dont le projet éducatif correspond à leurs valeurs. Ce droit n'est toutefois pas absolu puisqu'il doit s'exercer dans le cadre des critères fixés par la commission scolaire. Le renouveau de l'enseignement collégial exprime également une volonté décentralisatrice, particulièrement en ce qui concerne les programmes et la diplomation.

Il y a donc une double dynamique qui pousse à la décentralisation. D'une part, « l'uniformité (...) ne répond plus à la nécessité de trouver des accommodements divers aux problèmes des milieux éducatifs » (CSE, 1992d, p. 22); on admet facilement que l'école rurale n'a pas les mêmes besoins que l'école de la métropole; on propose donc de redonner prise aux établissements sur l'action éducative en en faisant des lieux de décisions importantes. D'autre part, on souhaite une plus grande différenciation des établissements exprimée dans des projets éducatifs « encore plus distincts ».

Ces deux facettes de la décentralisation soulèvent des enjeux fort différents. On peut voir la première soit comme un moyen de libérer l'initiative locale, soit comme un outil de répartition de la pénurie, alors que la deuxième met en cause la notion de service public : s'agit-il d'une ouverture légitime aux droits des usagers ou d'un Cheval de Troie d'un libéralisme sauvage (Derouet, 1992) ?

Une différenciation inquiétante

C'est au sujet de la formation de base que la différenciation des établissements soulève le plus d'inquiétudes. On peut bien affirmer, avec le CSE (1993), qu'il n'est pas question que les projets éducatifs aillent à l'encontre des grands objectifs du système; mais il faut malheureusement constater que c'est déjà le cas pour certains. Outre les grands paramètres légaux et réglementaires, il n'est guère de normes qui balisent ce que l'on désigne de plus en plus comme l'école à la carte. Des écoles primaires et secondaires, qu'elles soient publiques ou privées, sélectionnent leurs élèves sur la base de la performance scolaire, du sexe, de l'origine ethnique ou de l'appartenance religieuse. On assiste ainsi peu à peu à une balkanisation du système éducatif (Dandurand, P., 1990).

Si une certaine diversité des identités institutionnelles peut être souhaitable pour, selon l'expression du CSE (1993), incarner la démocratisation, c'est à condition, comme l'écrit Lessard, « qu'on ait un système qui ait une vision claire de son développement et de son avenir (...) » (1994, p. 115). Or, une telle vision est loin d'exister au Québec. Aussi y a-t-il urgence de définir le cadre à l'intérieur duquel l'autonomie locale pourra s'épanouir. On retrouve encore une fois la tension démocratique entre l'égalité et la liberté. La nécessité pour l'école de s'adapter à son milieu, de disposer d'une marge de manoeuvre en matière d'horaire, de curriculum, de services, d'innovation ne doit pas se concrétiser au détriment d'une école démocratique dont la principale caractéristique, pour l'école de base, est d'être commune.

Rien ne serait plus néfaste que de laisser se constituer, à cette étape, des ghettos sociologiques ou idéologiques (Meirieu, 1990). Aussi faut-il affirmer clairement, avec Ballion, que l'État doit fixer les règles du jeu, « exercer des régulations et imposer la réalisation d'objectifs qui ne peuvent résulter de la poursuite par chacun de son intérêt privé » (1991, p. 251). C'est dans cette perspective que nous avons défini, au chapitre précédent, quelques principes susceptibles de fournir un encadrement national aux politiques de recrutement des établissements afin de préserver l'école commune.

Il ne faut pas voir ici une remise en cause des projets éducatifs novateurs. L'innovation pédagogique doit pouvoir s'exprimer et s'expérimenter concrètement. L'école dans son ensemble peut en tirer de profitables leçons. Ces projets novateurs doivent toutefois être ouverts à tous les élèves et à tous les parents qui en partagent la philosophie. C'est d'ailleurs la perspective des écoles dites alternatives.

Néanmoins le choix de l'école primaire et secondaire par les parents soulève inévitablement certaines difficultés. Il appartient aux commissions scolaires d'établir les paramètres de ces choix, dans le respect des encadrements nationaux. L'école primaire et secondaire est une école de quartier; y préférer une autre école, c'est, d'une certaine façon, refuser de s'engager en vue d'en faire une meilleure école pour tous les enfants, se détourner d'une préoccupation pour le bien commun (Tye, 1992). Aussi, la reconnaissance du droit des parents d'opter pour un projet éducatif plus conforme à leurs aspirations devrait-elle être étroitement encadrée.

Les collèges sont affectés différemment puisque la diversification institutionnelle n'est pas problématique à ce niveau. Mais les palmarès et les comparaisons infondées y ont des conséquences de plus en plus lourdes. On craint également que la possibilité offerte à certains collèges d'assumer la responsabilité ministérielle de décerner les diplômes ne vienne créer deux catégories d'établissements. Les collèges auxquels l'État déléguerait ses responsabilités seraient jugés de qualité, alors que ceux qui demeureraient sous la gouverne du MEQ pourraient devenir des collèges de seconde zone; cela pourrait même avoir pour effet de miner la valeur des diplômes décernés par l'État.

Une communauté en construction

Après les nombreuses études qui s'étaient employées à vérifier la véracité du dicton « tel père, tel fils », on a démontré avec autant de conviction que « à bonne école, bon élève ». La prise de conscience d'un « effet d'établissement » sur la réussite des élèves (Van Haecht, 1990) a redonné place aux acteurs et encouragé la mobilisation locale en vue d'une réduction des inégalités scolaires.

Il s'agit là d'un renversement majeur de perspective par rapport à la vision déterministe qui a précédé. Il ne faudrait pas toutefois, comme l'écrit Demailly, « tomber dans le défaut et le fétichisme inverses : l'établissement n'est qu'un établissement, un segment d'une organisation plus vaste » (1991, p. 315). Son autonomie institutionnelle est donc toute relative, son autonomie sociale également.

Il n'en demeure pas moins que de nombreuses études américaines ont démontré que, « dans les écoles où le personnel partageait des attentes élevées envers les élèves et où un niveau élevé de collégialité et de leadership soutenait le travail du personnel enseignant, les élèves démontraient davantage d'engagement dans la vie de l'école et obtenaient de meilleurs résultats » (Talbert et al., 1993). On s'est également aperçu que l'application des caractéristiques de ces « bonnes écoles » ne relevait pas de la recette et qu'il fallait apprivoiser, voire transformer, une culture organisationnelle propre à chaque établissement qui s'ancrait dans une histoire et dans des normes et valeurs implicitement partagées (Deblois et Corriveau, 1993).

Même constatation en France. Dans une étude portant plus précisément sur la gestion participative dans quatre collèges français, Demailly a noté une amélioration significative des résultats scolaires. Cela confirme, selon elle, « les capacités mobilisatrices d'une vie démocratique à l'intérieur de l'établissement et l'impact de cette mobilisation sur la qualité des prestations d'enseignement » (1991, p. 83) et l'amène à conclure qu'une gestion plus collégiale apparaît « à la fois comme moyen et fin du changement autour d'un objectif

central qui est celui de la "démocratisation" de l'enseignement »
(p. 320).

Quoiqu'une telle « culture collégiale » soit rendue nécessaire
par les défis éducatifs d'aujourd'hui et de demain, elle est lente à se
développer parce que le fonctionnement des établissements repose
traditionnellement sur une autonomie pédagogique qui s'exerce une
fois la porte de la classe fermée et sur une gestion axée surtout sur
des questions administratives (Lessard, 1994).

Les enseignantes et les enseignants expriment d'ailleurs un
faible intérêt pour participer à des comités de gestion et de concertation; soit qu'ils cherchent à éviter les conflits, soit qu'ils sont peu
confiants à l'égard de mécanismes de participation perçus comme
lourds et inefficaces (Berthelot, M., 1991). Au cégep, Robitaille et
Maheu (1993) observent « l'étanchéité des solitudes » et concluent
que l'espace institutionnel est un système social en partie bloqué;
même la vie départementale interactive n'existe pratiquement pas,
envahie qu'elle est par des problèmes techniques et administratifs et
par des débats qu'ils qualifient de stériles.

La construction d'une véritable communauté éducative axée
sur la réussite repose pourtant sur le fonctionnement de structures
participatives diverses. Ces structures n'ont de chance de s'imposer
que si elles prennent des décisions engageantes qui sont objet de
réflexion collective et qui s'affirment respectueuses d'une culture
enseignante fondée sur l'autonomie et l'égalité. Il faut encore reconnaître, avec Robitaille et Maheu, qu'un « espace local dynamique et
interactif ne peut se constituer qu'au moyen de rapports sociaux d'affirmation et de confrontation, de débats et de mises en commun, de
concertation et de gestion démocratique de conflits entre acteurs bien
en contrôle de leur compétence à agir » (1993, p. 109).

Il n'y a malheureusement ni modèle prescriptif, ni solution
miracle. Il s'agit davantage d'une culture à transformer que de structures à créer. Les divers comités locaux de participation qui existent
dans les écoles et les collèges peuvent même y retrouver un regain
d'intérêt. Mais il faudra que la vision administrative et comptable qui
domine la gestion soit profondément transformée en faveur d'une
approche axée sur l'activité éducative et sur la pédagogie.

La formation d'une communauté éducative exige des finalités,
des valeurs et des aspirations communes. Le projet démocratique que

nous proposons ne connaîtra de suite que s'il est pris en charge localement. L'élaboration d'un projet d'établissement peut être l'occasion de cette prise en charge, une occasion de développer chez le personnel et les élèves un certain sentiment d'appartenance, mais il faudra alors prendre tout le temps que demande une démarche aussi exigeante.

La National Education Association, qui regroupe la majorité du personnel de l'éducation américain, propose une démarche en trois étapes pour la mise en place de projets locaux qu'elle expérimente dans un réseau national d'écoles-pilotes. Il faut d'abord s'assurer de bien connaître son école, ce qui nécessite un ensemble de données sociodémographiques, d'indicateurs d'attitudes et de réussite, etc. On passe ensuite à un travail en sous-groupes où, à partir des problèmes et des enjeux identifiés, on recherche des solutions en s'appuyant sur les données de la recherche. Ce n'est qu'en troisième étape que sont développés un projet local et un plan d'action visant à améliorer la situation (Smith et Scott, 1990). Dupont (1990) propose une démarche similaire dans son projet d'auto-analyse de l'école.

Une première évaluation des projets élaborés dans le cadre de la Coalition of Essential Schools a révélé l'ampleur des difficultés que comporte l'implantation d'un changement important. Les changements, notent Muncey et McQuillan (1993), ont provoqué des tensions et polarisé l'école; on y a perçu une critique trop sévère des pratiques qui y avaient cours; on n'a pas toujours recherché le premier consensus essentiel : celui qu'un changement fondamental s'imposait. C'est pourquoi Maeroff (1993) recommande une stratégie qui vise préalablement la constitution d'une véritable équipe. L'équipe ne doit pas seulement être créée, elle doit se construire dans un processus de formation qui vise à développer les habiletés du travail de groupe, des techniques d'analyse de la réalité et des techniques d'animation centrées sur l'action.

Demailly (1991) dégage, pour sa part, un ensemble d'éléments susceptibles de favoriser un tel projet et qui rejoignent ceux qui précèdent. Il faut la volonté d'une direction compétente en animation démocratique d'équipe, une minorité active dont « les prophètes ne sont pas des terroristes », des méthodes qui permettent le travail collectif, l'insertion dans des réseaux d'échange et de ressourcement, des conditions matérielles favorables et une ouverture à l'innovation.

Implanter une gestion participative ou collégiale en vue de changer l'école par l'élaboration d'un projet éducatif local démocratique est donc un projet d'envergure qui exigera réflexion collective, débats, négociation explicite; il faudra des « activistes » dotés d'initiative et préoccupés de consensus. N'est-ce pas là justement la nature de l'esprit démocratique ?

Ce dialogue démocratique ne saurait être restreint au seul personnel de l'établissement. Il doit, bien sûr, inclure les élèves, dont il sera question un peu plus loin. Mais l'école et le collège ne peuvent non plus vivre refermés sur eux-mêmes. La communauté éducative doit s'ouvrir à la communauté dans son sens large et aux parents des élèves en particulier.

De nombreuses études récentes sont venues souligner l'importance de la contribution familiale à la réussite. De telle sorte que la dynamique école-famille occupe désormais une place centrale en éducation. L'amélioration de ces relations est également perçue comme un élément clé de l'intégration des élèves de groupes ethnoculturels minoritaires. Il y a un versant individuel à ces relations qui vise chaque famille. Il y a aussi un versant collectif qui s'exprime par l'intermédiaire d'un comité de parents qui existe au niveau de l'école et de certains cégeps, par le conseil d'orientation[72] où les parents sont majoritaires et par la présence de ces derniers au conseil des commissaires, ou, dans le cas des collèges, au conseil d'administration.

Dans une recension des écrits sur la collaboration école-famille, Royer et al. (1993) ont inventorié plusieurs types de programmes; certains invitent les parents à apporter leur soutien aux activités de l'école, y compris en classe, d'autres leur offrent plutôt un soutien dans leur rôle d'éducation, d'autres encore proposent une formation pour qu'ils puissent venir en aide à leurs enfants en lecture, en mathématiques.

Malgré les convergences qu'observent plusieurs études et les améliorations souhaitées, les difficultés sont nombreuses. Salomon et Comeau (1992) observent, en conclusion à l'analyse d'un sondage sur le sujet, que « les relations école-famille peuvent être complexes,

---

72. Le conseil d'orientation de l'école, qui regroupe direction, personnel, élèves et parents, a notamment pour mandat de voir à l'élaboration du projet éducatif de l'école.

porteuses de réalisations, mais aussi de conflits » (p. 14). Aussi importe-t-il que le rôle de chaque intervenant soit bien précisé.

Les parents demandent d'être considérés comme des partenaires et non comme des exécutants ou des concurrents. Le personnel enseignant, pour sa part, craint une remise en question de son statut; aussi ce nouveau partenariat doit-il se construire dans le respect de l'autonomie professionnelle du personnel de l'éducation. Alors, le dialogue serein souhaité de part et d'autre aura plus de chances de porter fruit.

Au niveau des collèges, c'est au conseil d'administration que les intérêts de la communauté devraient, en principe, être pris en compte. C'est aussi par une mission élargie de soutien au développement régional et de services à la collectivité que se crée une relation dynamique avec le quartier, la ville ou la région. La nouvelle loi sur les collèges reconnaît cette mission de développement régional, mais, sans obligation de financement, il est à craindre que celle-ci ne soit restreinte à la seule aide aux entreprises.

Finalement, ces relations plus larges avec la communauté environnante invitent à une certaine mise en commun des services, à un partage des ressources, notamment avec les municipalités. L'ouverture de l'école et du collège à leur milieu ne pourra que favoriser leur mission éducative.

Ce qu'enseigner veut dire

Enseigner n'est pas un travail comme un autre. C'est partager la lourde responsabilité de « transmettre le monde » et de former des sujets démocratiques. C'est promouvoir des valeurs à travers ses pratiques et son action quotidienne. C'est aussi se savoir porteur d'une responsabilité éthique. Comme le souligne Demailly, il ne s'agit pas « de produire des marchandises, mais d'aider à la socialisation de petits d'hommes. On n'y applique pas de procédés, on y vit des événements et des relations. On n'y manipule pas des choses ou des informations codées, on s'y confronte à des valeurs et à des lois » (1991, p. 30).

Les enseignantes et les enseignants occupent une place centrale en éducation. Tout projet visant à changer l'école ne saurait se passer de leur concours et ne sera pas sans conséquences sur leur propre travail. Par exemple, la promotion par cycle, l'interdisciplinarité, le développement de stratégies d'apprentissage adaptées à une population scolaire hétérogène invitent à rompre l'isolement qui marque le travail enseignant pour construire une coopération plus étroite. Ces mesures ne sauraient donc s'implanter sans une plus grande démocratisation du travail enseignant lui-même qui soit fondée sur une autonomie et une responsabilité individuelles et collectives accrues.

Une revalorisation de la profession enseignante s'impose désormais, un peu partout en Occident, comme un des éléments majeurs des stratégies et des réformes visant à résoudre la crise des systèmes éducatifs. Selon plusieurs, c'est par une professionnalisation accrue que cette valorisation serait assurée. Le concept demeure imprécis, mais plusieurs des mesures proposées ne sont pas dénuées d'intérêt et rejoignent la perspective qui est la nôtre.

Dans une note de synthèse sur « la professionnalisation des enseignants », Bourdoncle rappelle que les visions proposées « ne sont pas innocentes : en les nommant, elles contribuent à créer des réalités » (1993, p. 103). Ouvrier, artisan, artiste ou professionnel, toutes ces conceptions du travail enseignant s'ancrent dans une perspective sociale et un contexte particuliers. Les promoteurs du professionnalisme enseignant ont souvent cherché à mimer les corporations professionnelles existantes; cela n'était pas toujours « innocent » : on a même parfois directement cherché à affaiblir ainsi le versant syndical de l'action collective enseignante[73].

Cela dit, le syndicalisme enseignant n'a désormais pas d'autre choix que d'intégrer plus étroitement sa composante professionnelle. C'est donc, comme nous y invite Bourdoncle, avec une « reconnaissance des limites de ce mythe que constitue la professionnalisation des enseignants » (p. 83) qu'il faut y oeuvrer. C'est encore dans la perspective que suggère Perrenoud, celle d'une « professionnalisation accrue conçue (...) comme une capacité à comprendre et à

---

73. La création de regroupements professionnels par le gouvernement du crédit social en Colombie-Britannique et par le gouvernement chilien du général Pinochet se situait dans un tel contexte. Le discours du ministre Laurin sur le sujet, au début des années quatre-vingt, avait également été interprété par certains comme ayant un tel objectif (CEQ, 1982).

neutraliser les causes de l'échec, donc à traiter les différences sans les transformer constamment en inégalités » (1993, p. 64).

Selon Lessard (1994), depuis le début des années quatre-vingt, on aurait plutôt assisté, au Québec, à un phénomène inverse de technocratisation, voire de « prolétarisation » de l'enseignement. La pratique enseignante a progressivement été enserrée dans un corset de règles et de prêt-à-porter pédagogique; les contrôles se sont multipliés, réduisant l'autonomie du personnel enseignant à une « autonomie de contrebande » qui ne trouve à s'exprimer qu'à l'abri des regards indiscrets, lorsque la porte de la classe est fermée.

Les enseignantes et les enseignants expriment de sévères critiques face à cette technocratisation de leur travail. Dans une étude sur la santé mentale réalisée par entrevues collectives, ils se plaignent de directions qui « ne leur font pas confiance, ne reconnaissent pas leur compétence, leur expérience, ni leur éthique professionnelle »; ils « dénoncent la perte d'autonomie, de liberté et de pouvoir réel » qu'ils ont subie (Carpentier-Roy, 1992, p. 16). Ces critiques rejoignent celles exprimées quelques années plus tôt lors d'une enquête menée à la CEQ; les enseignantes et les enseignants se sentaient « contrôlés à la minute », « traités comme des enfants »; on dénonçait le « manque de confiance », le manque de temps et l'absence de contrôle sur ce dernier (CECS-CEQ, 1988). Sans être aussi explicites, les données recueillies par questionnaire par Berthelot (M., 1991) ainsi que par David et Payeur (1991) révèlent un malaise certain quant au pouvoir exercé à l'extérieur de la salle de classe.

Selon Perrenoud, une professionnalisation accrue implique au contraire « que la mise en oeuvre de règles préétablies cède la place à des stratégies orientées par des objectifs et par une éthique » (1993, p. 60). Elle exige des ressources permettant d'analyser et de faire face à une grande variété de situations plutôt que des réponses stéréotypées; elle met l'accent sur le contrôle par les pairs plutôt que par les supérieurs; elle mise sur le travail d'équipe et sur les capacités collectives, sur l'autonomie responsable. Le rapport Lesourne va dans le même sens lorsqu'il propose de faire renaître « le métier d'enseignant (...) sur le mode postindustriel (...) [ce qui] suppose des individus autonomes, mais au sein d'équipes ayant le sens d'une responsabilité collective » (1988, p. 287). Tout cela rejoint le professionnalisme collectif prôné par le CSE : « l'acte d'enseigner prend tout son sens dans l'optique d'une responsabilité collégiale à l'égard des apprentissages et du développement des élèves » (1991b, p. 55).

Sykes (1991) regroupe sous un ensemble de principes l'essentiel des mesures qui sont proposées pour développer de véritables communautés professionnelles dans les établissements. La professionnalisation passerait notamment par :

- une responsabilité professionnelle accrue envers l'activité éducative, préalable nécessaire de l'imputabilité bureaucratique;

- la promotion d'un processus de socialisation professionnelle dans les établissements mêmes : amélioration des stages, entrée supervisée dans la profession, etc.;

- un renforcement des relations horizontales entre le personnel concernant le développement du curriculum et son adaptation aux particularités locales afin d'en faire une véritable entreprise commune;

- un accès élargi à des sources externes de connaissances, dans un contexte de relations égalitaires; on pense ici notamment à des centres de formation par les pairs et à des projets de recherche conjoints avec les universités;

- la création d'occasions favorables à l'exercice d'un leadership informel et non hiérarchique visant l'amélioration de l'enseignement : des responsabilités temporaires liées à des projets précis peuvent représenter de nouveaux défis;

- la reconnaissance qu'il faut du temps pour pouvoir se consacrer à d'autres responsabilités que le seul enseignement : planification collective, échanges, observation de collègues, etc.

Si l'on se fie aux données des études déjà mentionnées, le personnel enseignant québécois serait plutôt favorable à une telle diversification de son travail. En effet, les enseignantes et les enseignants se disent en grande majorité intéressés à concevoir ou à expérimenter des méthodes et du matériel pédagogiques, à participer à des projets de recherche, à superviser le travail de collègues débutants; ils expriment également un intérêt pour des formules de perfectionnement et d'évaluation de l'enseignement qui soient garantes de leur autonomie et qui mettent les pairs à contribution; ils s'opposent finalement carrément à toute hiérarchisation de la profession et à la paye au mérite (Berthelot, M., 1991).

Dans le cas du Québec, la présence d'un personnel professionnel expérimenté pourrait s'avérer un atout dans le développement de telles communautés professionnelles. Il faudra alors, par exemple, que les conseillères et conseillers pédagogiques deviennent autant de ressources pour soutenir la démarche des équipes-écoles.

Dans le cadre du modèle démocratique que nous proposons, trois éléments méritent particulièrement de retenir l'attention : les programmes d'études, l'évaluation des apprentissages et les collectifs de travail. Comme on le sait, ces éléments sont étroitement liés, et la réalité actuelle à leur égard est loin de répondre aux exigences d'une professionnalisation accrue.

Les programmes d'études sont découpés en des centaines d'objectifs qui laissent peu de place à l'autonomie et à l'initiative. Les évaluations d'étapes sont nombreuses. Quatre bulletins scandent le rythme de la vie scolaire. L'esprit de contrôle et de compétition domine; l'évaluation a été détournée de ses fins pédagogiques; un temps énorme est consacré à mesurer, temps perdu pour enseigner ou pour apprendre.

Avec un tel encadrement, l'adaptation exigée par les changements rapides et continus que nous avons décrits se fait difficilement; les projets interdisciplinaires ont de la difficulté à prendre leur envol; les approches thématiques qui visent l'éducation relative à l'environnement, aux droits, à la compréhension internationale sont difficiles à mettre en place. Par ailleurs, l'approche centralisatrice et compétitive dominante n'a guère permis d'atteindre la qualité promise, nous l'avons vu; elle a plutôt conduit à déresponsabiliser les milieux et à briser des solidarités créatrices.

Il ne s'agit pas de prôner un retour à la « pédagogie en feuilles détachées » qui a été l'objet de tant de critiques à la fin des années soixante-dix. Rendre obligatoires les seuls objectifs terminaux des programmes d'études permettrait de les articuler autour de ce qui est vraiment essentiel et pourrait laisser beaucoup plus de souplesse aux milieux en ce qui concerne la manière de les atteindre. Les objectifs intermédiaires multiples ne seraient alors fournis qu'à titre informatif. Des ponts pourraient également être établis entre les objectifs terminaux des différents programmes afin de favoriser l'interdisciplinarité; une démarche est d'ailleurs déjà en cours en ce sens. Les enseignantes et les enseignants seraient alors davantage en mesure, éventuellement avec la collaboration de conseillères et de conseillers pédagogiques, de planifier leur démarche, d'élaborer des instruments communs, de prendre des initiatives. On pourrait ainsi favoriser le passage d'une pédagogie de la transmission à une pédagogie de l'appropriation (Meirieu, 1990), encourager la conception et l'élaboration de stratégies adaptées aux besoins locaux.

Dans le cas des collèges, la définition des programmes d'études autour de l'approche par compétences inquiète plusieurs enseignantes et enseignants de formation générale; on y voit une approche réductrice et étroitement utilitaire pouvant conduire à un fractionnement des compétences et à l'élaboration de standards artificiels[74]. Si on reconnaît généralement la pertinence de définir des standards mesurables, on craint d'assister à un morcellement des apprentissages et à la taylorisation que l'on observe au primaire et au secondaire.

L'évaluation des apprentissages, pour sa part, s'ancre dans des conceptions éducatives, dans des valeurs. Elle a en retour une influence déterminante sur la pratique enseignante ainsi que sur l'organisation et l'utilisation du temps. On peut même craindre, comme le notait l'OCDE, que la multiplication des tests « finisse par réduire le rôle de l'enseignement à une préparation aux examens » (1992, p. 78). Les élèves, quant à eux, finissent par se représenter l'école comme un lieu où l'on est évalué plutôt qu'un lieu pour apprendre, ainsi qu'ils le pensent lors de leur arrivée au primaire (Tardif, 1993).

Par ailleurs, la neutralité et l'objectivité de la mesure et de l'évaluation sont à relativiser. Des expériences nombreuses et variées ont confirmé l'inconsistance des notations et des examinateurs (De Peretti, 1987). On observe, par exemple, que, quelle que soit la distribution des compétences au début de l'année, la distribution des notes finales épouse grosso modo une forme gaussienne (Eurycide, 1993). Les examens sont loin de permettre de mesurer l'ensemble des habiletés visées; on souligne encore qu'il s'agit d'un jeu relationnel

---

74. Voir à ce sujet « La pétition des professeurs de français du collégial concernant l'approche par compétences et savoir-faire », publiée dans *Le Devoir*, 21 mai 1994, p. A-7.

auquel tous les enfants ne sont pas également préparés. Perrenoud est particulièrement sévère lorsqu'il affirme que « l'erreur judiciaire n'est rien en regard des à-peu-près et des incohérences de l'évaluation scolaire » (1992b, p. 91).

Aussi faut-il chercher à retrouver la fonction pédagogique de l'évaluation des apprentissages afin de la situer davantage au coeur même de l'acte d'apprendre (Paradis, 1992). L'objectif n'est pas de semer des embûches ni de faire trébucher, mais d'aider à réussir. Devoirs, travaux, observations, auto-évaluation sont autant de moyens, pour l'élève et pour le personnel enseignant, de savoir où on en est afin de rajuster le tir, de mettre en évidence les acquis et les façons d'apprendre. Des épreuves diagnostiques peuvent alors s'avérer utiles; elles permettent de comparer le niveau atteint au niveau souhaité et de mettre en place les mesures de soutien nécessaires.

Il importe donc de distinguer la fonction sociale de l'évaluation lorsqu'elle sert à classer ou à sélectionner les élèves de sa fonction de régulation pédagogique[75]. Car il est aussi des étapes, telles les fins de cycle, où une évaluation plus globale s'impose et des points de passage où il appartient à l'État de vérifier les acquis, à la fin du secondaire, par exemple.

On observe d'ailleurs un mouvement en faveur d'une plus grande diversification des modalités d'évaluation. Sizer (1992) suggère par exemple l'organisation d'expositions avec jury à l'intérieur de l'école permettant d'évaluer les habiletés acquises dans des productions concrètes. D'autres proposent plutôt de suivre la progression des travaux des élèves à l'aide de cahiers à cette fin *(portfolios);* d'autres encore favorisent certaines formes d'auto-évaluation. La définition de profils de formation pourrait introduire des changements majeurs en matière d'enseignement et d'évaluation comme ce fut le cas aux États-Unis avec son équivalent *l'outcome-based education* (Pipho, 1992). On note également une préoccupation pour une évaluation qui garantisse à la fois la qualité et l'égalité.

---

75. On trouvera dans Paradis (1992) une explication des principaux concepts utilisés en évaluation : évaluation et mesure, évaluation sommative et formative, interprétation critériée et normative, etc.

La croyance myope que les seuls contrôles permettent d'améliorer la qualité est dangereuse. À ce sujet, Darling-Hammond (1993) rappelle les données d'une étude américaine menée dans les années trente par la Progressive Education Association qui a démontré la supériorité d'une évaluation fondée sur les travaux des élèves et les recommandations du personnel par rapport aux examens traditionnels, comparaison fondée sur les résultats obtenus par la suite à l'université.

On s'entend pour reconnaître aux parents le droit à une information claire et explicite concernant le progrès de leur enfant. L'attachement au modèle traditionnel du bulletin avec ses comparaisons et ses hiérarchisations rend toutefois difficile le développement d'un nouveau modèle d'évaluation. En Ontario, les expériences-pilotes visant à mettre fin aux notations traditionnelles se sont butées à l'incompréhension des parents et des élèves (Hargreaves, 1993); même chose en Colombie-Britannique. Les péripéties du bulletin descriptif dans plusieurs commissions scolaires québécoises en sont un autre exemple; au-delà des critiques sur un langage technique hermétique et sur la lourdeur de la tâche, ce sont les finalités mêmes du projet qui ont souvent été remises en cause.

La nécessaire cohérence en matière de programmes et d'évaluation ainsi qu'une organisation plus souple de l'enseignement plaident en faveur d'un travail d'équipe et d'une responsabilisation collective accrue au niveau d'une classe, d'un cycle, d'un département, de l'école, selon les besoins. C'est en ce sens que le CSE affirme « qu'il convient d'encourager le développement de petites unités de travail autonomes et responsables si l'on veut accroître un engagement authentique des personnes » (1993, p. 47). Cette coopération se devra d'être respectueuse de l'autonomie professionnelle de chacune et chacun. Tout enseignante ou enseignant a sa propre conception de la tâche à accomplir; les stratégies qu'il choisit portent la marque de ses valeurs, de ses convictions. Mais cette autonomie suppose en contrepartie la reconnaissance de l'interdépendance. Actuellement, c'est plutôt l'isolement qui caractérise le travail enseignant.

Cette professionnalisation accrue, qui s'ancre dans les changements qui précèdent, ne se réalisera pas d'un simple coup de baguette magique; elle aura besoin d'être soutenue concrètement au niveau des établissements. Sinon, ces nouvelles responsabilités seront perçues comme autant d'exigences s'ajoutant à une tâche déjà lourde. L'économie d'efforts est un élément important dans un contexte de surcharge de travail; sans les moyens nécessaires, on pourra préférer la soumission à l'autonomie.

Une des mesures les plus courantes vise à dégager un bloc-horaire commun afin de favoriser les échanges, le soutien affectif et la créativité (Carpentier-Roy, 1992). La véritable constitution de collectifs de travail, adaptés aux besoins et qui assumeraient certaines responsabilités, exige même qu'un temps spécifique soit prévu à cette fin. Cela existe déjà en France où un temps hebdomadaire de concertation est inclus dans la charge de travail. Mais il faudra alors libérer du temps quelque part en dégageant les enseignantes et les enseignants de certaines activités non directement éducatives. C'est généralement du côté de la surveillance que l'on se tourne alors; c'est l'activité jugée la plus désagréable par les enseignantes et les enseignants. Aussi le CSE, à l'instar d'autres organisations dont la Carnegie Task Force on Teaching, invite-t-il à confier les activités de surveillance à d'autres catégories de personnel.

Cette perspective différente pour l'école et pour le personnel enseignant exigera également des efforts en matière de perfectionnement. Le développement de réseaux visant la création de communautés d'intérêt semble une approche prometteuse (Darling-Hammond, 1993); une telle approche existe déjà au Québec autour de l'éducation relative à l'environnement, de l'éducation interculturelle et à la compréhension internationale et les évaluations en sont très positives. Une formation directement sur place, à l'école, centrée sur l'acteur en contexte, s'avère aussi très efficace (Eisner, 1992).

Il faudra encore une amélioration majeure des relations existant entre les facultés de sciences de l'éducation et le milieu, entre la théorie et la pratique. Le refrain est connu : les universitaires sont grandement préoccupés par le « publish or perish »; leur distance du milieu est prise à partie. Bref, des efforts doivent être déployés pour rendre les résultats de la recherche plus accessibles et pour construire celle-ci avec le milieu. C'est là d'ailleurs la tendance qui commence à poindre dans les facultés québécoises, qu'il s'agisse de la formation, de la recherche ou de l'intervention.

Finalement, c'est la formation des nouveaux maîtres qu'il faudra revoir, dans la perspective de la préparation de « spécialistes des apprentissages scolaires » comme le dit Meirieu (1990). Le processus est en cours, mais on peut regretter qu'il se fasse sans perspective véritable de l'école à laquelle on prépare. Car il ne faudrait pas tomber dans le pragmatisme étroit dont le caractère conservateur et reproducteur est connu. L'enseignement dans une société démocratique exige, outre la maîtrise des savoirs à enseigner et les connaissances pédagogiques et psychologiques nécessaires, une bonne connaissance des caractéristiques de la démocratie et du rôle de l'école dans celle-ci, une culture générale large, un sens du bien commun et de la responsabilité éthique, une préoccupation pour les conséquences néfastes de certaines pratiques scolaires et pour la réduction des inégalités face à l'éducation (Goodlad, 1990). Enfin, l'arrivée de nouvelles recrues dans les prochaines années pourrait être l'occasion d'assurer une représentation des groupes ethnoculturels peu présents dans la profession enseignante.

Le métier d'élève[76]

Les citoyennes et les citoyens de la communauté éducative ce sont aussi les élèves. C'est également de leur point de vue qu'il faut chercher à comprendre la dynamique scolaire. Ce sont eux qui doivent être au centre des activités de l'école et du collège. Tout doit être mis en oeuvre pour faire en sorte qu'ils aient envie d'y être, d'y vivre et d'y réussir. C'est dans un cadre démocratique que leur métier d'élève doit s'exercer et qu'ils doivent développer les habiletés nécessaires à la citoyenneté.

L'éducation démocratique doit se donner comme objectif de développer deux dispositions sociales qui sont au coeur de la citoyenneté. La reconnaissance et le respect de l'égale dignité des personnes vient au premier rang; le recours à la délibération comme mécanisme de prise de décision et de résolution des conflits l'accompagne. Les élèves doivent pouvoir exercer les droits qu'on leur présente comme fondamentaux et appliquer les habiletés qu'on veut les voir développer. C'est dans l'ensemble de la vie de l'école qu'ils doivent s'éduquer à la démocratie, même si des approches différentes ou certaines limites peuvent s'imposer selon l'âge des élèves.

---

76. Ce titre est emprunté à Sirota (1993).

Nous l'avons vu, le modèle de l'enfance et de la jeunesse a profondément changé. Non seulement les jeunes sont-ils quotidiennement exposés à tous les problèmes humains de la planète, mais ils expriment aussi de façon précoce une plus grande autonomie dans leur accès à la consommation et au travail, dans leurs relations avec les adultes, dans leur vie sexuelle. Il serait illusoire de rêver d'un retour à l'ordre ancien, et inefficace pour l'école de ne pas assumer ce changement.

Pourtant, comme le reconnaît le CSE à propos de l'école primaire, le développement des conduites personnelles et sociales des élèves est plus souvent guidé par un souci « de conformité aux attentes des adultes, qu'il n'est inspiré par des objectifs d'autonomie personnelle et de responsabilité à l'égard des autres et du monde » (1991a, p. 24). Selon Ferrer (1993), l'école ne fait pas assez appel à la responsabilité des élèves; elle reste fondée sur des rapports d'autorité qui laissent peu de place à l'autonomie et à la participation. En plusieurs milieux, on craint que l'ordre ne soit emporté par le chaos.

Kohn (1993) identifie plusieurs avantages à une plus grande responsabilisation des élèves. Premièrement, ces derniers y trouvent un mieux-être, comme c'est le cas avec les travailleuses et les travailleurs qui connaissent des formes nouvelles d'organisation du travail. On note ensuite des effets fort positifs sur leurs comportements et sur leurs valeurs, face à l'école et face à la démocratie. Tout indique également que les apprentissages s'en trouvent améliorés. Finalement, en plus de la valeur intrinsèque d'une telle approche, le personnel de l'école en ressent directement les effets positifs.

S'agissant d'une communauté d'apprentissage, c'est d'abord à ce niveau qu'une telle perspective démocratique doit trouver à s'exprimer. Les notes et les examens sont trop souvent les seuls moyens qu'on ait trouvés pour faire travailler les élèves. Ceux-ci ne sont guère habitués à autre chose et ils sont profondément marqués par l'approche utilitariste dominante. Mais l'autonomie s'apprend et peut s'acquérir peu à peu.

Des approches pédagogiques variées permettent, dès l'éducation préscolaire, de faire appel à une plus grande autonomie, dans un climat de coopération et de dialogue. L'apprentissage en coopération mérite à nouveau une mention particulière. Les recherches sont nombreuses à démontrer ses effets positifs sur l'estime de soi des élèves, sur les relations interethniques et sur l'habileté à travailler ensuite en coopération (Slavin, 1993). Il faut d'abord développer les habiletés sociales que cela exige de la part des élèves habitués à une structure compétitive où chacun recherche la situation la plus profitable pour lui et la moins avantageuse pour les autres. Le personnel enseignant devra y être préparé.

Nous ne ferons que mentionner quelques autres approches que nous avons déjà résumées ailleurs (Berthelot, 1987). Le tableau de programmation des activités, proposé par la pédagogie ouverte, laisse beaucoup d'initiative et de choix aux enfants. Le tutorat par les pairs développe une collaboration étroite entre des élèves d'une même classe ou de classes différentes. La pédagogie Freinet valorise l'élaboration de projets d'équipe et s'appuie sur un conseil de classe où les élèves débattent de leurs problèmes. On pourrait ajouter encore la recherche autonome, la pédagogie du contrat et l'autocorrection comme autant de moyens de développer l'autonomie.

Les activités d'apprentissage peuvent également trouver leur prolongement dans des activités parascolaires, qu'elles soient ou non intégrées à l'horaire. On s'entend généralement pour reconnaître la grande valeur éducative de ces activités qui vont du club de sciences à la troupe de théâtre en passant par toute la gamme des activités culturelles et sportives. On sait également que ces activités ont souvent un effet motivateur chez des élèves dont les habiletés sont peu reconnues par l'enseignement traditionnel. Elles contribuent finalement de façon importante au développement d'un sentiment d'appartenance à l'école en rendant celle-ci plus intéressante et plus attrayante.

Malheureusement, ces activités n'ont plus la popularité d'antan; les moyens font défaut et le transport n'est pas toujours adapté. Des collaborations sont certes souhaitables avec la communauté ou les municipalités. Mais il faudra aussi doter les écoles et les collèges d'un personnel adéquat qui puisse coordonner la mise en place et le développement de telles activités.

Pour les élèves, l'école est bien davantage qu'un lieu d'apprentissage. C'est, plus largement, un milieu de vie où ils développent des relations, des amitiés et, parfois, des conflits. Ils s'y regroupent en fonction de l'âge, du sexe, de l'origine ethnique ou sociale ou encore par affinités. Ces groupes peuvent être plus ou moins structurés et plus ou moins hermétiques. Ils peuvent agir positivement ou négativement sur la réussite éducative. Lorsque trop fermés, ils peuvent favoriser les stéréotypes négatifs, voire les conflits. Aussi chaque établissement doit-il préciser le cadre de la vie commune.

De façon générale, les élèves, à l'image des adultes, préfèrent vivre dans un environnement sain, sécuritaire et ordonné. Ils reconnaissent que des normes sont nécessaires pour assurer une vie commune harmonieuse. Mais ils veulent aussi être mis à contribution dans leur élaboration, prendre part aux décisions qui les concernent, se sentir respectés.

Cela ne veut nullement dire qu'il faille abdiquer toute autorité; c'est simplement reconnaître que les élèves peuvent assumer plus de responsabilités, qu'on peut leur laisser la possibilité de régler certains problèmes par eux-mêmes. On peut, avec Pagé, affirmer qu'un « groupe d'élèves qui apprend à agir dans ce contexte vit les conditions de base de l'autonomie de la société civile » (1993, p. 20). Par exemple, on devra assurer, dans la vie sociale de l'école, le respect des éléments de la culture commune que l'école a justement pour mission de transmettre. Mais on réussira d'autant mieux à faire de chaque établissement un lieu exempt de sexisme, de racisme et de violence, un lieu où les règles concernant la langue d'usage des activités éducatives seront respectées que les élèves seront mis à contribution dans l'élaboration du code de vie de l'établissement.

La question de la violence à l'école peut servir à illustrer ce qui précède. Les conflits font partie de la vie; la démocratie invite à les résoudre dans le dialogue plutôt que dans le recours à la violence; elle invite à la tolérance et au respect mutuel, à une résolution pacifique des conflits. Face à la violence endémique en leur sein, certains établissements américains ont d'abord eu recours à la seule logique répressive; mais tout indique que les détecteurs de métal, les caméras de surveillance, les gardiens de sécurité n'ont guère permis d'améliorer la situation, comme le font observer deux commissaires du Mouvement pour une école moderne et ouverte (Cadotte et Decourcy, 1994).

Aussi cherche-t-on désormais, dans de nombreuses écoles américaines et canadiennes, à miser sur la prévention. Outre les activités éducatives sur la résolution pacifique des conflits, sur la sensibilisation à la violence sexiste ou raciste[77], on a souvent recours à des pairs médiateurs pour soutenir l'application des normes de non-violence adoptées par l'école. Il ne s'agit pas d'un système de déla-tion, la médiation demeurant confidentielle. Ces médiateurs sont généralement identifiés par les élèves eux-mêmes, ils sont représen-tatifs de la diversité de l'école et un entraînement les prépare à assumer leur nouveau rôle (Glass, 1994). Dans plusieurs milieux, les parents et la communauté sont directement concernés, car la violence trouve sa source dans la pauvreté familiale, dans la violence cultu-relle, etc.

La collaboration des élèves vaut pour bien des facettes de la vie de l'école. À l'adolescence, les jeunes s'adressent d'abord à leurs pairs lorsqu'ils éprouvent une difficulté. Par exemple, c'est surtout à leurs amis que les jeunes décrocheurs parlent de leur projet de quitter l'école, beaucoup plus rarement aux adultes (MEQ, 1991d). La présence d'un gouvernement ou d'un conseil étudiant représentatif est sans doute une bonne façon de développer de tels mécanismes d'entraide.

L'existence de cette structure représentative est non seule-ment une façon d'éduquer à la démocratie et de développer le leader-ship, mais c'est aussi une façon d'améliorer la vie de l'école. Afin de ne pas être factice, cette structure doit disposer de pouvoirs réels adaptés aux divers ordres d'enseignement : gestion de certains bud-gets, consultation sur le projet éducatif, développement de mécanis-mes d'entraide, etc. Il faudra alors que le personnel accepte les conséquences d'une telle participation démocratique.

On ne peut parler du métier d'élève sans aborder la question des devoirs et du soutien qu'ils exigent. Le temps que les élèves affir-ment leur consacrer varie selon le sexe et le niveau d'enseignement. Au deuxième cycle du secondaire, par exemple, les élèves affirment majoritairement consacrer moins de 5 heures par semaine à leurs travaux scolaires; les garçons sont deux fois plus nombreux que les

---

77. De nombreux outils sont disponibles pour aider à combattre la violence à l'é-cole. Voir notamment les activités pour combattre le racisme de *Vivre ensemble notre avenir* produit en 1992 par la CEQ et le CEICI. Voir également le N° 7 de la revue *Options* (printemps 1993), le numéro spécial de la revue *Orbit* (Vol. 24, N° 1, 1993), le N° 82 de *Vie pédagogique* (1993) et les vidéos produits par la CEQ.

filles à leur consacrer moins de deux heures par semaine (31,4 % contre 15,3 %) (Bédard-Hô, 1992). Cela peut expliquer, en partie, les résultats inférieurs des garçons, car on sait que le temps consacré aux devoirs a un effet direct sur les résultats scolaires (Boisclair, 1994).

Plus l'élève est jeune, et plus il connaît de difficultés, plus il a besoin de l'aide d'un adulte. Selon Meirieu (1993), le renvoi du travail scolaire à la maison comporte un risque de discrimination sociale important, en pénalisant les élèves appartenant aux familles défavorisées. On compterait d'abord sur les femmes pour en assurer la supervision[78]; les mères seules ou à faible revenu seraient alors grandement désavantagées (Bowditch, 1993). Tout cela plaide pour une adaptation de la pratique des devoirs à ces nouvelles réalités et à la démocratisation de la réussite.

Dans le cadre de la campagne québécoise sur la réussite éducative, l'aide aux devoirs fut une des mesures les plus populaires. Une étude conduite dans la région de Québec révèle le haut taux de satisfaction des élèves du primaire et de leurs parents à l'égard d'ateliers de devoirs mis sur pied à l'école (Boisclair, 1994). Selon l'étude du MEQ déjà citée, 13,8 % des élèves du secondaire auraient des périodes d'études obligatoires à leur école; 53 % des élèves qui n'y ont pas accès se disent intéressés par une telle possibilité qu'ils préféreraient majoritairement le matin et d'une durée de 30 à 60 minutes (Bédard-Hô, 1992). Dans d'autres milieux, ce sont les parents que l'on forme afin qu'ils soient en mesure de venir en aide à leurs enfants.

Ce ne sont pas là les seuls services qui s'imposent pour que les élèves soient en mesure d'exercer adéquatement leur métier. Il n'appartient pas au personnel enseignant d'assumer les services de psychologie, d'orientation, de travail social, d'animation, etc. Mais les élèves doivent pouvoir compter sur de tels services. Souvent, leur réussite en dépend.

Aussi, l'école devrait-elle être un véritable centre intégré de services à l'enfance et à la jeunesse comprenant des services de garde, de santé, des services psychosociaux, etc. L'école paraît l'endroit le plus naturel et le plus efficace pour développer un tel centre

---

78. La lettre de la conjointe de Philippe Meirieu en épilogue à son livre *Les devoirs à la maison* (Syros, 1987), rappelle cette réalité sexiste.

de services. Les élèves n'auraient pas alors à se déplacer et les services seraient également accessibles à tous. De plus, le personnel professionnel qui travaille en milieu scolaire a une bonne connaissance des exigences particulières du milieu.

Les services professionnels interviennent également dans l'animation de la vie de l'école, dans l'amélioration des relations interculturelles, dans les relations avec les parents et la communauté. Ce sont là des services, non pas complémentaires comme on les appelle officiellement, mais des services essentiels à la vie de l'école. Leur financement précaire invite à un vigoureux coup de barre pour en assurer le développement, dans la perspective d'une école de la réussite.

ADAPTER LES STRUCTURES À UNE ÉCOLE COMMUNE

On chercherait en vain, au Québec, en matière d'éducation, des questions qui sont l'objet de débats plus virulents que la confessionnalité scolaire et l'école privée. Les expressions guerrières fréquemment utilisées pour rendre compte de la vigueur des polémiques qu'elles provoquent illustrent fort bien le fossé qui sépare les camps en présence.

Cela ne saurait surprendre, dans la mesure où ces deux thèmes soulèvent effectivement des questions capitales concernant le rôle de l'école dans la reproduction des privilèges sociaux et des particularismes ethnoculturels ou religieux. Les défenseurs de la confessionnalité et du « choix de l'école » invoquent à grands cris la liberté des familles pour soutenir leur position. Ils affrontent inévitablement les tenants d'un projet démocratique fondé sur l'égalité et sur l'école commune.

Dans une société pluraliste, où la diversité ethnoreligieuse ne cesse de croître, on ne saurait en effet apprendre à vivre ensemble sans partager une culture et des institutions communes. On ne saurait non plus viser une plus grande égalité en privilégiant les privilégiés et en faisant de la concurrence l'axe central des politiques éducatives. Aussi, des changements majeurs s'imposent-ils aux structures scolaires actuelles dans la perspective d'une laïcité ouverte et d'une école privée qui n'émarge pas au budget de l'État. De tels changements ne se produiront pas à moins d'une large mobilisation, le pouvoir politique se méfiant des orages que ces questions font inévitablement gronder.

Une laïcité ouverte

La confessionnalité de l'enseignement primaire et secondaire québécois pose un sérieux problème au regard de l'égalité des droits et de la liberté de conscience et de religion. Les catholiques et les protestants jouissent en effet d'importants privilèges qui traversent l'ensemble du système éducatif : de ses structures supérieures, avec les sous-ministres associés et les comités confessionnels du CSE qui ont droit de regard sur les programmes d'études et le matériel didactique, jusqu'aux écoles et à l'enseignement. Toute école publique peut en effet être reconnue officiellement comme protestante ou catholique; mais qu'elle le soit ou non, elle doit néanmoins offrir l'enseignement religieux protestant ou catholique, et les élèves de ces deux confessions y ont droit à des services en animation pastorale ou religieuse.

Quant à la possibilité théoriquement admise que l'école publique offre un enseignement d'autres confessions religieuses, elle se bute à d'importantes résistances. La demande en ce sens, en 1991, de la communauté musulmane de Brossard, en banlieue de Montréal, a soulevé un véritable émoi dans la population. La commission scolaire a finalement rejeté la demande, affirmant craindre une « sectorisation » de certaines clientèles (Proulx, 1993).

Plusieurs groupes ont plutôt choisi, dans ce contexte, d'assurer la transmission de leur héritage culturel et religieux grâce à la création d'écoles privées largement financées par l'État. La multiplication de ces écoles religieuses ou ethniques crée une certaine « ghettoïsation » qui n'est guère favorable à l'intégration à la culture commune québécoise.

La création de commissions scolaires linguistiques, prévue par la nouvelle *Loi sur l'instruction publique* (loi 107 de 1988), n'affronte pas ces privilèges et ne réglera rien. On peut même craindre que de nouvelles difficultés en découlent. Dans les cas de Québec et de Montréal, ces structures linguistiques viendront se superposer aux commissions confessionnelles existantes[79]. On n'a pas manqué de souligner qu'un tel morcellement pourrait entraîner le système scolaire sur la voie de la ségrégation, les Québécois francophones optant majoritairement, par tradition, pour la commission scolaire catholique, alors que les familles d'origine immigrante, majoritairement non catholiques, verraient leurs enfants dirigés vers la commission scolaire francophone.

Le législateur a d'ailleurs eu à nouveau recours à la clause dérogatoire dite nonobstant qui permet de soustraire les lois scolaires à l'application de la Charte canadienne des droits et libertés pour une période de cinq ans, renouvelable. Cette mesure a pour objectif d'éviter toute contestation des lois scolaires en vertu des droits à l'égalité et de la liberté de conscience reconnus par la Charte canadienne.

Reconnaître un statut confessionnel à des écoles publiques n'est pas sans conséquence sur la liberté de conscience. Si le secteur protestant a plutôt « évolué en pratique vers un enseignement non confessionnel de la culture religieuse » (Harvey, 1992, p. 215), les écoles catholiques doivent, elles, selon les règlements en vigueur, s'imprégner de l'option confessionnelle.

Ainsi, même si le droit des parents de choisir entre l'enseignement religieux ou moral est reconnu et que le personnel enseignant peut demander d'être exempté de l'enseignement religieux, on attend de l'école reconnue comme catholique qu'elle intègre dans son projet éducatif les croyances et les valeurs de la religion catholique. Les enseignantes et enseignants dispensant l'enseignement religieux[80] doivent non seulement être de foi catholique, ils doivent également témoigner quotidiennement de leur croyance et

---

79. La Cour suprême du Canada a confirmé la constitutionnalité de la loi 107 en statuant, en 1993, que sur les territoires de Québec et de Montréal, le caractère confessionnel des commissions scolaires était garanti par l'article 93 de la constitution canadienne et que le droit à la dissidence devait être respecté sur l'ensemble du territoire. Rappelons que la Cour d'appel du Québec a décrété que toutes les écoles d'une commission scolaire confessionnelle étaient d'office confessionnelles.

80. On exige désormais des maîtres en formation d'avoir suivi neuf crédits en enseignement religieux; c'est souvent plus que ce qui est exigé pour l'enseignement du français.

tout le personnel doit être respectueux du caractère à la fois public et catholique de l'école (Milot, 1991). Afin de s'assurer que la foi chrétienne inspire le projet éducatif de l'école de même que son fonctionnement, le règlement du comité catholique prévoit que chacune doit procéder à une évaluation de son vécu confessionnel au moins une fois tous les cinq ans.

On soutiendra qu'il peut y avoir bien loin de la coupe aux lèvres et que l'école catholique a évolué vers une plus grande prise en compte du pluralisme au niveau de sa pratique quotidienne. On se réjouira de l'approche éducative globale proposée par les grilles d'évaluation suggérées par la direction de l'enseignement catholique (MEQ, 1994). Mais on se souviendra aussi que la CECM, à l'occasion de l'Année internationale de la famille, a décidé de diffuser dans tous ses établissements la Charte des droits de la famille proposée par le Saint-Siège qui exclut le recours à la contraception et à l'avortement, proscrit les unions de fait, etc.

Selon une étude de Milot (1991), les parents francophones ayant choisi l'enseignement religieux pour leurs enfants préfèrent que cet enseignement soit confié à l'école plutôt qu'à l'Église, car ils ne l'envisagent nullement dans la perspective confessionnelle d'une propagation de la foi ou d'un engagement chrétien. Ils expriment en effet dans leur vie et leurs opinions une forte distance par rapport aux dogmes et aux normes de l'Église officielle. On tient quand même à la transmission de cet héritage familial religieux qui donne un sens à la vie. On souhaite que ses enfants soient initiés aux rites sacramentels tout en reconnaissant qu'il leur appartiendra, plus tard, de choisir[81]. L'auteure n'a pas manqué de souligner le côté paradoxal de la situation.

Quoi qu'il en soit de ces pratiques, il est certain que les lois et les structures confessionnelles ne sont plus adaptées à une société où le pluralisme des croyances ne cesse de s'accroître et où chacun interprète à sa façon l'héritage religieux qui lui est transmis. Le respect de l'égalité et de la liberté religieuse ne saurait passer par la multiplication des structures scolaires. Il faut plutôt chercher à harmoniser la place de la religion à l'école avec la place qu'elle occupe

---

81. Selon l'Assemblée des évêques, l'enseignement religieux scolaire constitue toujours la voie régulière d'accès aux sacrements.

désormais dans la société; les Églises ne contrôlent plus les institutions à caractère public et les chartes garantissent la liberté de conscience et de religion. Cela devrait valoir pour l'école.

C'est à la laïcité qu'invite cette évolution. Une laïcité qui, selon les propos de Julien Harvey, apparaît de plus en plus comme « une des conditions pour que s'expriment réellement la solidarité nationale et la démocratie » (1992, p. 214). C'est d'ailleurs avec « le souci de la paix sociale » qu'il suggère de revoir la place de la religion à l'école.

La laïcité affirme d'abord la séparation des pouvoirs entre l'État et les Églises, en excluant ces dernières de l'organisation de l'enseignement public. Elle invite donc à une réforme importante des structures scolaires qui exige que soit modifiée la constitution canadienne, ou définie une constitution proprement québécoise, afin de permettre l'aménagement de structures non confessionnelles sur l'ensemble du territoire québécois. Certains ont déjà proposé la création de conseils scolaires unifiés qui seraient chargés des questions de financement et de planification et qui laisseraient à deux sous-commissions linguistiques élues les responsabilités directement reliées à l'enseignement. C'est plutôt vers la création de commissions scolaires linguistiques que le Québec semble s'orienter. Une telle restructuration pourrait être l'occasion de rechercher une certaine harmonisation territoriale avec les structures municipales existantes.

La laïcité invite également à revoir les lois scolaires afin de les expurger des articles rattachés au caractère confessionnel des structures supérieures de l'enseignement et des écoles. Mais, comme le rappelle Legrand (1991), elle n'exclut pas la religion; elle exclut les dogmes présentés comme absolus et l'instruction religieuse confessionnelle. Aussi l'école laïque s'affirme-t-elle respectueuse des croyances liées au domaine proprement religieux. Elle n'est pas neutre sur le plan des valeurs. Elle transmet une culture commune précisément fondée sur les droits et valeurs démocratiques. Elle doit encore former les esprits en distinguant sans cesse l'ordre de la foi de celui de la raison.

La place à faire à la religion dans l'enseignement demeure toutefois l'objet de débats importants. Pour mieux prendre en compte les mouvements migratoires, certains prônent une étude comparée des religions, d'autres une perspective plus historique[82]. Au Québec, Milot (1993) invite à une connaissance objective et à la compréhension du rôle des religions dans les réalités sociales et historiques; elle voit mal pourquoi une telle connaissance serait exclue de l'école alors que les élèves sont en contact quotidien avec la diversité religieuse et que « la religion continuera vraisemblablement à façonner les identités et les cultures » (p. 11). C'est alors dans la perspective de la visée éducative globale de l'école que cette connaissance se situe.

Dans un texte fort intéressant, le père Harvey (1992) propose que l'école ait pour mission de transmettre une culture religieuse commune qui ne serait rattachée à aucune Église. Presque partout en Occident, fait-il remarquer, on a cessé d'identifier l'enseignement religieux à la catéchèse pour mettre plutôt l'accent sur les aspects culturels, sociaux et éthiques de la foi. Cela l'amène à opter pour une laïcité ouverte qui valorise le pluralisme tout en considérant la tradition religieuse et culturelle de la majorité comme la référence principale.

Il propose trois grands champs pour cette culture religieuse commune :

- une réflexion fondamentale sur le sens de la vie comprenant les points communs des grandes religions, les chartes comme cadre de la vie en commun, etc.;

- une connaissance du patrimoine religieux québécois;

- une connaissance générale mais structurée des grandes traditions religieuses, y compris les traditions amérindiennes, tout en mettant l'accent sur les valeurs communes et l'ouverture.

Le contenu et la place à faire dans le curriculum à une telle culture religieuse commune méritent certes d'être discutés. Elle se situe dans la perspective oecuménique développée par le théologien Hans Küng (1991) dans son projet d'éthique planétaire fondé sur la recherche de ce qu'il y a de commun entre les diverses croyances. Elle n'entre nullement en opposition avec les valeurs de respect, de partage, d'amour des autres et la connaissance de « l'histoire de

---

82. Voir à ce sujet le No 82 de la revue *Migrants-formation* (1990) sur le thème « Religions et intégration ».

Jésus » que les parents québécois veulent voir l'enseignement religieux transmettre à leurs enfants (Milot, 1991).

Cette approche soulève toutefois quelques difficultés. Dans
la pratique, elle pourrait bien n'être qu'un enseignement religieux
confessionnel qui s'ouvrirait au pluralisme. Dans une perspective
laïque, c'est plutôt l'enseignement moral qui doit viser à développer
chez l'ensemble des jeunes les connaissances, valeurs et attitudes
nécessaires à la vie démocratique, dont le respect des croyances et de
la diversité religieuse fait partie. D'autres enseignements (l'histoire,
la formation personnelle et sociale, etc.) peuvent également contribuer à transmettre une culture religieuse commune, dans une perspective d'ouverture et de respect, tout en s'ancrant dans la réalité historique québécoise.

Quant à l'animation religieuse ou pastorale, son mandat
devra être revu afin d'être mieux adapté aux exigences de cette laïcité
ouverte. C'est souvent grâce à ces animatrices et animateurs que de
nombreuses activités reliées aux droits humains, à la paix, à l'environnement, à l'interculturel se sont déroulées dans les écoles ces
dernières années. Ils ont grandement contribué à l'éveil démocratique
chez les élèves et à la vie démocratique des établissements. Le projet
d'école que nous proposons ne saurait se passer d'activités et de services de cette nature; il exige au contraire leur développement.

Une école publique

La réforme des années soixante, en créant un véritable système public d'éducation, a profondément transformé le paysage de
l'enseignement privé. Ce dernier, sous l'hégémonie de l'Église, fonc-
tionnait alors largement en marge du système public et gardait le
monopole de quelques-uns des secteurs clés de l'éducation, grâce
notamment aux collèges classiques et aux écoles normales. Après de
vives discussions, la Commission Parent a retenu trois principes
directeurs concernant l'enseignement privé : celui-ci devait être intégré au plan d'ensemble d'un système scolaire démocratique, unifié et
cohérent, l'État devait en assurer une supervision plus étroite et la
liberté d'enseignement devait être assujettie au bien commun
(Simard, 1993).

Ce n'est qu'en 1968 que la *Loi de l'enseignement privé* est venue définir l'encadrement législatif souhaité par la Commission. Cette loi laissait toutefois de larges prérogatives au pouvoir réglementaire; c'est donc autour des règles et des critères de financement que le débat s'est poursuivi. Si la place faite à l'enseignement privé fut l'objet de sévères critiques au cours des années soixante-dix, sa clientèle n'a pourtant cessé de croître, malgré le moratoire de quelques années imposé par le gouvernement péquiste et la légère réduction des subventions décrétée en 1981 avec l'adoption de la loi 11.

La montée de la vague néo-libérale avec son cortège idéologique scandant les bienfaits de la privatisation et de la concurrence, de même que la compétition accrue sur le marché de l'emploi ont toutefois contribué à une relance importante de l'enseignement privé. La notion de concurrence s'est peu à peu substituée à celle de complémentarité avancée par les réformateurs. L'école publique a été incitée à se mettre au diapason, à fignoler sa réclame et, au secondaire surtout, à sélectionner ses clientèles, à l'image de sa rivale. La loi 141, adoptée en 1991, est venue accroître le soutien apporté par l'État au réseau privé, dans un contexte où le secteur public était toujours l'objet de dures compressions.

De telle sorte que, depuis le début des années soixante-dix, nous avons assisté à une reprivatisation en douce de l'éducation. La proportion des élèves fréquentant l'enseignement privé préuniversitaire a presque doublé au cours de cette période et les ressources publiques qui lui étaient consacrées ont crû en conséquence.

Ainsi, alors que le financement public des écoles primaires privées était nul au moment de la réforme, celui-ci s'est élargi progressivement, des écoles ethniques ou religieuses aux pensionnats et, depuis 1992, à l'école primaire ordinaire. La première brèche a été ouverte en 1974 par le support financier du gouvernement aux écoles ethniques qui acceptaient de franciser leurs élèves en vertu de la *Loi sur la langue officielle* (loi 22).

En 1991-1992, on comptait 35 écoles à caractère ethnique ou religieux dans la grande région de Montréal[83]; elles accueillaient près de 10 % de la population scolaire de ce niveau. De nombreuses

---

83. Ce sont 27 écoles juives, 5 écoles helléniques, 2 écoles arméniennes et une école musulmane (Proulx, 1993).

inquiétudes se sont exprimées récemment quant à la capacité de ces institutions de transmettre la culture commune québécoise, particulièrement en ce qui a trait à l'intégration sociale et à l'ouverture culturelle.

Au secondaire, la proportion des élèves fréquentant le réseau privé est passée de 8,0 % en 1973-1974 à 15,2 % en 1993-1994. Cette proportion est beaucoup plus élevée dans les régions urbaines où près de 25 % des jeunes sont inscrits à une école secondaire privée. Ces dernières sélectionnent généralement leur clientèle. Si toutes ne sont pas aussi sélectives que les plus réputées, on peut affirmer qu'aucune n'accepte d'élèves connaissant des difficultés d'apprentissage ou d'ordre comportemental, à l'exception bien entendu des institutions spécialisées pour des élèves handicapés.

La croissance rapide de la clientèle de l'école secondaire privée s'est toutefois ralentie ces dernières années. La crise économique, d'une part, avec ses dures ponctions sur les revenus familiaux et la multiplication d'écoles publiques sélectives aux dénominations variées (de douance, internationales, d'arts...), d'autre part, ont certainement contribué à freiner le mouvement. Le débat s'est ainsi quelque peu déplacé d'une opposition entre l'école privée et l'école publique à la critique d'une école sélective, qu'elle soit privée ou publique. L'école commune n'en est pas sortie gagnante.

Au collégial, on observe une certaine stabilité du nombre d'institutions privées financées par l'État. Le nombre d'établissements collégiaux non subventionnés a par contre connu une progression rapide, passant de 10 à 30 entre 1983-1984 et 1992-1993. Cette croissance serait une conséquence directe des stratégies de formation et de recyclage de la main-d'oeuvre adoptées par Emploi et Immigration Canada; plusieurs établissements privés ont ouvert leurs portes pour offrir des programmes adaptés aux domaines et à la durée de ces formations (MESS, 1993a).

Les arguments invoqués de part et d'autre dans ce débat depuis la réforme sont demeurés les mêmes. Les défenseurs de l'enseignement public ont inlassablement dénoncé la concurrence déloyale et le parallélisme du réseau privé tout en rappelant la perspective de complémentarité proposée par le Rapport Parent. Les promoteurs de l'enseignement privé, pour leur part, brandissaient sans relâche le principe de la liberté d'enseignement dont le financement public serait une des conditions d'exercice face à ce qu'ils qualifiaient de dictature idéologique et de monopole de l'État en éducation (Simard, 1993).

Certes, les différentes chartes et conventions, tant nationales qu'internationales, reconnaissent le droit à l'enseignement privé. Mais ce droit n'emporte nullement le droit à un financement public. Le fait que la moitié des provinces canadiennes, dont l'Ontario, tout comme les États-Unis, ne versent pas un sou aux écoles privées en est une illustration éloquente (CEQ, 1988). Le Québec, quant à lui, versait, en 1989-1990, 68 % de tous les subsides gouvernementaux consentis aux écoles privées au Canada, soit près de 250 millions (Statistique Canada, 1993). Rappelons que le Québec compte à peine 25 % de la population canadienne.

Les associations d'écoles privées invoquent de prétendues économies réalisées par l'État à la défense de leurs privilèges. L'État ne finançant pas totalement le réseau privé, la contribution des parents représenterait autant d'économies pour les fonds publics. Non seulement sous-estime-t-on grandement la part du financement public[84], mais ce raisonnement est erroné à en rougir. En effet, advenant que l'État cesse de soutenir financièrement l'enseignement privé, cela n'empêchera pas certains parents de continuer d'y avoir recours et d'assumer alors la totalité des coûts. Quel serait le bilan net d'une telle opération ? On est ici dans le domaine des hypothèses, car tout dépend de la proportion d'élèves qui demeurerait au privé par rapport à celle que le réseau public devrait absorber. Si on fonde cette hypothèse sur la réalité observée en Ontario, selon nos calculs, le bilan se solderait par quelques dizaines de millions d'économies, sans compter les économies de système.

Mais le débat n'est pas d'abord financier. Il concerne avant tout la mission publique de l'éducation et la définition du bien commun éducatif. Il apparaît clairement que le caractère sélectif des écoles privées - sur une base ethnique ou religieuse au primaire et sur une base scolaire et sociale au secondaire - n'est pas compatible avec le projet démocratique d'une école commune et ne saurait justifier un

---

84. Selon nos estimés la proportion du financement public des écoles agréées pour fins de subventions serait de l'ordre de 70 % et non de 55 % comme le prétend le Mouvement pour l'enseignement privé.

financement public. Cela sans parler des effets négatifs de la sélection exercée sur l'école ordinaire.

Quant au soutien à apporter à des institutions qui seraient vraiment respectueuses de politiques éducatives démocratiques et du droit à l'égalité, nous croyons que les principes de complémentarité et de cohérence sont à prendre en compte. En fait, un processus d'intégration s'impose à nouveau comme ce fut le cas lors de la réforme Parent. Ce processus ne pourra manquer de reconnaître, pendant une certaine période, l'autonomie pédagogique d'institutions privées qui seraient intégrées à une planification publique d'ensemble tout comme le financement de certains services complémentaires au réseau public.

Dans son mémoire sur le projet de loi 141 sur l'enseignement privé, la CEQ (1991) proposait une période de transition de sept ans. Un moratoire d'une durée de deux ans permettrait au gouvernement de définir des critères précis concernant le financement public d'institutions privées jugées complémentaires tout en planifiant un processus d'intégration. Par la suite, tout établissement privé acceptant de conclure une entente d'association d'une durée de cinq ans avec le réseau public conserverait son autonomie pédagogique et verrait progressivement son financement public accru jusqu'à 100 %; aucune sélection des élèves ne serait toutefois permise et l'intégration serait conclue à la fin de cette période. Les établissements préférant garder toute leur autonomie verraient par contre leurs subventions éliminées progressivement au cours de la même période.

La réaffirmation du caractère public de l'enseignement constitue un axe central de l'équité en matière d'éducation. La reprivatisation à laquelle on assiste, tout comme les projets de bon d'éducation[85], ou les prétentions de certaines entreprises privées d'éducation de moderniser les écoles publiques[86] risquent d'accentuer gravement

---

85. Un bon d'éducation *(voucher)* dont la valeur correspondrait au coût de l'enseignement serait versé aux parents qui seraient alors libres d'opter pour l'école de leur choix, qu'elle soit publique ou privée. Voir CEQ (1988).

86. Le financier américain Christopher Whittle propose avec son projet Edison de concurrencer l'école publique grâce à l'utilisation de la technologie et de sous-contracter l'enseignement pour une école ou une commission scolaire (Pierre, 1994)

les clivages sociaux et d'être ainsi source d'instabilité sociale. La prise en compte par le réseau public, dans le respect des principes démocratiques, des revendications d'autonomie et de responsabilisation des établissements, de même que l'assouplissement des contraintes bureaucratiques ouvrent la voie à une diversité créatrice, permettant de mieux répondre aux besoins des différents milieux, tout en favorisant l'intérêt général.

Conclusion

L'école québécoise se trouve à un carrefour, avons-nous tenté de démontrer. Les mutations sociales et les nombreux changements scientifiques et technologiques qui se profilent sont lourds de conséquences sur la mission des institutions d'enseignement. L'école n'a d'autre choix que de prendre en compte une pluralité croissante tout en consolidant une culture publique commune; elle est invitée à déborder le cadre national pour s'ouvrir davantage au monde, alors qu'elle ne peut qu'entrevoir ce que seront cette société et cette humanité auxquelles elle doit préparer.

La crise de l'école apparaît comme l'expression des tensions et des incertitudes qui la tiraillent et qui l'affligent d'un malaise profond. Les uns accusent l'école d'être inerte, de refuser le changement; les gens du milieu ont plutôt l'impression d'un perpétuel mouvement, une mini-réforme n'attendant pas l'autre. Les slogans et les gadgets se succèdent au gré des modes passagères. L'utilitarisme ambiant transporte avec lui « la fascination de l'outil », pour reprendre l'expression de Meirieu. De finalités, il n'est guère question. C'est pourtant elles qui devraient inspirer toute action éducative.

L'histoire de l'éducation a permis de mettre en évidence la cohérence interne du système éducatif à différentes époques. Cette cohérence s'articule autour d'une mission qui oriente le curriculum, l'organisation scolaire, la pédagogie. C'est cette mission que la crise actuelle invite à revoir. C'est une nouvelle cohérence qu'il faut rechercher. C'est un nouvel équilibre qu'il faut trouver à l'écologie éducative.

Un tel projet se conçoit sur une longue durée, car telle est son échelle de référence. Le système éducatif est une infrastructure lourde dont le développement se conçoit dans une perspective de quelques décennies. C'est une telle vision à moyen terme qui a d'ailleurs caractérisé l'effort entrepris au début des années soixante.

C'est dans cette perspective que nous nous sommes interrogé sur la mission de l'école au crépuscule du XXᵉ siècle. Nous avons tenté d'esquisser pour l'éducation un nouvel horizon démocratique qui prolonge celui dessiné par les révolutionnaires tranquilles. Il faut y voir une proposition systémique. Chaque élément n'est que la pièce d'un tout consacré à la formation de sujets démocratiques. C'est cette orientation fondamentale qui donne cohérence à l'ensemble du système éducatif et définit sa mission.

Les changements suggérés sont nombreux et traversent toutes les facettes de la vie scolaire. Nous avons avancé un ensemble de propositions concernant le curriculum, la pédagogie, les valeurs, l'organisation scolaire, les services, la gestion, les structures. Tout cela en vue d'articuler un nouveau projet d'ensemble qui permette d'entrer du bon pied dans le XXIe siècle. Car une telle vision s'impose à ce moment stratégique de l'histoire.

Ce projet ne saurait, évidemment, être implanté tout d'un coup, ni imposé d'autorité. S'il appartient à l'État de se faire le gardien des principes démocratiques et d'assurer la cohérence d'ensemble du système, c'est à chaque milieu, à chaque personne qu'il appartient de s'interroger sur sa mission et sur les actions à entreprendre pour faire avancer la démocratie.

C'est donc à chaque niveau du système éducatif que le changement s'impose, mais dans le cadre d'un projet global qui permette de donner du sens à chaque action, si petite soit-elle. C'est au niveau de la classe, de l'école, des structures scolaires, du pouvoir politique, de la société qu'il faudra oeuvrer à une telle transformation, en recherchant l'appui de toutes les forces sociales susceptibles d'y contribuer.

On ne peut par ailleurs oublier que l'espace démocratique est le lieu où s'affrontent des idées, des intérêts, des projets divergents. On peut peut-être caresser un rêve d'harmonie universelle, la réalité sociale se chargera toujours de l'affronter. Elle demeurera traversée de rapports de force, d'oppositions, de luttes. Les débats sont non seulement inévitables, ils sont nécessaires. Il suffira de les mener en s'appuyant sans cesse sur les consensus susceptibles de faire progresser la démocratie.

Cette recherche n'est pas née de génération spontanée. Commandée par la CEQ, elle vise à répondre aux besoins du syndicalisme de l'enseignement de faire le point, de se doter d'une perspective d'avenir et d'un plan d'action conséquent. Les orientations suggérées ne sauraient être imposées. Elles exigent d'être largement débattues afin d'être partagées par le plus grand nombre, quitte à ce que certaines soient jugées moins pertinentes ou mal adaptées à certaines réalités particulières. C'est d'abord des finalités, de la mission qu'il faut collectivement convenir; pour ce qui est des moyens, de nombreuses adaptations sont possibles, voire souhaitables.

C'est avec la conviction qu'il faut à la fois changer la société et changer l'école que nous avons entrepris la présente réflexion. C'est avec l'espoir qu'elle trouvera son prolongement concret dans l'action démocratique, syndicale et pédagogique que nous l'achevons.

Bibliographie

ADLER, M.J. (1982). *The Paideia Proposal. An Educational Manifesto.* New York : Collier Books.

ALBERT, M. (1991). *Capitalisme contre capitalisme.* Paris : Seuil.

ALBERTINI, J.-M. (1992). *La pédagogie n'est plus ce qu'elle sera.* Paris : Le Seuil, Presses du CNRS.

ANGERS, P. (1990). Les fondements de la formation. Dans C. Gohier (éd.), *La formation fondamentale. Tête bien faite ou tête bien pleine ?* Montréal : Logiques, 29-59.

ARENDT, H. (1972). *La crise de la culture.* Paris : Gallimard, Folio essais.

ARONOWITZ, S. et GIROUX, H.A. (1988). Schooling, Culture, and Literacy in the Age of Broken Dreams : A Review of Bloom and Hirsh. *Harvard Educational Review,* vol. 58, n° 2, 172-194.

ATLAN, H. (1991). *Tout, non, peut-être. Éducation et vérité.* Paris : Seuil.

AUDET, L.-P. (1971). *Histoire de l'enseignement au Québec* (1608-1971). Tomes 1 et 2. Montréal : Holt, Rinhart et Winston ltée.

AUDIGIER, F. (1991). Enseigner la société, transmettre des valeurs. La formation civique et l'éducation aux droits de l'homme : une mission ancienne, des problèmes permanents, un projet toujours actuel. *Revue française de pédagogie,* n° 94, 37-48.

AVANZINI, G. (1991). *L'école, d'hier à demain. Des illusions d'une politique à la politique des illusions.* Toulouse : Erès.

BABY, A. (1990). *L'école québécoise à l'écoute de son temps.* Sommet sur le financement de l'éducation primaire et secondaire, Montréal : FCSQ.

BABY, A. (1988). Il faut débrancher le patient pour qu'il vive ! Dans CEQ, *À vingt ans, les choix déterminants, Actes du colloque sur l'avenir des cégeps.* Québec : CEQ, 8-14, D-8994-6.

BALLION, R. (1991). *La bonne école. Évaluation et choix du collège et du lycée.* Paris : Hatier.

BALTHAZAR, L. et BÉLANGER, J. (1989). *L'école détournée.* Montréal : Boréal.

BEAUCHESNE, L. (1991). *Les abandons au secondaire : profil sociodémographique.* Québec : MEQ, direction des études économiques et démographiques.

BEAUREGARD, F. (1992). Le travail rémunéré des élèves : son ampleur, ses conséquences. *L'Action nationale,* vol. LXXXII, n° 8, 1046-1058.

BEDARD-HÔ, F. (1992). *Quand les choix débutent. Rapport d'un sondage fait auprès d'élèves de 3ᵉ, de 4ᵉ et de 5ᵉ secondaire.* Québec : MEQ, 28-2638.

BÉLANGER, J. et BRETON, G. (1992). Restructuration économique et régulation du travail : au-delà de l'approche institutionnaliste. *Cahiers de recherche sociologique,* Nᵒˢ 18-19, 139-153.

BÉLANGER, P. (1991). L'éducation des adultes dans les pays industrialisés. *Perspectives,* vol. XXI, n° 4, 544-553.

BENJAMIN, C. (1993). La violence télévisée : un facteur de risque pour les jeunes. *Options,* n° 7, 53-58.

BERNARD, P. et BOIJOLY, J. (1992). Les classes moyennes : en voie de disparition ou de réorganisation ? Dans G. Daigle et G. Rocher, *Le Québec en jeu, Comprendre les grands défis,* Montréal : PUM, 297-334.

BERT, C. (1983). Le redoublement une chance ? *Le monde de l'éducation,* juin, 22-26.

BERTHELOT, J. (1992). Les exigences d'une école de la réussite. Dans CRIRES-FECS, *Pour favoriser la réussite scolaire. Réflexions et pratiques,* Montréal : CEQ-Éd. Saint-Martin, 77-88.

BERTHELOT, J. (1991). *Apprendre à vivre ensemble. Immigration, société et éducation.* Montréal : CEQ-Éd. Saint-Martin.

BERTHELOT, J. (1987). *L'école de son rang.* Québec : CEQ.

BERTHELOT, M. (1991). *Enseigner : qu'en disent les profs ?* Québec : CSE, Collection Études et Recherches.

BERTRAND, Y. et VALOIS, P. (1992). *École et Sociétés.* Montréal : Éd. Agence d'Arc.

BIGAUD, A. et WEBER, L. (1991). *L'école et les enseignants dans les pays de la Communauté européenne.* Tome II. Paris : ADAPT.

BIHR, A. (1992). Crise du sens et tentation autoritaire. *Le Monde diplomatique,* n° 458, mai, 16-17.

BISAILLON, R. (1992). La réussite éducative de chaque élève : une responsabilité partagée. Dans CRIRES-FECS, *Pour favoriser la réussite scolaire. Réflexions et pratiques.* Montréal : CEQ-Éd. Saint-Martin, 5-26.

BLAIS, F. (1993). L'équité, l'égalité et la différence. *Impressions,* n°17, 14-15.

BLOOM, A. (1987). *L'âme désarmée. Essai sur le déclin de la culture générale.* Montréal : Guérin littérature.

BOISCLAIR, A. (1994). Les devoirs : l'élève, l'école et la famille. *Bulletin du CRIRES,* n° 5.

BOUCHARD, P. et ST-AMANT, J.C. (1994). Les stéréotypes sexuels et l'abandon scolaire. *Bulletin du CRIRES,* n° 4, Université Laval.

BOURBEAU, L. (1992). *Les populations de l'Éducation des adultes en formation générale dans les commissions scolaires.* Québec : FECS-CEQ, D-9807.

BOURDIEU, P. (1966). L'école conservatrice. Les inégalités devant l'école et devant la culture. *Revue française de sociologie,* VII, 325-347.

BOURDONCLE, R. (1993). La professionnalisation des enseignants : les limites d'un mythe. *Revue française de pédagogie,* n° 105, 83-119.

BOURGEAULT, G. (1990). Une éthique de la responsabilité : perspective, repères et jalons. *Cahiers de recherche éthique,* n° 14, 97-118.

BOWDITCH, C. (1993). Responses to Michelle Fine's [Ap] parent Involvement : Reflections on Parents, Power and Urban Public Schools. *Teachers' College Record,* vol. 95, n° 2, 177-180.

BRACEY, G.W. (1994). More on the Importance of Preschool. *Phi Delta Kappan,* vol. 75, n° 4, 416-419.

BRACEY, G.W. (1992). Nonrandom Thoughts on Randomization, *Phi Delta Kappan,* vol. 74, n° 1, 86-87.

BRAUDEL, F. (1969). *Écrits sur l'histoire.* Paris : Flammarion.

CADOTTE, R. et DECOURCY, D. (1994). La violence dans les écoles secondaires. La prévention demeure toujours le meilleur outil. *Le Devoir,* 23 février, A-11.

CADRE (1990). *La formation fondamentale et l'école secondaire.* Montréal : Centre d'animation, de développement et de recherche en éducation.

CAOUETTE, C.E. (1992). *Si on parlait d'éducation. Pour un nouveau projet de société.* Montréal : VLB éditeur.

CARON, F., DESBIENS, J.P., TREMBLAY, A. et TREMBLAY, J.N. (1993). La réforme du niveau secondaire. *La Presse,* 23, 24 et 25 septembre, B-3.

CARPENTIER-ROY, M.C. (1992). *Organisation du travail et santé mentale chez les enseignantes et les enseignants du primaire et du secondaire. Rapport de recherche.* Québec : CEQ, D-9752.

CASSEN, B. (1993). Faut-il partager l'emploi ? Vers une révolution du travail. *Le Monde diplomatique,* n° 468, mars, p. 1 et 11.

CECS-CEQ (1988). *Faire l'école aujourd'hui. Synthèse d'entrevues de groupes d'enseignantes et d'enseignants.* Québec : CEQ, D-9095.

CEGEP DE BAIE-COMEAU (1993). *L'implantation de la formation fondamentale et de l'approche-programme au cégep de Baie-Comeau.* Baie-Comeau : services éducatifs du cégep.

CEQ (1993a). *L'école que nous voulons faire avancer. Mémoire présenté à la Ministre de l'Éducation et de la Science.* Québec : CEQ, D-10087.

CEQ (1993b). *Les partenaires oubliés. Mémoire de la CEQ à la Commission de l'éducation.* Québec : CEQ, D-9997.

CEQ (1993c). *Sauvegarde des identités nationales et autonomie politique : conditions essentielles du développement intégral. Mémoire présenté àla Commission royale sur les peuples autochtones.* Québec : CEQ, D-10079.

CEQ (1992). *L'avenir en plus. Quinze propositions de la CEQ à la Commission parlementaire sur l'avenir des cégeps.* Québec : CEQ, D-9909.

CEQ (1991). *Mémoire présenté à la Commission de l'éducation de l'Assemblée nationale du Québec. Projet de loi sur l'enseignement privé.* Québec : CEQ, D-9706.

CEQ (1990). *Réussir à l'école, réussir l'école.* Québec : CEQ, D-9643-1.

CEQ (1988). *L'école privée est-elle d'intérêt public ?* Québec : CEQ, D-9080.

CEQ (1982). *Contre-réforme et appel au corporatisme.* Québec : CEQ, D-8085.

CEQ (1978). *Proposition d'école. Pour une école de masse à bâtir maintenant.* Québec : CEQ, D-7471.

CEQ (1974). *École et luttes de classes au Québec.* Québec : CEQ.

CHARLAND, J.P. (1987). Le réseau d'enseignement public bas-canadien, 1841-1867 : une institution de l'État libéral. *Revue d'histoire de l'Amérique française,* vol. 40, n° 4, 505-535.

CHARLOT, B., BAUTIER, E., et ROCHEX, J.Y. (1992). *École et savoir dans les banlieues... et ailleurs.* Paris : Armand Colin.

CHOSSUDOVSKY, M. (1992). Les ruineux entêtements du Fonds monétaire international. *Le Monde diplomatique,* n° 462, septembre, p. 28-29.

CMED, (1988). *Notre avenir à tous.* Montréal : Les Éditions du Fleuve.

COHEN, M. (1991). Key Issues Confronting State Policymakers. Dans R.F. Elmore, *Restructuring Schools. The Next Generation of Educational Reform.* San Francisco : Jossey-Bass, 251-288.

COHEN-TANUGI, L. (1989). *La métamorphose de la démocratie.* Paris : Éd. Odile Jacob.

CONSEIL DE LA FAMILLE (1992). *Quinze ans et déjà au travail. Le travail des adolescents : une responsabilité parentale et collective.* Québec : Conseil de la famille.

CONSEIL DES COLLÈGES (1992). *L'enseignement collégial : des priorités pour un renouveau de la formation.* Québec : Conseil des collèges, cote 2210-0342.

CORNU, L., POMPOUGNAC, J.C. et ROMAN, J. (1990). *Le barbare et l'écolier. La fin des utopies scolaires.* Paris : Calmann-Lévy.

CORRIVEAU, L. (1991). *Les cégeps, question d'avenir.* Québec : IQRC, Diagnostic n° 13.

COUTURE, C. (1991). *Le mythe de la modernisation du Québec. Des années 1930 à la révolution tranquille.* Montréal : Méridien.

CPIQ (1992). *La formation fondamentale au primaire et au secondaire. « Apprendre pour vivre ».* Montréal : CPIQ.

CSE (1994). *Des conditions pour faire avancer l'école. Avis à la ministre de l'Éducation et de la Science.* Québec : CSE, 50-0391.

CSE (1993). *Le défi d'une réussite de qualité. Rapport annuel 1992-1993 sur l'état et les besoins de l'éducation.* Québec : Les Publications du Québec.

CSE (1992a). *Accroître l'accessibilité et garantir l'adaptation. L'éducation des adultes dix ans après la Commission Jean.* Québec : CSE.

CSE (1992b). *Les nouvelles populations étudiantes des collèges et des universités : des enseignements à tirer.* Québec : CSE.

CSE (1992c). *Le travail rémunéré des jeunes : vigilance et accompagnement éducatif.* Québec : CSE, cote 50-0385.

CSE (1992d). *La gestion de l'éducation : nécessité d'un autre modèle. Rapport annuel 1991-1992 sur l'état et les besoins de l'éducation.* Québec : Les Publications du Québec.

CSE (1992e). *L'enseignement supérieur : pour une entrée réussie dans le XXIᵉ siècle. Avis à la ministre de l'Enseignement supérieur et de la Science et au ministre de l'Éducation.* Québec : CSE.

CSE (1991a). *Une pédagogie pour demain à l'école primaire.* Québec : CSE.

CSE (1991b). *La profession enseignante : vers un renouvellement du contrat social. Rapport annuel 1990-1991 sur l'état et les besoins de l'éducation.* Québec : CSE.

CSE (1990). *Développer une compétence éthique pour aujourd'hui : une tâche éducative essentielle. Rapport annuel 1989-1990 sur l'état et les besoins de l'éducation.* Québec : CSE.

CSE (1989). *Pour une approche éducative des besoins des jeunes enfants.* Québec : CSE.

CSE (1988a). *Le rapport Parent, vingt-cinq ans après. Rapport annuel 1987-1988 sur l'état et les besoins de l'éducation.* Québec : CSE.

CSE (1988b). *Du collège à l'université : l'articulation des deux ordres d'enseignement supérieur.* Québec : CSE.

CSE (1984a). *La formation fondamentale et la qualité de l'éducation. Rapport 1983-1984 sur l'état et les besoins de l'éducation.* Québec : CSE.

CSE (1984b). *La condition enseignante. Avis soumis au ministre de l'Éducation,* Québec : CSE.

CSIM (1993). *Mémoire sur le document ministériel « Faire avancer l'école ».* Montréal : CSIM.

CUBAN, L. (1993). Computers Meet Classroom : Classroom Wins. *Teachers College Record,* vol. 95, n° 2, 185-209.

DANDURAND, P. (1993). Exclusion et marginalisation à l'école : corriger le tir. *Relations,* septembre, 202-206.

DANDURAND, P. (1990). Démocratie et école au Québec : bilan et défis. Dans F. Dumont et Y. Martin, *L'éducation 25 ans plus tard ! et après ?* Québec, IQRC, 37-60.

DANDURAND, P., FOURNIER, M. et BERNIER, L. (1980). Développement de l'enseignement supérieur, classes sociales et luttes nationales au Québec. *Sociologie et Sociétés,* vol. 12, n° 1, 101-131.

DANDURAND, R.B. (1992). La famille n'est pas une île. Changements de société et parcours de vie familiale. Dans G. Daigle et G. Rocher, *Le Québec en jeu. Comprendre les grands défis.* Montréal : PUM, 358-383.

DANDURAND, R.B. (1991). *Le Mariage en question. Essai socio-historique.* Québec : IQRC, 2ᵉ édition.

DANDURAND, R.B. (1990). Peut-on encore définir la famille ? Dans F. Dumont (dir.). *La société québécoise après 30 ans de changements.* Québec : IQRC, 49-66.

DANDURAND, R., DULAC, G. et VIOLETTE, M. (1990). *L'école primaire face aux changements familiaux. Enquête exploratoire dans cinq écoles primaires québécoises auprès du personnel scolaire et des parents.* Québec : IQRC-MEQ (cote 28-2521).

DANDURAND, R.B. et MORIN, D. (1990). *L'impact de certains changements familiaux sur les enfants de l'école primaire. Revue de littérature.* Québec : IQRC et MEQ (cote 28-2503).

DARLING HAMMOND, L. (1993). Reframing the School Reform Agenda. Developing Capacity for School Transformation. *Phi Delta Kappan,* vol. 74, n° 10, 753-761.

DAVID, H. et PAYEUR, C. (1991). *Vieillissement et condition enseignante.* Québec : CEQ-IRAT, D-9753.

DEBLOIS, C. (1987). Origine et évolution des structures d'éducation au Canada. Un survol historique. *Les cahiers du LABRAPS,* Série études et documents, vol. 3, Québec : Faculté des sciences de l'éducation, Université Laval.

DEBLOIS, C. et CORRIVEAU, L. (1993). *La culture de l'école secondaire et le cheminement scolaire des élèves.* Québec : CRIRES, Université Laval.

DEMAILLY, L. (1991). *Le collège. Crise, mythes et métiers.* Lille : Presses universitaires de Lille.

DEMERS, M. (1991). *La rentabilité du diplôme.* Québec : MEQ, direction des études économiques et démographiques.

DE PERETTI, A. (1987). *Pour une école plurielle.* Paris : Larousse.

DEROUET, J.-L. (1992). *École et justice. De l'égalité des chances aux compromis locaux ?* Paris : Métailié.

DESBIENS, J.-P. (1988). *Les insolences du frère Untel. Texte annoté par l'auteur.* Montréal : Les Éditions de l'homme.

DESBIENS, J.-P. (1986). De l'école des frères au cégep. *Recherches sociographiques,* vol. 27, n° 3, 495-528.

DEWEY, J. (1975). *Démocratie et éducation.* Paris : Armand Colin, traduction G. Deledalle.

DION, L. (1967). *Le bill 60 et la société québécoise,* Montréal : HMH.

DOMENACH, J.M. (1989). *Ce qu'il faut enseigner.* Paris : Seuil.

DROLET, M. (1992). L'enseignement en milieu socio-économiquement faible : des pratiques pédagogiques ajustées aux caractéristiques socioculturelles. Dans CRIRES-FECS, *Pour favoriser la réussite scolaire, réflexions et pratiques,* Montréal : Éd. Saint-Martin-CEQ, 104-119.

DUMONT, F. (1987). *Le sort de la culture.* Montréal : L'Hexagone.

DUMONT, L. (1983). *Essais sur l'individualisme. Une perspective anthropologique sur l'idéologie moderne.* Paris : Seuil, col. Points.

DUMONT, M. (1990). L'histoire des femmes (II) : l'accès des filles à l'instruction. *Traces,* vol. 28, n° 1, 38-40.

DUMONT, M. et FAHMY-EID, N. (1986). *Les couventines.* *L'éducation des filles au Québec dans les congrégations religieuses enseignantes 1840-1860.* Montréal : Boréal.

DUPONT, P. (1990). *La civilisation de l'école.* Bruxelles : Éd. Labor.

DUPUY, J.-P. (1982). *Ordres et désordres. Enquête sur un nouveau paradigme.* Paris : Seuil.

EASTON, P. et KLEES, S. (1990). Éducation et économie : autres perspectives. *Perspectives,* vol. XX, n° 4, 457-474.

ECCLES, J.S. et al. (1993). Negative Effects of Traditional Middle Schools on Students' Motivation. *The Elementary School Journal,* vol. 93, n° 5, 553-574.

EISNER, E.W. (1992). Educational Reform and the Ecology of Schooling. *Teachers College Record,* vol. 93, n° 4, 610-627.

EURYCIDE (1993). *La lutte contre l'échec scolaire : un défi pour la construction européenne. Note de synthèse.* Bruxelles : Unité Européenne d'Eurycide.

FEINBERG, W. (1990). The Moral Responsability of Public Schools. Dans J. Goodlad, R. Soder et K.A. Sirotnik (ed), *The Moral Dimensions of Schooling.* San Francisco : Jossey-Bass, 155-187.

FERRER, C. (1993). Créer de nouveaux rapports à l'école. Propos recueillis par Matilde Francoeur. *Vie Pédagogique* 82, 16-18.

FONDATION POUR LE PROGRÈS DE L'HOMME (1994). Bâtir ensemble l'avenir de la planète. *Le Monde diplomatique,* avril, 16.

FORGET, G., BILODEAU, A. et TÉTREAULT, J. (1992). Facteurs reliés à la sexualité et à la contraception chez les jeunes et décrochage scolaire. Un lien insolite mais réel. *Apprentissage et Socialisation,* vol. 15, n° 1, 29-38.

FORQUIN, J.-C. (1993). L'enfant, l'école et la question de l'éducation morale. Approches théoriques et perspectives de recherches. Note de synthèse. *Revue française de pédagogie,* n° 102, 69-106.

FORQUIN, J.-C. (1991). Justification de l'enseignement et relativisme culturel. *Revue française de pédagogie,* n° 97, 13-30.

FOUREZ, G. (1990). *Éduquer. Écoles, éthiques, sociétés.* Bruxelles : De Boeck-Wesmael.

GADBOIS, L. (1990). La formation fondamentale au Québec : un espoir de fin de millénaire. Dans C. Gohier (éd.), *La formation fondamentale. Tête bien faite ou tête bien pleine ?* Montréal : Logiques, 119-125.

GAGNON, A.G. et MONTCALM, M.B. (1992). *Québec : au-delà de la Révolution tranquille.* Montréal : VLB éditeur.

GAGNON, N. (1975). L'idéologie humaniste dans la revue L'enseignement secondaire. Dans P.W. Bélanger et G. Rocher, *École et société au Québec,* Montréal : Hurtubise HMH, 59-89.

GALARNEAU, C. (1978). *Les collèges classiques au Canada français (1620-1970).* Montréal : Fides.

GALLOT, J. et A. (1991). *Réussir l'école. Démocratiser la réussite.* Paris : Messidor-Éditions sociales.

GAMORAN, A. (1993). Alternative Uses of Ability Grouping in Secondary Schools : Can we Bring High-Quality Instruction to Low-Ability Classes ? *American Journal of Education,* n° 102, 1-22.

GAUCHET, M. (1985). L'école à l'école d'elle-même. Contraintes et contradictions de l'individualisme démocratique. *Le Débat,* n° 37, 55-86.

GAUTHIER, C. (1993). *Tranches de savoir. L'insoutenable légèreté de la pédagogie.* Montréal : Les Éditions Logiques.

GAUTHIER, C. (1992a). Cicéron ou Nintendo ? *Contact,* automne 1992, 28-31.

GAUTHIER, C. (1992b). Pédagogie et Sciences de l'Éducation, *The Journal of Educational Thought,* vol. 26, n° 2, 131-151.

GAUTHIER, C. et BELZILE, C. (1993). Culture et idéologies dans les programmes scolaires : évolution des représentations. *Vie Pédagogique,* n° 84, 26-30.

GAUTHIER, H. et DUCHESNE, L. (1991). *Le vieillissement démographique et les personnes âgées au Québec,* Québec : Les publications du Québec.

GAUTHIER, M. et BUJOLD, J. (1992). L'enfance au Québec : une analyse des tendances. Dans G. Pronovost (éd.) *Comprendre la famille. Actes du 1er symposium québécois de recherche sur la famille.* Sainte-Foy : PUQ, 391-407.

GÉRIN-LAJOIE, P. (1989). *Combats d'un révolutionnaire tranquille.* Montréal : Centre éducatif et culturel.

GIASSON, J. (1992). Les problèmes de lecture et l'abandon des études. Dans CRIRES-FECS, *Pour favoriser la réussite scolaire. Réflexions et pratiques.* Montréal : CEQ-Éd. Saint-Martin, 261-275.

GIROUX, A. (1992). La crise éducative : trajectoire de renouvellement. *Revue canadienne de l'éducation,* vol. 17, n° 2, 192-207.

GIROUX, A. (1991). La « teste bien faicte » : à réinventer. *Revue canadienne de l'éducation,* vol. 16, n° 4, 397-419.

GLASS, R.S. (1994). Keeping the Peace. *American Teacher,* vol. 78, n° 5, 6-7, 15.

GODARD, F. (1992). *La famille affaire de générations.* Paris : PUF, Économie en liberté.

GOHIER, C., éd. (1990). *La formation fondamentale. Tête bien faite ou tête bien pleine ?* Montréal : Éd. Logiques.

GOODLAD, J.I. (1990). The Occupation of Teaching in Schools. Dans J. Goodlad, R. Soder et K.A. Sirotnik (ed), *The Moral Dimensions of Schooling.* San Francisco : Jossey-Bass, 3-34.

GORZ, A. (1993). Bâtir la civilisation du temps libéré. *Le Monde diplomatique,* n° 468, p. 13.

GORZ, A. (1988). *Métamorphoses du travail, Quête du sens.* Paris : Éd. Galilée.

GOULD, S.J. (1983). *La mal-mesure de l'homme.* Paris : Ramsay.

GRÉGOIRE, R. (1987). *L'évolution des politiques relatives aux programmes d'études du primaire et du secondaire public du secteur catholique francophone du Québec.* Québec : Centre d'études politiques et administratives du Québec, Collection : Bilan et Perspectives, n° 12.

GUTIÉRREZ, R. et SLAVIN, R.E. (1992). Achievement Effects of the Nongraded Elementary School : A Best Evidence Synthesis. *Review of Educational Research,* vol. 62, n° 4, 333-376.

GUTMAN, A. (1988). Distributing Public Education in a Democracy. Dans Amy Gutmann (ed), *Democracy and the Welfare State,* New Jersey : Princeton University Press, 107-130.

GUTMAN, A. (1987). *Democratic Education.* Princeton : Princeton University Press.

HADJI, C. (1992). *Penser et agir l'éducation. De l'intelligence du développement au développement des intelligences.* Paris : ESF éditeur.

HAMEL, T. (1991a). Enseignantes et enseignants laïques et religieux et formation des maîtres à la veille de la Révolution tranquille, *Revue des sciences de l'éducation,* vol. XVII, n° 2, 245-263.

HAMEL, T. (1991b). *Le déracinement des écoles normales. Le transfert de la formation des maîtres à l'université.* Québec : IQRC.

HAMEL, T. (1986). L'obligation scolaire au Québec : enjeu pour le mouvement syndical et agricole. *Labour/Le Travail,* vol. 17, 83-102.

HAMEL, T. (1984). Obligation scolaire et travail des enfants au Québec : 1900-1950. *Revue d'histoire de l'Amérique française,* vol. 38, n° 1, 39-58.

HAMELIN, J. et PROVENCHER, J. (1987). *Brève histoire du Québec,* Montréal : Boréal.

HARGREAVES, A. (1993). An Interview with Andy Hargreaves (par Ardea Cole). *Orbit,* vol. 24, n° 3, 4-8.

HARVEY, J. (1992). Une laïcité scolaire pour le Québec. *Relations,* septembre, 213-217.

HENCHEY, N. (1991). Les éléments fondamentaux : concepts, habiletés et valeurs. *Vie pédagogique,* n° 73, 4-8.

HOLLOWAY, S.D. (1988). Concepts of Ability and Effort in Japan and The United States. *Review of Educational Research,* vol. 58, n° 3, 327-345.

HORGAN, J. (1993). Eugenics Revisited. *Scientific American,* vol. 268, n° 6, Juin, 122-131.

HOUSSAYE, J. (1992). *Les valeurs à l'école. L'éducation aux temps de la sécularisation.* Paris : PUF.

ICEA (1994). *Éléments de portrait de situation et nouveaux défis en éducation des adultes.* Document de travail et de consultation. Montréal : ICEA.

ICEA (1992). *Éléments pour une politique québécoise des communications.* Montréal : Institut canadien d'éducation des adultes.

INCHAUSPÉ, P. (1992). *L'avenir du cégep.* Montréal : Liber.

INIZAN, A. (1992). L'échec scolaire, un drame banalisé, évitable. Dans B. Pierrehumbert (éd.), *L'échec à l'école : échec de l'école ?* Lausanne : Delachaux et Niestlé, 115-166.

JACQUARD, A. (1991). *Voici le temps du monde fini.* Paris : Seuil.

JACQUARD, A. (1986). *L'héritage de la liberté.* Paris : Seuil.

JOHNSON, S.M. (1991). Redesigning Teachers' Work. Dans R.F. Elmore, *Restructuring Schools. The Next Generation of Educational Reform.* San Francisco : Jossey-Bass Publishers, 125-151.

JONAS, H. (1992). *Le principe responsabilité.* Paris : Cerf, 2e éd.

KING, A. (1992). La voie holistique vers une société globale. *Revue internationale des sciences sociales,* n° 131, 45-56.

KOHN, A. (1993). Choices for Children : Why and How to Let Students Decide. *Phi Delta Kappan,* vol. 75, n° 1, 8-20.

KÜNG, H. (1991). *Projet d'éthique planétaire. La paix mondiale par la paix entre les religions.* Paris : Seuil.

LABERGE, H. et BAILLARGEON, M. (1989). *Jalons pour une proposition de politique sur la petite enfance.* Québec : CEQ, A8889-CG-064. 90 p.

LACROIX, J.G. et TREMBLAY, G. (1992). Restructuration de l'industrie médiatique et transformation de l'espace public. Dans G. Daigle et G. Rocher (éd.), *Le Québec en jeu. Comprendre les grands défis.* Montréal : PUM, 549-573.

LADRIÈRE, P. et GRUSON, C. (1992). *Éthique et gouvernabilité. Un projet européen.* Paris : PUF.

LAFONTAINE, Y. (1993). Handicapés : il faut se méfier de la pensée magique collective. *La Presse,* 24 avril, p. B-3.

LAHAISE, R. (1990). La révolution française vue par le Québec. Dans M. Allard et S. Boucher (éd.), *1789 enseigné et imaginé. Regards croisés France-Québec,* Montréal : Éd. Noir sur Blanc, 57-90.

LALIVE D'EPINAY, C. (1992). La religion profane de la société post-industrielle. Dans D. Mercure (éd.), *La culture en mouvement. Nouvelles valeurs et organisations.* Québec : PUL, 77-92.

LAMBERT, C. (1991). L'approche-programme en action. *Pédagogie collégiale,* vol. 5, n° 1, 31-36.

LANGLOIS, R. (1991). *S'appauvrir dans un pays riche.* Montréal : CEQ-Éditions Saint-Martin, 2ᵉ éd.

LECLERC, R. (1988). L'histoire de l'éducation au Québec. *L'Action nationale,* vol. 78, Nᵒˢ 7 et 8, 607-615, 715-722.

LEE, V.E. et SMITH, J.B. (1993). Effects of School Restructuring on the Achievement and Engagement of Middle-grade Students. *Sociology of Education,* vol. 66, 164-187.

LÉGER et LÉGER (1992). *Le pouvoir de savoir. Évaluation des perceptions des jeunes de 12 à 17 ans du Grand Montréal à l'égard de leurs valeurs et du référendum.* Montréal : Conseil québécois de l'enfance et de la jeunesse.

LEGRAND, L. (1991). *Enseigner la morale aujourd'hui ?* Paris : PUF.

LEGRAND, L. (1990). *Les politiques de l'éducation,* Paris : PUF, Que sais-je ? n° 2396, 2ᵉ éd.

LESOURNE, J. (1988). *Éducation et Société. Les défis de l'an 2000.* Paris : La Découverte - Le monde de l'Éducation.

LESSARD, C. (1994). Les conditions d'un travail professionnel en éducation. *Options,* n° 9, 103-118.

LESSARD, C. (1991). Le travail enseignant et l'organisation professionnelle de l'enseignement : perspectives comparatives et enjeux actuels. Dans C. Lessard, M. Perron et P.W. Bélanger. *La profession enseignante au Québec. Enjeux et défis des années 1990.* Québec : IQRC, 15-40.

LEVIN, H.M. (1993). Prologue. Dans W.S. Hopfenberg, H.M. Levin et col., *The Accelerated Schools Resource Guide.* San Francisco : Jossey-Bass, xi-xvi.

LEVY-LEBLOND, J.-M. (1992). En méconnaissance de cause. *Le genre humain,* n° 26, 61-74, Paris : Seuil.

LINTEAU, P.A., DUROCHER, R. et ROBERT, J.C. (1979). *Histoire du Québec contemporain. De la Confédération à la crise (1867-1929).* Montréal : Boréal Express.

LINTEAU, P.A., DUROCHER, R., ROBERT, J.C. et RICARD, F. (1989). *Histoire du Québec contemporain. Tome II : Le Québec depuis 1930.* Montréal : Boréal.

LIPIETZ, A. (1991). Les rapports capital-travail à l'aube du XXIᵉ siècle. Dans J.M. Chaumont et P. Van Parijs (éd.), *Les limites de l'inéluctable. Penser la liberté au seuil du troisième millénaire.* Bruxelles : ERPI Sciences, 61-103.

LIPIETZ, A. (1989). *Choisir l'audace. Une alternative pour le XXIᵉ siècle.* Paris : Éd. La Découverte.

LIPOVETSKY, G. (1992). *Le crépuscule du devoir. L'éthique indolore des nouveaux temps démocratiques.* Paris : Gallimard.

MAEROFF, G.I. (1993). Building Teams to Rebuild Schools. *Phi Delta Kappan,* vol. 74, n° 7, 512-519.

MAIR, N.H. (1980a). *Recherche de la qualité à l'école publique protestante du Québec.* Québec : CSE.

MAIR, N.H. (1980b). *Protestant Education in Quebec,* Québec : CSE.

MARCIL-LACOSTE, L. (1992). The Paradoxes of Pluralism. Dans C. Mouffe (éd.), *Dimensions of Radical Democracy. Pluralism, Citizenship, Community.* London : Verso, 128-142.

MASCHINO, D. (1992). Les changements de l'organisation du travail dans le contexte de la mondialisation économique. *Le Marché du Travail,* vol. 13, n° 7, 5-8, 73-80.

MASSOT, A. (1979). Cheminements scolaires dans l'école québécoise après la réforme. *Les cahiers d'A.S.O.P.E.,* vol. V, Québec : Université Laval.

MATTELART, A. (1992). *La communication-monde. Histoire des idées et des stratégies.* Paris : Éditions La Découverte.

MEIDNER, R. (1992). *The Swedish Model : Concept, Experiences, Perspectives.* Center for Research on Work and Society, Working Paper Series, n° 1, York University.

MEIRIEU, P. (1993a). Pour un enseignement qui réponde aux défis de la modernité. *Éducation et francophonie,* vol. XXI, n° spécial, octobre, 8-15.

MEIRIEU, P. (1993b). *L'envers du tableau. Quelle pédagogie pour quelle école ?* Paris : ESF éditeur.

MEIRIEU, P. (1992a). *L'école mode d'emploi. Des « méthodes actives » à la pédagogie différenciée.* Paris : ESF éditeur.

MEIRIEU, P. (1992b). L'environnement scolaire de l'an 2000. *La revue des Échanges,* n° 1, 9-14.

MEIRIEU, P. (1991). *Le choix d'éduquer. Éthique et pédagogie.* Paris : ESF éditeur.

MEIRIEU, P. (1990). *Enseigner, scénario pour un métier nouveau.* Paris : ESF, éditeur, 3ᵉ édition.

MEIRIEU, P. (1988). Vers une pédagogie différenciée. *Revue des échanges de l'AFIDES*, n° 1, 29-32, 58.

MEIRIEU, P. et DEVELAY, M. (1992). *Émile, reviens vite... ils sont devenus fous.* Paris : ESF éditeur.

MELLOUKI, M. (1991). Les personnels de l'enseignement du Québec : 1930-1990. *Revue des sciences de l'éducation,* vol. XVII, n° 3, 365-387.

MELLOUKI, M. (1989). *Savoir enseignant et idéologie réformiste. La formation des maîtres (1930-1964).* Québec : IQRC.

MEQ (1994). *L'évaluation du vécu confessionnel d'une école publique reconnue comme catholique.* Québec : MEQ, Direction de l'enseignement catholique, 32-0513.

MEQ (1993a). *Cadre de référence sur la formation fondamentale au préscolaire, au primaire et au secondaire. Document de travail.* Direction de la formation générale des jeunes.

MEQ (1993b). *Indicateurs sur la situation de l'enseignement primaire et secondaire 1993.* Québec : MEQ.

MEQ (1993c). *Faire avancer l'école.* Québec : MEQ.

MEQ (1993d). *La formation des enseignantes et enseignants en adaptation scolaire. Document de consultation.* Québec : MEQ, Direction générale de la formation du personnel scolaire.

MEQ (1992a). *Retard scolaire au primaire et risque d'abandon scolaire au secondaire.* Québec : MEQ, direction de la recherche, 9192-864.

MEQ (1992b). *Chacun ses devoirs, Plan d'action sur la réussite éducative.* Québec : MEQ, 55-1621.

MEQ (1992c). *L'impact des interventions éducatives précoces en milieu économiquement faible sur la situation scolaire des élèves sept ans après leur entrée en première année du primaire.* Document de travail, direction de la recherche.

MEQ (1992d). *La réussite pour elle et eux aussi. Mise à jour de la politique de l'adaptation scolaire.* Québec : MEQ, 9192-1066.

MEQ (1991a). *Au-delà des apparences... Sondage sur l'expérience morale et spirituelle des jeunes du secondaire.* Québec : MEQ, cote 32-8004.

MEQ (1991b). *Les habitudes de vie des élèves du secondaire.* Rapport d'étude. Québec : MEQ, Cote 28-2601.

MEQ (1991c). *Certificats et diplômes. La reconnaissance officielle des études primaires et secondaires au Québec depuis juin 1929.* Québec : MEQ, Cote 16-7171.

MEQ (1991d). *L'école... facile d'en sortir mais difficile d'y revenir. Enquête auprès des décrocheurs et décrocheuses.* Québec : MEQ, direction de la recherche, cote 9192-6085.

MEQ (1991e). *Notre force d'avenir : l'éducation.* Québec : MEQ, 55-1595.

MEQ (1990). *Régimes pédagogiques. Rapport annuel sur l'application et l'applicabilité.* Québec : MEQ, 51-5214.

MEQ (1989). *Une histoire de l'éducation au Québec.* Québec : MEQ 55-1517.

MEQ (1979). *L'école québécoise. Énoncé de politique et plan d'action.* Québec : MEQ, Cote 7879-415.

MEQ (1966). *L'école coopérative. Polyvalence et progrès continu. Commentaires sur le règlement N° 1 du ministère de l'Éducation.* Québec : MEQ, Documents d'éducation n° 2.

MEQ-MCCI (1991). *Comportements, besoins et préoccupations des élèves de 3ᵉ et 5ᵉ secondaire de l'île de Montréal, selon leur origine ethnique.* Québec : MEQ, cote : 28-2581.

MESS (1993a). *Regard sur l'enseignement collégial. Indicateurs de l'évolution du système 1993.* Québec : MESS, 1532-0434.

MESS (1993b). *Des Collèges pour le Québec du XXIᵉᵐᵉ siècle.* Québec : MESS.

MIDGLEY, C. et WOOD, S. (1993). Beyond Site-Based Management : Empowering Teachers to Reform Schools. *Phi Delta Kappan,* vol. 75, n° 3, 245-252.

MIGUÉ, J.L. et MARCEAU, R. (1989). *Le monopole public de l'éducation.* Québec : PUQ.

MILOT, M. (1993). Les valeurs religieuses à l'école. *Impressions,* n° 17, 8-11.

MILOT, M. (1991). *Une religion à transmettre ? Le choix des parents. Essai d'analyse culturelle.* Ste-Foy : PUL.

MITMAN, A.L. et LAMBERT, V. (1993). Implementing Instructional Reform at the Middle Grades : Case Studies of Seventeen California Schools. *The Elementary School Journal,* vol. 93, n° 5, 495-517.

MORIN, E. (1990a). *Introduction à la pensée complexe.* Paris : ESF.

MORIN, E. (1990b). *Science avec conscience.* Paris : Seuil, 2ᵉ éd.

MOSCOVICI, S. (1992). La démocratie et rien d'autre. *Le genre humain,* n° 26, 31-47. Paris : Seuil.

MOUFFE, C. (1992). Democratic Politics Today. Preface. Dans C. Mouffe (éd.), *Dimensions of Radical Democracy. Pluralism, Citizenship, Community.* London : Verso, 1-14.

MUNCEY, D.E. et MCQUILLAN, P.J. (1993). Preliminary Findings from a Five-Year Study of the Coalition of Essential Schools. *Phi Delta Kappan,* vol. 74, n° 6, 486-489.

NEPVEU, D. (1982). *Les représentations religieuses au Québec dans les manuels scolaires de niveau élémentaire 1950-1960.* Québec : IQRC, Documents préliminaires n° 1.

OAKES, J. et LIPTON, M. (1992). Detracking Schools : Early Lessons from the Field. *Phi Delta Kappan,* vol. 73, n° 6, 448-454.

OAKES, J. et LIPTON, M. (1990). *Making the Best of Schools. A Handbook for Parents, Teachers and Policymakers.* New-Haven : Yale University Press.

OAKES, J., QUARTZ, K.H., GONG, J., GUITON, G. et LIPTON, M. (1993). Creating Middle Schools : Technical, Normative, and Political Considerations. *The Elementary School Journal,* vol. 93, n° 5, 461-480.

OCDE (1992). *Une éducation et une formation de qualité pour tous.* Paris : OCDE.

OUELLET, F. (1973). Nationalisme canadien-français et laïcisme au XIXᵉ siècle. Dans J.P. Bernard, *Les idéologies québécoises au 19ᵉ siècle,* Montréal : Boréal Express, 37-60.

PAGÉ, M. (1993). Éducation pour une démocratie pluraliste. *Impressions,* n° 17, 16-20.

PAQUETTE, C. (1993). Nos convictions éducatives ont-elles de la valeur ? *Vie pédagogique,* n° 83, 4-7.

PAQUETTE, C. (1992). *Une pédagogie ouverte et interactive. Tome 1 : L'approche.* Montréal : Québec/Amérique.

PAQUETTE, C. (1991a). *Des idées d'avenir pour un monde qui vacille.* Montréal : Québec-Amérique.

PAQUETTE, C. (1991b). *Éducation aux valeurs et projet éducatif. Tome 1 : l'approche. Tome 2 : démarches et outils.* Montréal : Québec/Amérique.

PAQUOT, A. (1992). Le français à la dérive ? Comment en sommes-nous arrivés là ? *Québec Français,* n° 86, 83-86.

PARADIS, E. (1992). *L'évaluation des apprentissages. Valoriser sa mission pédagogique.* Québec : FECS-CEQ, D-9875.

PARADIS, L. et POTVIN, P. (1993). Le redoublement : un pensez-y-bien. Une analyse des publications scientifiques. *Vie pédagogique,* n° 85, 13-14, 43-46.

PAYEUR, C. (1993). *Une autre façon de faire. L'éducation au Danemark, en Finlande, en Suède et en Écosse. Rapport de la mission CEQ sur l'organisation du travail.* Québec : CEQ, D-10085.

PAYEUR, C. (1991). *Formation professionnelle. Éducation et monde du travail au Québec.* Montréal : CEQ -Éditions Saint-Martin.

PERRENOUD, P. (1994). Cycles pédagogiques et projets d'école : facile à dire ! *Cahiers pédagogiques,* n° 321-322, 28-33.

PERRENOUD, P. (1993). Formation initiale des maîtres et professionnalisation du métier. *Revue des sciences de l'éducation,*
vol. XIX, n° 1, 59-76.

PERRENOUD, P. (1992a). Différenciation de l'enseignement : résistances, deuils et paradoxes. *Cahiers pédagogiques,* n° 306, 49-55.

PERRENOUD, P. (1992b). La triple fabrication de l'échec scolaire.
Dans B. Pierrehumbert (éd.), *L'échec à l'école : échec de l'école ?*
Lausanne : Delachaux et Niestlé, 85-102.

PETERSON, S.E., DEGRACIE, J.S. et AYABE, C.R. (1987). A
Longitidunal Study of the Effects of Retention/Promotion on
Academic Achievement. *American Educational Research Journal,*
vol. 24, n° 1, 107-118.

PETITAT, A. (1982). *Production de l'école. Production de la société.*
Genève : Droz.

PICHETTE, M. (1991). De la télévision au téléspectateur. Dans
Conseil de la famille, *Familles et télévision,* 5-25.

PIERRE, H. (1994). Le privé veut moderniser les écoles publiques.
Le Monde de l'Éducation, mars, 56-57.

PIETTE, J. (1994). *L'éducation aux médias : vers une redéfinition
des rapports entre l'école et les médias.* Québec : CEQ, Notes de
recherche n° 29.

PIPHO, C. (1992). Outcomes or "Edubabble" ? *Phi Delta Kappan,*
vol. 73, n° 9, 662-663.

PNUD (1992). *Rapport mondial sur le développement humain 1992.*
Paris : Economica.

POLANYI, K. (1983). *La grande transformation. Aux origines politiques et économiques de notre temps.* Paris : Gallimard.

PONS, A. (1988). Introduction. Dans Condorcet, *Esquisse d'un
tableau historique des progrès de l'esprit humain.* Paris :
Flammarion, 17-72.

PRIGOGINE, I. et STENGERS, I. (1986). *La nouvelle alliance.*
Paris : Gallimard, 2ᵉ éd.

PROULX, J.P. (1993). Le pluralisme religieux dans l'école québécoise : bilan analytique et critique. *Repères : Essais en éducation,* n° 15, 157-210.

PURPEL, D.E. (1989). *The Moral and Spiritual Crisis in Education. A Curriculum for Justice and Compassion in Education.* New York : Bergin et Garvey.

RAPPORT DU GROUPE DE TRAVAIL POUR LES JEUNES (1991). *Un Québec fou de ses enfants.* Québec : Ministère de la Santé et des Services sociaux.

RAPPORT PARENT (1963-1966). *Rapport de la Commission royale d'enquête sur l'enseignement dans la province de Québec.* Québec : Éditeur officiel.

RAWLS, J. (1971). *A Theory of Justice.* Cambridge, Mass : Belknap Press of Harvard University.

RAYNAULD, P. et THIBAULT, P. (1990). *La fin de l'école républicaine.* Paris : Calman-Levy.

REBOUL, O. (1992). *Les valeurs de l'éducation.* Paris : PUF, Collection premier cycle.

REBOUL, O. (1991). Nos valeurs sont-elles universelles ? *Revue française de pédagogie,* n° 97, 5-11.

RICARD, F. (1992). *La génération lyrique. Essai sur la vie et l'œuvre des premiers-nés du baby-boom.* Montréal : Boréal.

RIOUX, C. (1993). Le musée de retro-futurologie. *L'Actualité,* vol. 18, n° 1, 33-36.

RISTIC, B. et BRASSARD, D. (1990). *Le redoublement dans les commissions scolaires du Québec : le coût pour l'année 1989-1990 et l'incidence sur le retard scolaire.* Québec : MEQ, Direction des études économiques et démographiques.

ROBIN, J. (1989). *Changer d'ère.* Paris : Seuil.

ROBITAILLE, M. et MAHEU, L. (1993). Les réseaux sociaux de la pratique enseignante et l'identité professionnelle : le cas du travail enseignant au collégial. *Revue des sciences de l'éducation,* vol. XIX, n° 1, 87-112.

ROCHER, G. (1990a). L'emprise croissante du droit. Dans F. Dumont (dir.), *La Société québécoise après 30 ans de changements.* Québec : IQRC, 99-116.

ROCHER, G. (1990b). Un système d'enseignement en voie de démocratisation. Dans V. Lemieux (éd.). *Les institutions québécoises, leur rôle, leur avenir.* Sainte-Foy : PUL, 103-114.

ROGAVAS-CHAUVEAU, E. et CHAUVEAU, G. (1993). Banlieues : le rêve de l'excellence. Dans *Ainsi change l'école. L'éternel chantier des novateurs. Autrement,* n° 136, 44-58.

ROSENTHAL, R.A. et JACOBSON, L. (1971). *Pygmalion à l'école.* Paris : Casterman.

ROUSSEAU, T. et SAINT-PIERRE, C. (1992). Formes actuelles et devenir de la classe ouvrière. Dans G. Daigle et G. Rocher (éd.), *Le Québec en jeu, comprendre les grands défis,* Montréal : PUM, 265-295.

ROUSSEL, L. (1989). L'avenir de la famille. *La Recherche,* n° 214, 1248-1253.

ROYER, E., SAINT-LAURENT, L., MOISAN, S., BITAUDEAU, I. et CÔTÉ, E. (1993). La réussite scolaire et la collaboration entre l'école et la famille. *Bulletin du CRIRES,* vol. 1, n° 1.

SAINT-PIERRE, C. (1992). Nouveaux modèles de production, nouvelles formes d'entreprise et nouvelles valeurs. Dans D. Mercure (éd.), *La culture en mouvement. Nouvelles valeurs et organisations,* Québec : PUL, 137-149.

SAINT-PIERRE, C. (1990). Transformations du monde du travail. Dans F. Dumont (dir.), *La société québécoise après 30 ans de changements.* Québec : IQRC, 67-79.

SALOMON, A. et COMEAU, J. (1992). L'école et la famille : ensemble ou chacun de son côté. *Éducation Canada,* automne, 11-15.

SATO, N. et MCLAUGHLIN, M.W. (1992). Context Matters : Teaching in Japan and in the United States. *Phi Delta Kappan,* vol. 73, n° 5, 359-366.

SAVARD, P. (1990). De l'impasse au babélisme ou Quelques avatars de la formation fondamentale hier et aujourd'hui. Dans C. Gohier (éd.). *La formation fondamentale. Tête bien faite ou tête bien pleine ?* Montréal : Logiques, 103-109.

SERRES, M. (1991). *Le tiers-instruit.* Paris : Éd. François Bourin.

SHANKER, A. (1990). The End of the Traditional Model of Schooling - and A proposal for Using Incentives to Restructure Our Public Schools. *Phi Delta Kappan,* vol. 71, n° 5, 345-357.

SIMARD, M. (1993). *L'enseignement privé : 30 ans de débats.* Montréal : Éditions Thémis.

SINGH, R.R. (1992). Changer l'éducation pour un monde qui change. *Perspectives,* vol. XVII, n° 1, 7-20.

SIROTA, R. (1993). Le métier d'élève. Note de synthèse. *Revue française de pédagogie,* n°104, 85-108.

SIROTNIK, K.A. (1990). Society, Schooling, Teaching, and Preparing to Teach. Dans J. Goodlad, R. Soder et K.A. Sirotnik (ed), *The Moral Dimensions of Schooling.* San Francisco : Jossey-Bass, 296-327.

SIZER, T.R. (1992). *Horace's School. Redesigning the American High School.* Boston : Houghton Miffin Co.

SLAVIN, R. (1993). Ability Grouping in the Middle Grades : Achievement Effects and Alternatives. *The Elementary School Journal,* vol. 93, n° 5, 535-552.

SLAVIN, R. et al. (1994). Whenever and Wherever We Choose. The Replication of « Success for All ». *Phi Delta Kappan,* vol. 75, n° 8, 639-647.

SLAVIN, R. et al. (1985). *Learning to Cooperate, Cooperating to Learn.* New York : Plenum Press.

SMITH, C.S. et SCOTT, J.J. (1990). *The Collaborative School. A Work Environment for Effective Instruction.* Reston, VA : ERIC et NASSP.

SMITH, M.L. et SHEPARD, L.A. (1987). What Doesn't Work : Explaining Polices of Retention in the Early Grades. *Phi Delta Kappan,* vol. 69, n° 2, 129-134.

STATISTIQUE CANADA (1993). *Statistiques financières de l'éducation.* Ottawa : Statistique Canada, Catalogue 81-208.

STEVENSON, H.W. (1991). Japanese Elementary School Education. *The Elementary School Journal,* vol. 92, n° 1, 109-120.

SYKES, G. (1991). Fostering Teacher Professionalism in Schools. Dans R.F. Elmore, *Restructuring Schools. The Next Generation of Educational Reform.* San Francisco : Jossey-Bass Publishers, 59-96.

SYLVAIN, P. (1973). Quelques aspects de l'antagonisme libéral-ultramontain au Canada-français. Dans J.P. Bernard, *Les idéologies québécoises au 19ᵉ siècle,* Montréal : Boréal Express, 127-149.

TALBERT, J.E., MCLAUGHLIN, M.W. et ROWAN, B. (1993). Understanding Context Effects on Secondary School Teaching. *Teachers College Record,* vol. 95, n° 1, 45-68.

TARD, C. et BOITEAU, C. (1991). *Les habitudes de vie et la réalité des jeunes des écoles secondaires de la commission scolaire des Découvreurs.* Sainte-Foy : Centre de recherche sur les services communautaires, Université Laval.

TARDIF, J. (1993). Pour un enseignement de plus en plus stratégique. *Québec Français,* n° 89, 35-39.

TARDIF, J.C. (1992). *Exclus ou déserteurs ? Rapport de recherche sur l'analphabétisme et les difficultés scolaires.* Québec : CEQ.

TAYLOR, C. (1992). *Grandeur et misère de la modernité.* Montréal : Bellarmin.

TODOROV, T. (1991). *Face à l'extrême.* Paris : Seuil.

TOURAINE, A. (1994). *Qu'est-ce que la démocratie ?* Paris : Fayard.

TOURAINE, A. (1992). *Critique de la modernité.* Paris : Fayard.

TOURAINE, A. (1991). Au-delà d'une société du travail et des mouvements sociaux ? *Sociologie et sociétés,* vol. XXIII, n° 2, 27-41.

TREMBLAY, A., BLAIS, R. et SIMARD, M. (1989). *Le ministère de l'Éducation et le Conseil supérieur : antécédents et création, 1867-1964.* Québec : Presses de l'Université Laval.

TROTTIER, C. (1990). La vocation de l'école secondaire. Dans F. Dumont et Y. Martin (éd.), *L'éducation, 25 ans plus tard ! et après ?* Québec : IQRC, 133-157.

TURCOTTE, P.A. (1990). Formation culturelle, formation scientifique et formation spécialisée dans l'enseignement secondaire public. Dans C. Gohier (éd.), *La formation fondamentale. Tête bien faite ou tête bien pleine ?* Montréal : Logiques, 89-102.

TURCOTTE, P.-A. (1988). *L'enseignement secondaire public des frères éducateurs (1920-1970).* Montréal : Bellarmin.

TYE, K.A. (1992). Restructuring Our Schools. Beyond the Rhetoric. *Phi Delta Kappan,* vol. 74, n° 1, 8-14.

VALLIN, J. (1992). Vers un nouvel équilibre démographique. *Le Monde diplomatique,* p. VI, juin.

VAN HAECHT, A. (1990). *L'école à l'épreuve de la sociologie.* Bruxelles : De Boeck-Wesmael.

VINOVSKIS, M.A. (1993). Early Childhood Education : Then and Now. *Daedalus,* vol. 122, n° 1, 151-176.

WALZER, M. (1992). The Civil Society Argument. Dans C. Mouffe (éd.), *Dimensions of Radical Democracy. Pluralism, Citizenship, Community.* London : Verso, 89-107.

WALZER, M. (1983). *Spheres of Justice. A Defense of Pluralism and Equality.* New York : Basic Books.

WHEELOCK, A. (1992). The Case for Untracking. *Educational Leadership,* vol. 50, 2, 6-10.

WHITE, J. (1991). *Education and the Good Life. Autonomy, Altruism, and the National Curriculum.* New York : Teachers College Press.

WIRTH, A.G. (1993). Education and Work : The Choices we Face. *Phi Delta Kappan,* vol. 74, n° 5, 361-366.

WIRTH, A.G. (1991). Issues in the Reorganization of Work : Implications for Education. *Theory Into Practice,* vol. XXX, n° 4, 280-287.

ZUKEWICH GHALAN, N. (1993). Les femmes sur le marché du travail. *Tendances sociales canadiennes,* Statistique Canada, printemps 1993, 2-6.

Liste des sigles utilisés

CADRE	Centre d'animation, de développement et de recherche en éducation
CECM	Commission des écoles catholiques de Montréal
CEICI	Centre d'éducation interculturelle et de compréhension internationale
CEPGM	Commission des écoles protestantes du grand Montréal
CEQ	Centrale de l'enseignement du Québec
CMED	Commission mondiale sur l'environnement et le développement
CPIQ	Conseil pédagogique interdisciplinaire du Québec
CRIRES	Centre de recherche et d'intervention sur la réussite scolaire
CSE	Conseil supérieur de l'éducation
CSIM	Conseil scolaire de l'île de Montréal
CSN	Confédération des syndicats nationaux
CIC	Corporation des instituteurs et institutrices catholiques
CTCC	Confédération des travailleurs catholiques du Canada
DEC	Diplôme d'études collégiales
DES	Diplôme d'études secondaires

FCSQ   Fédération des commissions scolaires du Québec

FECS   Fédération des enseignantes et enseignants de commissions scolaires

FMI   Fonds monétaire international

FPPE   Fédération des professionnelles et professionnels de l'éducation

FTQ   Fédération des travailleurs et travailleuses du Québec

ICEA   Institut canadien d'éducation des adultes

IQRC   Institut québécois de recherche sur la culture

IRAT   Institut de recherche appliquée sur le travail

MCCI   Ministère des Communautés culturelles et de l'Immigration

MEQ   Ministère de l'Éducation du Québec

MESS   Ministère de l'Enseignement supérieur et de la Science

OCDE   Organisation de coopération et de développement économiques

PNUD   Programme des Nations-Unies pour le développement

SQDM   Société québécoise de développement de la main-d'oeuvre

UCC   Union catholique des cultivateurs

UPA   Union des producteurs agricoles